D1133338

LE SÉDUCTEUR

RICHARD MASON

LE SÉDUCTEUR

*Traduit de l'anglais
par Aline Oudoul*

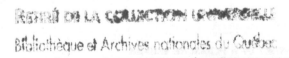

ROBERT LAFFONT

Titre original : HISTORY OF A PLEASURE SEEKER
© Richard Mason, 2011
Traduction française : Éditions Robert Laffont, S.A., Paris, 2013

ISBN : 978-2-221-12690-5
(édition originale ISBN 978-0-297-86105-8, Weidenfeld & Nicolson,
Londres)

La Courbe d'or
Amsterdam, 1907

Piet Barol avait découvert, au détour de l'adolescence, son grand pouvoir de séduction sur la plupart des femmes et sur nombre d'hommes. Il était assez mûr pour en tirer parti, assez jeune pour se montrer impudent et assez expérimenté pour sentir qu'aujourd'hui, cela pourrait se révéler décisif.

Quand il sortit du train de Leyde dans le tourbillon de la Gare centrale, des passants se retournèrent discrètement pour le regarder. Il avait un visage franc, des yeux bleus rieurs, un nez plein d'assurance, et des cheveux bruns bouclés. Sa taille ne dépassait guère la moyenne, mais il était bien fait et musclé, et ses longues mains douces laissaient imaginer la volupté de leurs caresses.

Dans l'une d'elles, par ce froid matin de février, Piet serrait une enveloppe trop grande pour les poches de son costume anglais. À l'intérieur, son diplôme universitaire et une recommandation d'un professeur qui devait un service à son père. En traversant l'avenue Prins Hendrik, Piet s'ancra dans la décision qu'il avait prise dès que Jacobina Vermeulen-Sickerts l'avait invité à se présenter pour ce poste : il frapperait à la grande porte de la maison, comme un égal, non à l'entrée de service.

Les Vermeulen-Sickerts habitaient la partie la plus grandiose du plus majestueux canal d'Amsterdam. Piet savait par les journaux que le père, Maarten, faisait distribuer du pain dans les taudis et qu'on lui devait pour beaucoup les installations d'eau potable au sein des quartiers les plus pauvres de la ville. Il possédait le plus luxueux hôtel du pays et maints établissements semblables dans toute l'Europe. Quant à ses filles, Louisa et Constance, elles régnaient sur le « monde des jeunes élégantes » et passaient pour donner des sujets d'alarme à leur mère, Jacobina. Dans l'ensemble, la famille avait la réputation d'être très libre, moderne et richissime : trois qualités qui, Piet en était sûr, rendraient moins assommante la charge de précepteur d'un petit garçon gâté.

Il flâna au bord du Blauwburgwal et le traversa pour gagner le canal Herengracht. Le long de ses deux berges, des maisons bâties pour les notables du XVIIᵉ siècle contemplaient le monde avec la sérénité des demeures qui ont survécu à trois cents ans de bouleversements. Elles étaient hautes mais étroites, sans l'air pompeux des maisons bourgeoises que sa mère lui avait montrées à Paris ; pourtant, c'étaient indéniablement des résidences cossues, une aisance qu'indiquait avec subtilité leur profusion de fenêtres.

Lorsqu'il tourna à gauche, Piet tourna mentalement le dos à Leyde, à la sombre petite maison familiale de Pieterskerkhof, et au destin de commis d'université qui allait de pair. Pendant quatre ans, il avait aidé son père à sanctionner les étudiants qui ne payaient pas leurs amendes de bibliothèque, trichaient aux examens ou étaient surpris en compagnie de femmes de mauvaise vie. Côtoyer ces jeunes gens lui avait appris à affecter l'assurance nonchalante des riches, mais il n'avait pas l'intention de jouer les huissiers éternellement.

Il plaqua sur sa bouche un mouchoir impeccable et prit une profonde inspiration. Le canal dégageait une pestilence à laquelle ne l'avait pas préparé la relative simplicité d'une ville de province. Au fond de son lit croupissait un mélange de chaussures putrides, de croûtes de fromage, d'urine de rat, de déjections humaines, d'huile, de goudron et de produits chimiques échappés d'un navire au port. Leurs odeurs conjuguées étaient étouffantes, mais les passants n'y prêtaient pas attention. Piet était sûr que lui-même s'y habituerait avec le temps. Il pressa le pas. Plus les numéros des maisons allaient croissant, plus s'affirmait le message que chuchotait l'architecture : ici vivaient des gens riches et distingués. Les demeures plus étroites de deux ou trois fenêtres par étage, dominant le début du canal, se raréfiaient. Quand il traversa la Nieuwe Spiegelstraat, presque toutes disparurent. Bientôt, la plus petite arborait quatre fenêtres par étage. Laquelle était la leur ? Il consulta sa montre. Il avait encore vingt minutes d'avance. Pour ne pas être vu, il franchit le canal et poursuivit sa marche.

La présence d'une maison dotée de six fenêtres au rez-de-chaussée indiqua une aisance encore plus marquée et le début de la Courbe d'or. Piet fut saisi d'une légère panique. Il n'avait pas toujours été un étudiant zélé et la recommandation de son professeur manquait de sincérité, chose que pourrait relever un lecteur attentif. Piet était beaucoup plus malin que bien

11

des gens plus diplômés que lui, mais il pouvait difficilement avancer un tel argument. Il parlait un français parfait – sa mère, Nina, était née à Paris –, et son anglais comme son allemand étaient acceptables ; mais sa maîtrise du piano était juste correcte, et l'annonce insistait sur le génie musical d'Egbert Vermeulen-Sickerts et sur la nécessité que son précepteur puisse égaler et développer son talent.

Il s'assit sur un banc en fer forgé et se reprit. Il n'avait pas les meilleures références, mais à vingt-quatre ans il avait compris depuis longtemps que les décisions des hommes ne se fondent pas seulement sur la foi des écrits. Un précepteur, après tout, n'était pas un domestique. Le candidat choisi ne servirait pas la famille, il partagerait sa table ; et même si les Vermeulen-Sickerts ne l'avaient pas précisé, il était sûr que des gens aussi *à la page*[1] apprécieraient un pédagogue sachant les divertir par sa conversation. Il était très doué dans ce domaine, ayant appris à charmer son monde dès son plus jeune âge.

Il sortit la lettre de Jacobina et dessina, au dos de l'enveloppe, la façade austère, imposante d'une maison en face de lui. Quand il eut réussi à rendre la perspective de l'eau et des briques, il se sentit plus calme, plus optimiste. Il se leva et reprit sa marche ; enfin, quand le canal s'incurva à nouveau, il aperçut la maison qui portait le numéro 605.

À l'idée que peut-être il dormirait bientôt dans l'une des chambres de ses derniers étages, Piet frissonna sous son manteau de cachemire à col de

---

1. En français dans le texte. (*N.d.T.*)

velours, racheté à un riche étudiant criblé de dettes. La maison s'élevait sur cinq niveaux, tous percés d'autant de fenêtres – des centaines de carreaux de verre miroitant des reflets du canal et du ciel. La porte d'entrée se trouvait au premier étage, accessible par un bel escalier à double volée, et des ornements en stuc blanc tempéraient la sévérité de sa façade. Malgré ses dimensions majestueuses, la demeure n'avait rien d'ostentatoire, de chargé ni d'intimidant. Ce que Piet approuva sans réserve.

Il traversait le pont dans sa direction quand un homme à l'approche de la trentaine sortit par l'entrée de service sous l'escalier. Il n'était pas bien habillé et son costume, acheté au temps d'une minceur passée, disait trop son habit du dimanche. Il ressemblait un peu à un jeune homme qui avait harcelé Piet l'été précédent : brun, empoté, le menton flasque et le nez luisant. Piet l'avait fermement repoussé et il n'avait pas non plus l'intention de laisser ce garçon lui damer le pion. Quand son rival se sauva vers la gare, il vit qu'au bout d'une centaine de mètres il était un peu hors d'haleine. Ce spectacle le rassura.

Il rajusta sa cravate et traversa le pont. Mais quand il s'apprêta à monter l'escalier, la porte de service s'ouvrit et une femme au menton sévère dit :

— Monsieur Barol ? Nous vous attendions. Si vous voulez bien vous donner la peine...

*

La puanteur des canaux se dissipa aussitôt pour faire place à l'arôme d'un gâteau aux pommes doré à souhait, lequel couvrait des parfums de cire, de shampoing et la fragrance d'un grand seau de roses orangées, posé sur la table près de l'office.

— Je suis la gouvernante, Mme De Leeuw. Suivez-moi, je vous prie.

La dame le mena dans une vaste cuisine, temple d'une efficacité calmement orchestrée. Dans un coin se dressait une énorme glacière, dont un beau jeune homme de l'âge de Piet tenait la porte ouverte, pour faciliter l'entrée d'un moule de blanc-manger.

— Attention, Hilde! jeta sèchement la gouvernante. Puis-je prendre votre manteau, monsieur Barol? M. Blok va vous conduire à l'étage.

Ce dernier apparut, en queue-de-pie : un homme d'une bonne cinquantaine d'années au teint cireux, le menton soigneusement rasé. Une lueur dans son regard suggéra qu'il n'était pas insensible au charme du jeune Barol – ce que Piet jugea problématique, car il n'éprouvait pas d'inclination réciproque. Les rares fois où il allait avec des hommes, il les préférait athlétiques et plus proches de son âge. Le majordome n'était ni l'un ni l'autre.

— Par ici, monsieur Barol, dit-il.

Le maître d'hôtel quitta la pièce et gravit un escalier étroit. Piet, ne voulant pas paraître provincial, dissimula son admiration pour le hall d'entrée. Des panneaux ornés de scènes romantiques surmontaient un lambris de marbre rose veiné de gris. Sur une table en demi-lune se trouvait une coupe d'argent remplie de cartes de visite. M. Blok tourna à droite sous une lanterne dorée et conduisit Piet vers une porte ouverte au bout du couloir, par laquelle on voyait de grandes portes-fenêtres.

En passant devant la salle à manger, Piet aperçut un papier peint vert et or et une table dressée pour cinq personnes, tout le cercle de famille, ce qui voulait dire que Constance et Louisa dîneraient à la maison. Sachant par les journaux qu'elles le faisaient rarement, leur présence lui parut, à juste titre, un signe d'intérêt pour le précepteur de leur frère.

Il rêvait de les rencontrer et de gagner leur amitié. L'escalier qui menait aux étages supérieurs était tapissé de velours rouge et dominé par un trio de statues, sous un dôme vitré. M. Blok le dépassa et fit entrer Piet dans la pièce aux portes-fenêtres, en fait un minuscule octogone de pierre et de verre garni de deux sofas d'une grande rigidité. Ce qui disait clairement que les splendeurs de la salle de réception étaient réservées à des hommes plus insignes ; comme Piet avait une haute opinion de sa valeur innée, il en fut froissé et résolut de conquérir la personne dont dépendait la libre disposition de la maison.

*

Le majordome se retira. Piet déposa ses références sur une table si frêle qu'elle supportait à peine ce poids, et s'assit pour attendre. Au-dessus de sa tête, un chandelier formé de cinq griffons dorés le toisa avec dédain, comme si chacun de ses lions ailés pouvait lire dans son âme et la réprouvait. Le prénom de Mme Vermeulen-Sickerts évoquait des images de patriarches velus et Piet espérait qu'elle ne serait pas trop laide. C'était plus difficile de flirter avec une femme sans beauté.

Il fut agréablement surpris quand un pas léger résonna sur le carrelage et que Jacobina apparut. Bien qu'allant sur ses quarante-six ans, elle avait la taille fine et des gestes vifs et élégants, signes d'une jeunesse athlétique. Elle portait une robe d'après-midi en laine vert pomme, avec un col haut en dentelle et une petite traîne : un vêtement incommode à bien des égards, mais Mme Vermeulen-Sickerts était au-dessus des contingences pratiques.

— Bonjour, monsieur Barol.

Elle lui tendit la main et il la serra avec fermeté.

— Restez assis, je vous en prie.

Mais Piet était déjà debout et souriait timidement.

— Veuillez excuser ces meubles inconfortables, dit-elle en se laissant tomber sur un divan. Mon mari est féru de *Louis XV* et l'étoffe est trop délicate pour qu'on puisse faire changer les ressorts. Prendrez-vous le thé avec moi ?

— Volontiers.

Elle demanda la collation par téléphone, un appareil luxueusement orné.

— Puis-je voir vos références ?

Il valait mieux s'en débarrasser tout de suite. Quand Piet les lui tendit, il croisa les yeux de la dame et sentit qu'il avait fait une première impression favorable. En effet, son odeur, qui était celle d'un gentleman, et sa tenue, qui l'était tout autant, la rassurèrent pour des raisons dont elle n'avait absolument pas conscience. Elle jeta un coup d'œil aux documents, vit que Piet possédait le diplôme requis.

— Parlez-moi de votre famille. Votre père est employé à l'université de Leyde, je crois ?

— Tout à fait, madame.

Herman Barol occupait un emploi respectable dans la plus vieille université de Hollande. Piet en fit état en taisant que ces postes administratifs étaient généralement occupés par de petits tyrans incapables d'exercer leur pouvoir ailleurs.

— Et votre mère?

— Elle était professeur de chant. Elle est morte quand j'avais dix-sept ans.

— J'en suis désolée. Vous chantez?

— Oui, madame.

— Parfait. Mon mari aussi.

C'était, en fait, grâce à sa mère que Piet pouvait lire en Jacobina Vermeulen-Sickerts les marques subtiles d'un intérêt qui n'était pas entièrement professionnel, longtemps avant qu'elle s'en soit aperçue elle-même. Dès qu'il avait su marcher, Nina Barol lui avait parlé comme à un adulte, charmant et cultivé. Elle l'avait éclairé sur les émois de ses élèves avec une franchise qui les aurait horrifiés et, plus tard, jeune accompagnateur, Piet avait eu amplement l'occasion de rechercher les signes de ce qu'elle lui avait révélé. À présent, il était particulièrement sensible aux manifestations des émotions. Tout en répondant aux questions de Jacobina, il recueillait un luxe de détails sur la femme qu'il convaincrait peut-être de changer sa vie. Elle avait, indéniablement, un grand sens des convenances. Néanmoins, ce rempart ne semblait pas plus solide chez elle que chez d'autres femmes respectables qui l'avaient allègrement laissé tomber pour lui.

— Et M. Egbert? demanda-t-il.

On apporta le thé et Jacobina le servit.

— Mon fils est extrêmement intelligent, mais parfois cette sorte d'intelligence peut être un fardeau. Il a toujours eu une très vive imagination. D'ailleurs, je l'ai encouragée. Mais j'ai peut-être été trop indulgente avec lui. Mon mari croit qu'il a besoin d'un traitement plus sévère, toutefois j'aimerais un précepteur qui puisse concilier l'autorité et la douceur.

Jacobina avait tenu ce discours à chacun des seize candidats qu'elle avait déjà reçus ; mais quand elle prononça le mot *douceur*, elle jeta un coup d'œil aux mains de Piet, comme si elles étaient la parfaite expression de ce qu'elle recherchait.

— Egbert s'acquitte parfaitement de ses devoirs scolaires. Il parle anglais, allemand et français et se consacre à la pratique du piano avec une discipline louable. Il a même dépassé tous les professeurs de musique que j'ai pu lui trouver. Mais...

— Il est timide, peut-être ?

— Pas exceptionnellement, monsieur Barol. Si vous le voyiez, vous n'en seriez pas autrement frappé. Le problème... c'est qu'il ne veut pas quitter la maison.

— Ne veut pas ?

— Il ne peut pas, peut-être... Nous avons dû obtenir un permis spécial pour assurer son instruction chez nous. La dernière fois qu'il est allé dans le jardin, c'était il y a dix-huit mois, mais depuis ses huit ans, il refuse strictement de sortir dans la rue. Nous avons d'abord tenté de l'amadouer, puis de le forcer ; mais hélas, ses crises étaient si poignantes que j'ai dû mettre fin aux efforts de mon mari. C'était peut-être un tort, mais c'est très dur pour une mère de voir son enfant terrifié sans essayer d'intervenir.

— Bien sûr.

— Donc, voilà la situation. Nous avons besoin d'un précepteur qui soit capable de... retrouver Egbert, là où il s'est égaré, et de nous le ramener.

C'était la quatrième fois de la journée, et la douzième de la semaine, que Jacobina était obligée de se
rabaisser devant un inconnu par ce franc exposé de
ses défaillances maternelles. C'était une épreuve pour
elle. Mais l'intérêt sincère qu'elle lisait dans le regard
de Piet contrastait si bien avec la gêne des autres candidats qu'elle fut portée à se révéler davantage.

— Je l'ai trop dorloté quand il était petit, monsieur
Barol. J'aurais dû l'endurcir, mais j'ai omis de le
faire, et maintenant il n'a même pas le courage de
s'aventurer dehors, sur les marches. Avez-vous l'expérience des enfants difficiles ?

Piet n'avait aucune expérience des enfants, quels
qu'ils soient.

— Vivre dans une ville universitaire permet de
connaître nombre de brillants excentriques, dit-il judicieusement.

Jacobina sourit, pour cacher qu'elle aurait aussi
bien pu fondre en larmes. Elle aimait ardemment chacun de ses enfants, mais Egbert en particulier parce
que c'était celui qui avait le plus besoin d'elle. Elle
but une gorgée de thé.

— Il est, de surcroît, essentiel que tout précepteur
soit capable de communiquer avec lui sur le plan
musical. La musique le passionne.

— J'ai été répétiteur pour ma mère et ses élèves
dès l'âge de neuf ans.

— Parfait. Peut-être voudriez-vous me jouer quelque
chose ?

— Avec plaisir.

Jacobina se leva.

— Je vais vous conduire à la salle de classe. Mes
filles Constance et Louisa ont relégué leur frère dans

la maison voisine. Par chance, celle-ci appartient à ma tante, qui passe une grande partie de l'année à Baden-Baden. Nous avons fait percer une porte spécialement pour qu'Egbert n'ait pas à passer par la rue. C'était une erreur, je suppose, mais il peut parfois être... obsédant quand il joue, et Louisa, surtout, a l'oreille sensible. Dans le salon de ma tante, il peut faire autant de bruit qu'il veut sans déranger personne.

Elle entraîna Piet dans la salle à manger, où il vit que d'un côté de la cheminée, le cadre d'une porte était ingénieusement caché dans le papier peint. Elle l'ouvrit, dévoilant un vestibule au carrelage noir et blanc, un peu plus petit que celui du numéro 605.

Il lui tint la porte quand elle la franchit.

*

Jacobina avait conduit beaucoup d'hommes dans la maison de sa tante pour les entendre jouer sur le grand Bösendorfer qui était le plus proche confident d'Egbert. Elle les y avait amenés seule et ne s'était jamais sentie gênée ; mais quand la porte secrète se referma derrière le beau Piet, elle eut soudainement l'impression d'outrepasser les convenances. Elle traversa le hall et ouvrit la porte de la salle de réception.

— Egbert est au lit aujourd'hui. Il attrape facilement froid... c'est pour ça que nous maintenons une telle température ici.

Il faisait, en effet, très chaud. De lourds radiateurs dorés murmuraient sous des fenêtres tendues de velours bleu nuit.

— Enlevez donc votre veste, si vous étouffez.

Piet s'exécuta et s'assit au piano, se demandant ce qu'il devait jouer. Il n'était pas un virtuose, et la crainte qu'un petit Mozart au nez luisant puisse lui ravir la place lui noua le ventre. Il ouvrit l'instrument, attendit l'inspiration... et se souvint que sa mère lui avait dit que le *mi* bémol majeur était la seule tonalité pour l'amour. Il jeta un coup d'œil à Jacobina. Elle n'avait pas l'air d'une femme aux appétits sensuels comblés, et la température de la pièce se prêtait sans nul doute à la tendresse.

Que permettrait-elle ?

L'idée de le découvrir ranima de vieilles tentations, car ce n'était pas la première fois qu'il flirtait depuis un tabouret de piano. Il hésita, soupesant les dangers. Mais déjà le risque faisait monter en lui une bouffée d'adrénaline irrésistible. Mme Vermeulen-Sickerts voulait un précepteur doué d'autorité et de douceur. Il devait lui jouer un morceau lent et sentimental, mais pas trop difficile, de préférence en *mi* bémol majeur. Mais quoi ? Jacobina passa devant le piano et se retourna pour lui faire face, comme jadis les élèves de sa mère. Il sentit alors son parfum – d'eau de rose et de musc, de dessous lavés à la main – et se rappela que le deuxième nocturne de Chopin remplissait tous ces critères.

Selon la partition de sa mère, ce morceau devait être joué *espressivo dolce* – doucement et avec expression – et Piet l'attaqua très bas, de mémoire, *andante*, *quasi lento*. L'instrument, excellent et fraîchement accordé, prêta à son interprétation une finesse qu'il n'avait pas souvent obtenue sur le piano droit de sa mère.

Piet ne s'était pas trompé : il y avait bien des années que personne ne s'était employé à flatter les sens de Mme Vermeulen-Sickerts. Jacobina avait presque cessé de le déplorer, mais en présence d'un aussi beau jeune homme, cette triste réalité la frappa avec force. Elle s'approcha pour mieux le voir. Il avait un visage viril, mais gracieux, aux lèvres succulentes qui lui firent penser, malgré elle, aux petits baisers secs de son mari.

Elle détourna les yeux.

Piet s'emmêla dans une série de doubles croches, mais le piano le lui pardonna, enfouissant toute trace de la note discordante dans les mouvements d'une riche harmonie. Il sentit, en jouant, l'atmosphère réagir aux charmes de la musique. Dans le cœur de Jacobina, la nostalgie des occasions manquées de sa jeunesse s'accentuait à chaque note. En regardant le jeune homme, elle n'était pas insensible à ses épaules musclées, ni à la manière dont sa chemise épousait son dos quand il se penchait au-dessus des touches. Cela faisait longtemps qu'elle n'avait pas entendu d'autre musique que les exercices acharnés de son fils, et la douceur avec laquelle les longs doigts de Piet obtenaient ces sons étouffés du clavier était enchanteresse.

C'était un secret qu'elle ne partageait plus avec personne, mais Jacobina Vermeulen-Sickerts était très différente de la femme que ses proches et sa famille croyaient connaître. Au fond d'elle-même, elle ressemblait plus à Louisa qu'à Constance et elle avait passé sa jeunesse à rêver d'une vie qui n'était pas du tout celle dont elle jouissait aujourd'hui. Son souffle s'altéra... et le pouls de Piet s'accéléra. Il leva les yeux, la surprit à le contempler et retint son regard jusqu'à ce qu'elle détourne le sien. Il avait l'habitude d'animer ainsi les leçons des plus jolies élèves de sa mère et, depuis son dix-septième anniversaire, il s'était peu à peu enhardi – mais il n'avait jamais usé de ses stratagèmes sur une dame de haut rang, ni dans une situation aussi propre à tourner au désastre.

*

Piet égrena très délicatement les dernières mesures du nocturne et la résonance du piano créa un frémissement dans l'air, qu'il prolongea en laissant son pied sur la pédale. Puis, quand Jacobina dit : «Jouez-moi quelque chose de moderne, monsieur Barol», il n'hésita pas. Il choisit l'entracte de *Carmen*, un morceau toujours en *mi* bémol majeur dont il avait déjà usé en pareilles circonstances. Sa mélodie pure, séduisante, s'éleva des braises du nocturne et les arpèges mirent les mains de Piet en valeur. Tandis qu'il jouait, il songea aux contrebandiers arrivant sur scène à la fin de l'entracte, chuchotant que la fortune venait si on évitait les faux pas. C'était exactement ce qu'il éprouvait lorsqu'il baigna sa proie dans une musique douce, permissive.

La position sociale de Mme Vermeulen-Sickerts la protégeait des regards lascifs des hommes. La possibilité d'en avoir croisé un à présent la troubla, mais ne lui déplut pas. Elle détourna la tête, croyant s'être trompée. Mais quand ses yeux rencontrèrent à nouveau ceux de Piet, elle s'aperçut qu'ils la fixaient, ce qui redoubla son émoi. Jacobina montait à cheval deux fois par semaine, sinon elle faisait très peu d'exercice. Elle s'était mise récemment à craindre que cela se voie, sentant se relâcher son ancien corps de sylphide.

Éveiller le regard admirateur d'un jeune homme la grisa.

Elle se tourna vers la fenêtre pendant qu'il achevait de jouer.

— Quel toucher, monsieur Barol! dit-elle en lançant son compliment à la rue.

Mais quand elle se retourna vers lui, il la fixait en souriant.

Piet arrivait souvent à ses fins grâce à son sourire. Ce jour-là, celui-ci rayonnait d'une espérance gracieuse et Jacobina, charmée, arrêta son choix.

— Vous êtes libre de prendre vos repas avec nous, ou de dîner dehors, à votre convenance. Vous trouverez notre famille très facile à vivre. Mes filles ravissent tous les gens qu'elles rencontrent. Et Egbert... (Elle laissa cette phrase inachevée.) Mme De Leeuw vous montrera votre chambre.

— Je ferai de mon mieux, *Mevrouw*[1].

— Mon mari, j'en suis sûre, voudra vous voir avant le dîner. Je vous ferai monter quelques-unes de ses chemises. Nous pourrons faire venir vos bagages demain.

— Merci, madame Vermeulen-Sickerts.

— Je vous en prie.

*

Naomi De Leeuw n'avait pas une bonne opinion des précepteurs, ni de leur place mal définie dans la hiérarchie de la maison : ni domestiques ni invités. L'un des prédécesseurs de Pict avait tiré parti de cette

---

1. «Madame» en néerlandais. (*N.d.T.*)

distinction vague et elle ne comptait pas laisser ce jeune fat faire de même.

— Vous partagerez les combles et une salle de bains avec M. Blok et M. Loubat, dit-elle d'un ton guindé en le conduisant au grenier. Je vous remercie de ne pas aller au sous-sol, où sont les chambres des bonnes, après cinq heures du soir. Nous sommes très exigeants sur la propreté. Vous pourrez prendre deux bains par semaine et vous aurez de l'eau tous les jours pour vous raser. Hilde Wilken lavera votre linge.

Elle ouvrit une porte et le fit entrer dans une petite chambre, confortablement meublée, donnant sur le jardin.

— Il n'est pas permis de fumer ni de boire, sauf si un rafraîchissement vous est offert par un membre de la famille. La salle de bains est deux portes plus loin. Vous êtes tenu d'aller au temple le dimanche matin, mais vous pouvez passer le dimanche après-midi à votre guise. Avez-vous des questions, monsieur Barol ?

— Je ne crois pas, madame De Leeuw.

— Parfait. J'espère que vous serez bien ici.

*

Après le départ de la gouvernante, Piet s'assit sur le lit et desserra sa cravate, étourdi par l'amélioration soudaine de son sort. Envolée, la minuscule alcôve, séparée par un rideau de la chambre de son père, où il avait dormi depuis qu'il avait quitté le berceau. Disparues, les toilettes extérieures, la tuyauterie rouillée, la nourriture infecte de l'université à laquelle il avait dû s'habituer depuis la mort de sa mère. Les ambitions qu'il avait nourries dans le secret de son cœur – voyager, vivre dans l'élégance et le confort, échapper pour toujours au dénuement distingué de sa jeunesse – semblaient maintenant possibles, sorties du domaine du rêve par sa seule volonté de suivre son instinct. Avoir enfin une chambre à soi ! Pouvoir se laver sans devoir faire bouillir de l'eau ! Se soulager sans frissonner dans la petite cahute au fond du jardin ! Quand sa tension nerveuse se dissipa, il se mit à rire. Il se sentait léger et triomphant, capable de tout.

On frappa à la porte. C'était Didier Loubat, le valet de pied, chargé d'une pile de chemises et d'une petite boîte de boutons de col. Il était plus grand que Piet – blond, la mâchoire puissante, les yeux vert d'eau et le regard perçant.

— Le vieux veut te voir dans trois quarts d'heure. Son bureau est sur le devant de la maison, au premier étage. Je reviens te chercher, ou tu trouveras tout seul ?

— Je devrais y arriver.

— Bravo. Toute la famille se réunit pour t'examiner au dîner. Bonne chance... (La gentillesse de Didier était un soulagement après la raideur distante de Mme De Leeuw.) Ma chambre est à côté si tu as besoin de quelque chose, et la salle de bains au fond du couloir. Un conseil : ne laisse pas Blok te voir torse nu. C'est un affreux coureur.

— C'est ce que je m'étais dit...

Didier sourit.

— Il faut être prudent dans cette maison, mais tu t'y feras. Il y a une serviette dans le placard.

Celle-ci était grande, moelleuse et sentait le frais. Piet l'emporta dans la salle de bains – une pièce carrelée de porcelaine, d'une propreté exquise... Dans l'angle trônait une vaste baignoire et, quand il tourna le robinet, l'eau bouillante en jaillit si vite qu'il se brûla la main. Il remplit la cuve à ras bord, se dévêtit et s'immergea, s'étirant de tout son long pour se baptiser dans sa nouvelle vie. Il serait temps, demain, d'envoyer un câble à son père. Herman ne s'était jamais beaucoup soucié des allées et venues de son fils, et Piet doutait qu'il s'inquiétât de son absence ce soir. Il se prélassa dans ce bain, très content de lui, mais son triomphe refroidit avec l'eau et les complexités de sa situation s'imposèrent à lui.

Piet connaissait assez bien l'imprévisibilité des femmes pour savoir qu'il était risqué de nouer une liaison avec l'épouse de son employeur. Pendant qu'il se lavait, il décida de ne plus jamais faire allusion à l'échange de regards de l'après-midi. Émigrer en Amérique et se bâtir une immense fortune étaient les prochaines étapes de son plan. Il ne se compromettrait pas avant d'avoir assez épargné pour cela. En se plongeant sous l'eau, il lui vint à l'esprit qu'avoir convaincu brillamment Mme Vermeulen-Sickerts le mettait en position de négocier avantageusement avec son mari. Le salaire proposé était de soixante florins par mois. Il était clair, d'après le train de vie de la maison, que son propriétaire avait largement les moyens d'offrir plus. Il sortit du bain et commença à se sécher. À moins qu'il ne se soit beaucoup trompé, Jacobina veillerait à ce qu'il soit engagé, à n'importe quel prix. Côtoyer les riches étudiants lui avait appris que beaucoup de nantis préfèrent payer de fortes sommes, en partant du principe que la qualité est étroitement liée au coût.

Il s'habilla lentement, avec soin, et quand il eut fini, il avait décidé d'ajouter un nouveau défi à ceux qu'il avait déjà remportés aujourd'hui.

Il allait demander davantage.

*

Le bureau de M. Vermeulen-Sickerts était protégé du bruit par une petite antichambre. Piet frappa deux fois à la porte avant d'oser tirer le cordon de soie rouge actionnant une sonnette dans le cabinet de travail. Il entendit son tintement lointain, puis des pas énergiques, et enfin son nouvel employeur apparut devant lui : de stature imposante, les épaules carrées, avec des cheveux abondants mais grisonnants aux tempes, un nez proéminent et des petits yeux noirs qui sondèrent Piet si profondément que le courage faillit lui manquer.

— Ma femme chante vos louanges, monsieur Barol.

Il serra la main du nouveau venu avec une force qui faisait broncher beaucoup d'hommes – Piet resta impassible. Maarten lui fit signe d'entrer dans une pièce de belles dimensions, tendue de vert sombre et encombrée d'objets en argent, en or ou en cristal.

— Vous êtes collectionneur, monsieur.

— Lorsque j'en ai le temps. Veuillez donc vous asseoir.

Piet prit place sur une chaise en bois noir, tapissée de bleu pâle.

— Celle-ci a été faite pour le palais de Louis Napoléon, quand il était roi de Hollande... Celle-là vient du château de Fontainebleau. (Il s'y assit avec

28

vigueur.) Je suis amateur de beaux meubles. Mais j'aime aussi l'argent et la porcelaine, tout ce qui est fait à la main et de qualité rare. J'apprécie le travail humain, monsieur Barol, et les réalisations que notre ère de machines ne peut guère imiter.

— En cela, nous avons un point commun, monsieur.

— Vraiment ?

— J'ai bien moins l'occasion de m'adonner à ma passion et, naturellement, je ne peux pas acheter. Mais j'aime dessiner les curiosités. Il y a plusieurs belles collections à Leyde et j'ai passé beaucoup d'après-midis pluvieux à les croquer.

— Vous êtes doué ?

— Un peu.

— Auriez-vous la bonté de reproduire pour moi un objet de cette pièce ?

Maarten était homme à mettre à l'épreuve les prétentions des autres, et l'éloge chaleureux que sa femme avait fait de ce beau garçon l'avait porté à trouver quelque chose à lui reprocher.

Mais Piet s'y connaissait en natures mortes.

— Qu'aimeriez-vous que je dessine ?

Maarten gagna son bureau et y prit une figurine en argent, représentant un funambule en équilibre instable.

— Néerlandais du XVIIIᵉ siècle. Je vais vous chercher du papier, monsieur Barol.

Les détails de la miniature étaient extrêmement fins. La manière dont l'homme semblait près de tomber du fil, et pourtant gardait son assiette, parut à Piet une expression de sa propre situation. De fait, c'était précisément cette qualité qui avait convaincu

M. Vermeulen-Sickerts de se défaire de cent florins
pour l'acquérir vingt ans plus tôt – au temps où une
telle somme comptait encore pour lui. Comme Piet
Barol, il avait l'habitude de se mettre dans des situa-
tions dangereuses et d'en sortir sans dommage.
C'était lui, après tout, qui avait senti le potentiel des
terres arides de son voisin, lui qui avait investi tout ce
qu'il possédait dans ce projet : il avait fait vider les
tourbières des parcelles, transporter le combustible à
Amsterdam et remplir d'eau les cuvettes, les transfor-
mant en lacs qui gèleraient l'hiver. Ces derniers lui
avaient fourni la matière première sur laquelle il avait
commencé à bâtir sa fortune, en vendant de la glace
dans le monde entier. Près de trente pour cent de sa
première cargaison avait fondu pendant la traversée
de l'Atlantique vers les côtes d'une Amérique avide de
confort moderne. Tout le monde, à l'époque, l'avait
traité de fou, disant que ça ne marcherait jamais. Et
pourtant, ça avait marché. Comme le funambule
vacillant sur son fil, très haut au-dessus du fin plateau
qui supportait son poids, il n'était pas tombé.

Piet réussit à rendre la miniature avec un tel talent
et si rapidement que, malgré lui, Maarten en fut épaté.
Mais il ne le montra pas et se lança dans un examen
détaillé des certificats du jeune homme, y passant
plus de temps qu'il ne l'aurait fait si sa femme n'avait
pas déjà décidé de l'engager. Or, elle était fixée et
Maarten, autant que possible, ne contrariait pas les
femmes de sa vie. Il avait vu des références beaucoup
plus remarquables, mais les deux derniers précepteurs
d'Egbert avaient été d'éminents pédagogues qui
avaient, du reste, totalement échoué.

— Mon fils doit apprendre à sortir de ces murs sans piquer une crise de nerfs.

— Je le comprends.

— Très bien. Vous avez impressionné ma femme et je suis prêt à vous donner le poste. Avez-vous des questions ?

— Oui, monsieur.

— Lesquelles ?

Le moment était venu et Piet s'arma de courage.

— Sur la rémunération, dit-il du bout des lèvres, comme si le sujet lui répugnait.

— Soixante florins par mois, logé et nourri. Vous aurez le samedi après-midi, un dimanche sur deux, et quinze jours de vacances.

— Les autres conditions me conviennent, monsieur Vermeulen-Sickerts, mais je crains que le salaire ne m'empêche d'accepter cette fonction.

— Je vous demande pardon ?

— Mon père prend de l'âge et j'aimerais me marier un jour. Je ne suis pas en mesure de travailler pour soixante florins par mois.

Son effronterie ébahit Maarten, mais elle lui plut aussi. Il approuvait les gens qui avaient une haute idée de leur valeur, pour peu qu'elle soit fondée.

— C'est un très bon traitement, monsieur Barol. Vous aurez bien du mal à trouver l'équivalent ailleurs.

— Peut-être comme précepteur. Mais je suis jeune et j'ai d'autres perspectives.

— Plus lucratives ?

— Qui pourraient, avec le temps, l'être bien davantage.

Un filet de sueur coulait de ses aisselles. *Il ne me renverra pas maintenant*, pensa-t-il.

Il ne se trompait pas.

Maarten hésita, puis il dit :

— Eh bien, monsieur Barol, vous êtes dur en affaires, mais pour moi ce n'est pas un défaut. Quelle somme proposez-vous ?

— Cent florins, monsieur.

— Tant que ça !

— Oui.

Il y eut un silence. Piet ne se démonta pas. Maarten se souvint d'une situation semblable où, à l'âge de Piet, il avait obstinément refusé dix-sept offres pour sa glace, alors même qu'elle fondait dans le port de New York. Il était prêt à dépenser de larges sommes pour ses proches et disposait d'une fortune dont seule une poignée d'hommes à Amsterdam pouvait se targuer.

— Très bien, monsieur Barol, dit-il enfin. Mais j'attends de vous l'excellence.

— Vous l'aurez.

— Je ne tolérerai ni retard ni immoralité. Nous tenons une maison disciplinée, pieuse et respectable.

— Ce qui est, pour moi, l'attrait principal de ce poste, monsieur.

*

Pendant que se déroulait cet échange, Agneta Hemels sortit une boucle blonde d'un tiroir doublé de velours pêche et s'apprêta à l'épingler sur la tête de Jacobina.

— En haut ou en bas, ce soir, madame ?

Elle posa la question comme si elle considérait ça comme une grave décision.

Jacobina se contempla dans le miroir de sa coiffeuse et changea d'avis.

— En bas, je pense... Simple et jeune. Comme Louisa au bal des De Jong le mois dernier.

Agneta soupira en elle-même : les coiffures de Louisa, bien qu'apparemment simples, étaient très difficiles à réaliser.

— Madame a-t-elle trouvé un précepteur pour M. Egbert ?

Elle prit le peigne en écaille et démêla une à une les nattes de sa maîtresse.

— Je pense...

— Nous prions tous pour sa réussite.

Agneta avait appris que le meilleur moyen de ne pas se montrer trop curieuse de la vie de ses supérieurs était de n'y prêter qu'un intérêt poli. Ce qui lui permettait de rester posée en toutes circonstances.

— Madame a-t-elle pu déjeuner entre ses nombreux rendez-vous ? glissa-t-elle sur un ton débordant de prévenance.

Comme Piet Barol, Agneta Hemels n'avait pas l'intention de travailler toute sa vie pour les Vermeulen-Sickerts. Elle aspirait à une existence confortable et était bien décidée à l'obtenir. Leurs ambitions ne variaient que dans leur portée. Agneta rêvait d'être une gouvernante à la tête d'un grand personnel, dans une maison à la campagne loin des puanteurs d'Amsterdam, où d'autres lui serviraient le thé dans sa chambre et où elle n'aurait jamais à se lever à l'aube, sauf si le toit brûlait.

— Je n'ai pas eu le temps. Je suis affamée.

— Madame aimerait-elle un petit bouillon avant le dîner, pour reprendre des forces ?

— Non, non. Occupez-vous seulement de me coiffer. (Jacobina songeait à ce qu'elle allait mettre. Ses tenues de soirée lui parurent soudain trop guindées.) La robe à fleurs bleues est-elle présentable ?

— Toutes les robes de Madame sont toujours nettoyées, pour le cas où elle voudrait les porter.

Agneta était responsable, entre autres choses, de l'entretien de la garde-robe de Jacobina. Elle n'ignorait donc pas que ce vêtement ne lui allait plus.

— Madame va avoir froid dans cette robe ! Et si elle mettait celle en velours vert avec les feuilles brodées ? C'est très seyant pour l'hiver...

Mais Jacobina n'en démordait pas.

— Bien sûr, Madame...

Agneta acheva de la coiffer, refusant de voir un rapport entre l'arrivée d'un jeune homme et le fait que sa maîtresse avait choisi une robe décolletée. Elle passa dans le dressing et revint avec une housse de soie, d'où elle sortit la robe demandée par Jacobina.

— Vous feriez mieux d'apporter un corset.

Comme Constance, sa fille aînée, Jacobina Vermeulen-Sickerts défendait avec ardeur les sous-vêtements qui mettaient les formes en valeur. Elle avait rejeté catégoriquement la requête de Louisa «qu'ils soient bannis de la maison pour des raisons de santé et de respect du corps».

— Lequel aimerait Madame ?

Dix années de service avaient appris à Agneta que lorsque la vanité des dames était blessée, c'étaient leurs domestiques qui souffraient. Elle ne tenait pas à être responsable du choix d'un corset qui ne permettrait pas à Jacobina de rentrer dans la robe qu'elle voulait.

— Le bleu, avec les rubans rouges. C'est le plus serré, n'est-ce pas ?

— Quelle mémoire, Madame...

Elle s'en fut le chercher. Ôtant le déshabillé de soie des épaules de Jacobina, elle l'aida à passer son pantalon, s'agenouilla à ses pieds, remonta les bas sur ses jambes et les fixa à la jarretière. Puis, dans une dernière approche, elle glissa :

— Madame est sûre qu'elle ne préférerait pas...

— Je vais mettre la robe à fleurs bleues. Lacez-moi.

Agneta fit de son mieux. C'était une femme frêle d'une trentaine d'années, avec des cheveux pâles, des taches de rousseur et une force limitée. Elle tira le plus possible, pendant que Jacobina rentrait le ventre, et serra les lacets jusqu'en haut en espérant que sa maîtresse ne se pâmerait pas. Elle disposa la robe par terre, Jacobina s'y glissa et, en se tortillant, parvint à passer les bras par les trous adéquats. Agneta dut tirer plusieurs fois sur la taille étroite pour l'ajuster sur les cuisses de sa maîtresse et il resta encore des pans de corset visibles entre les boutons, qu'elle ne put pas fermer. Même Jacobina constata que c'était impossible. Un moment, elle fut prise d'une rage folle, mais par un effort de volonté, elle rit de sa tentative et donna à sa servante la robe, qu'elle ne voulait plus jamais revoir.

Agneta n'était jamais invitée dans un endroit où elle aurait pu porter une tenue pareille. Pourtant, elle savait exactement combien elle pourrait tirer de l'étoffe, et sa gratitude fut sincère.

— Je vais peut-être mettre la robe en velours vert, dit Jacobina, pour couper court aux remerciements de sa femme de chambre. Après tout, il fait frais ce soir.

*

Maarten conduisit lui-même Piet dans la salle à manger. En attendant que les dames descendent, il profita de ce moment pour lui parler, assez longuement, de la décoration. La table, du XVIIIe, avait été achetée à Londres dans une vente aux enchères. Les chaises étaient Louis XVI, garnies de ressorts neufs et tapissées de blanc et de vert olive. Les salières dorées venaient de Hambourg, la pendule de Genève, les porcelaines sur la cheminée de la manufacture impériale de Saint-Pétersbourg. Aucun de ces détails n'échappa à Piet, qui avait un sens instinctif et raffiné de la beauté. Il le montra en posant des questions judicieuses qui commencèrent à calmer la méfiance de son maître envers les beaux garçons.

L'arrivée de Constance Vermeulen-Sickerts fut précédée par un cliquetis de talons hauts et d'effluves de muguet. Âgée de vingt et un ans, elle était petite, blonde et sûre d'elle. Elle jaugea du regard la coupe du costume de Piet et l'élégance de ses chaussures – sa seule paire, achetée comme toute sa garde-robe à un riche étudiant à court d'argent. Constance avait bon cœur, mais elle avait tendance, comme sa sœur, à faire des jugements hâtifs. En voyant le nouveau précepteur, elle regretta un peu que Louisa ait choisi le menu pour éprouver ses manières de table.

— Asseyez-vous donc, monsieur Barol. Nous sommes sans façon dans cette maison.

Elle prit une chaise près du feu au moment où sa mère et sa sœur pénétraient dans la pièce.

Louisa Vermeulen-Sickerts était brune, grave et paraissait plus âgée que ses dix-neuf ans. Elle portait un fourreau en mousseline gris pâle qui donnait à la robe en velours de sa mère un air maniéré et inconfortable.

— Bonsoir, dit-elle avec un sourire réservé.

Jacobina pressa une sonnette et Didier apparut, portant sur un plateau d'argent des huîtres sur un lit de glace pilée. Tout le monde s'attabla. Piet embrassa des yeux le menu devant lui, les quatre vases de roses sur la nappe, les piles d'oranges sanguines dans des coupes en cristal, et se sentit merveilleusement sûr de lui. Si Louisa avait cru qu'il serait dérouté par les huîtres, les langoustines ou les cailles minute, elle fut déçue – car Nina Barol avait justement prévu cette éventualité en servant quelquefois à Piet les plats fins de sa jeunesse afin qu'il puisse, un jour, dîner sans honte dans le grand monde.

Ils furent servis par Agneta et Hilde. Didier versa le vin et M. Blok découpa le bœuf qui suivit les cailles. Piet répondit franchement, au pied levé, à chacune des questions des jeunes filles, sans révéler que l'eau courante était une nouveauté pour lui. Quand il mangea les asperges avec les doigts – «de la bonne manière», lui avait dit sa mère –, il surprit un regard entre les deux sœurs et sentit qu'il avait remporté une nouvelle épreuve. Il remarqua qu'elles avaient droit au château-margaux et parlaient à leurs parents sans cérémonial. Constance était la plus bavarde, mais Louisa avait l'air d'apprécier cette loquacité sans en prendre ombrage. Elle rit avec les autres quand sa sœur raconta sans pitié la chute d'un jeune homme dans une salle de bal, et ne prit part à la discussion qu'au moment où elle porta sur les habits des invités.

— Louisa se révolte contre les modes féminines incommodes, dit Constance. Elle a horreur qu'on tue des animaux pour leur fourrure !... Elle a l'intention d'ouvrir une boutique.

— Je suis sûr que les têtes couronnées viendront s'y fournir, dit Maarten avec la clémence d'un homme qui approuve les rêves audacieux de sa fille sans y croire le moins du monde.

Il adorait avoir des filles fortunées. En les voyant converser avec Piet autour de la table, il se sentait extrêmement heureux. Le fait d'avoir engendré deux jeunes femmes aussi belles, dont le seul travail consistait à danser et à dîner avec leurs amis, le fait qu'elles vivent dans cette maison si distinguée avec ses meubles, sa porcelaine et son personnel stylé, tout cela était pour lui une source de profonde satisfaction.

Une telle réussite aurait pu le conduire au péché d'orgueil, s'il n'y avait eu Egbert. Mais en regardant son nouveau précepteur poser des questions si intelligentes avec une discrétion louable, il commença à se sentir optimiste sur les chances de son fils. «Il ne pourra qu'admirer un type comme celui-là», pensa-t-il ; et il éprouva un certain soulagement à l'idée de n'être plus le seul à devoir en faire un homme.

*

Ils prirent le café dans le salon intime du rez-de-chaussée. C'était une pièce douillette avec un piano, des piles de revues illustrées et un tapis d'Aubusson dont les teintes étaient en harmonie avec la scène du plafond, qui dévoilait un aperçu du ciel entre les nuages.

— Un Jacob de Wit. *L'Aube chassant les ombres de la nuit*, dit Maarten lorsque Piet l'admira. (Il avait acheté ce tableau trois ans auparavant, le payant un bon prix bien que ses possesseurs désargentés aient pu accepter moins. Il avait modifié toute la pièce afin de pouvoir le placer.) Assez beau, vous ne trouvez pas ?

— Splendide, monsieur.

Louisa et Constance s'assirent côte à côte, sur une banquette capitonnée entre les bibliothèques. Quand Hilde eut passé les petits-fours et posé le service en porcelaine de Saxe devant sa maîtresse, Constance dit, avec une pointe d'aimable défi :

— Distrayez-nous, monsieur Barol.

Piet savait jouer au bridge et discuter en connaisseur des toiles des « maîtres vivants ». Il lisait très bien, avec une voix grave et sonore qui se prêtait aux Écritures comme aux romans. De plus, il avait en réserve nombres d'anecdotes bien tournées, peaufinées au fil du temps, et si diverses que les introduire dans la conversation semblait rarement artificiel. Mais ce soir, il sentit d'instinct qu'il fallait de la musique, pas des paroles. Il se leva, s'inclina légèrement et gagna le piano.

Sa mère lui avait appris non seulement à accompagner ses élèves, mais aussi à leur donner la réplique dans les parties chantées. Enfant, il avait interprété en duo avec des ténors en herbe les rôles pour soprano, puis, quand sa voix avait mué, il avait continué à les donner dans un registre de falsetto. Peu à peu, ce talent était devenu un procédé à l'effet toujours éprouvé dans les soirées. Piet savait qu'un homme comme lui chantant de la voix aiguë, naturelle, d'un garçonnet était un spectacle charmant, qui ravissait les femmes et désamorçait la rivalité avec les autres hommes. Il s'assit sur le tabouret de piano et raconta de façon touchante comment sa mère adorée, hélas décédée, lui avait appris à chanter les rôles féminins des grands opéras.

— Et si vous nous donniez quelque chose de *Carmen*, monsieur Barol, dit Jacobina, sans même lever les yeux de sa broderie.

— Oh oui ! s'écria Constance. J'adore Bizet.

Nina avait assisté à la première de *Carmen*, et en était restée à jamais subjuguée. Elle avait souvent fredonné à Piet, pour calmer son sommeil, la chanson où Micaëla parle d'une mère aimante qui envoie à son fils de l'argent, son pardon et un baiser. Mais ce n'était pas de l'amour maternel que la situation réclamait. Piet regarda son patron, qui rayonnait près de la cheminée pendant que Didier lui servait un cognac, et fut pris d'un frisson de culpabilité. Il aimait bien M. Vermeulen-Sickerts et avait l'intuition qu'ils pourraient être amis, mais l'idée que lui avait donnée la suggestion complice de Jacobina était trop brillante pour qu'il y résiste.

Il s'assit au piano, prit un temps pour calmer sa conscience et entama l'*aria* où Carmen promet à Don José de l'emmener danser sur les remparts de Séville s'il veut bien risquer la prison pour elle.

« Oui, mais toute seule on s'ennuie », chanta-t-il, diabolique, « et les vrais plaisirs sont à deux »...

Didier posa la carafe de cognac et sortit en silence, le visage totalement dénué d'expression. Hilde prit la tasse où avait bu Constance et fit la révérence. Elle regarda Didier, qu'elle aimait désespérément, à qui elle avait donné sa virginité soigneusement préservée. Ne parlant pas français, elle ne comprenait pas ce que Piet chantait. Mais elle avait senti la portée érotique de la musique – et, voyant que Didier ne lui retournait pas son regard, ce qu'il aurait aisément pu faire, elle comprit soudain que son amour n'était plus payé de retour, qu'il s'était lassé d'elle. C'était un pressentiment qui avait commencé à la gagner depuis quelque temps. Mais quand la certitude planta ses griffes au fond de son cœur, elle crut qu'elle allait s'évanouir. Bravement, elle prit le plateau et quitta la pièce, les ongles enfoncés dans ses paumes pour s'empêcher de pleurer.

«Mon pauvre cœur, très consolable, mon cœur est libre comme l'air...», chantait Piet de l'autre côté de la porte. Sa prestation était superbe et il le savait. «J'ai des galants à la douzaine, mais ils ne sont pas à mon gré.»

C'était un choix ravageur, car ces paroles donnèrent corps à certains sentiments de Jacobina dont, encore six heures plus tôt, elle ignorait l'existence. Son cœur, lui aussi, était pauvre et digne d'être consolé. Elle aussi rêvait d'être libre comme l'air. Elle songea aux douzaines de prétendants qu'elle avait eus dans sa jeunesse... et jeta un coup d'œil à son mari. Puis elle regarda Piet, un jeune *galant*[1] parfaitement à son goût. Elle avait beau savoir qu'elle

---

1. En français dans le texte. (*N.d.T.*)

devrait avoir honte d'introduire ce paon dans son nid, il lui sembla que sa vie avait pris une tournure exaltante.

Maarten toussa. Ce bruit, assez proche de ses ronflements, rappela à Jacobina que depuis la naissance d'Egbert, il avait limité leur vie intime à de trop rares baisers. Cela faisait dix ans qu'elle subissait ce détachement et, après un rejet explicite le soir de leur dix-huitième anniversaire de mariage, elle n'avait plus cherché d'autre rapprochement. Ce qu'elle ne savait pas, c'était qu'il s'était réveillé bien des nuits excité après avoir rêvé d'elle, se délectant à contempler son corps à ses côtés. Ce n'était pas parce qu'il ne voulait plus de sa femme qu'il ne la touchait pas.

Mais à cause d'une promesse qu'il avait faite à Dieu.

*

Maarten Vermeulen avait douze ans lorsqu'il avait trouvé, dans les ruines d'une ferme calcinée, une poutre noircie en forme de croix qu'il avait prise pour une confirmation divine du sermon dominical. C'était par un matin d'hiver glacial, où le vicaire de la paroisse avait évoqué de façon vibrante les flammes de l'enfer. Ce monsieur avait lu tous les écrits de Calvin et tonnait contre les modernistes qui tempéraient ses enseignements. En revenant du temple, Maarten ne dit rien à ses parents. Mais dès la fin du déjeuner, il partit dans les dunes à la recherche d'un signe.

Au début, il lui avait été difficile d'accepter que Dieu ait décidé, bien avant sa naissance, s'il serait sauvé ou damné ; mais la poutre brûlée l'avait convaincu que le vicaire avait raison. Dieu avait bel et bien décidé. De plus, sa décision était sans appel. Ce qui le poussa à se demander quel était le jugement du Tout-Puissant envers lui, Maarten Vermeulen. Quand il tenta d'obtenir une réponse le dimanche suivant, on l'informa que ce genre de mystères n'est pas révélé avant la mort, mais qu'il pourrait en trouver des indications dans sa conduite au cours de la vie.

À dater de ce jour, la question de savoir s'il était ou non prédestiné à la rédemption absorba une grande partie de son temps et de son énergie. Il eut beau rechercher un signe et percevoir de nombreux indices, aucun ne fut jamais aussi net que la croix brûlée.

Sa carrière et les bonnes actions qu'il s'efforça d'accomplir lui apportèrent un certain réconfort – comme le fait que la délicieuse Jacobina Sickerts l'ait choisi parmi des prétendants plus prestigieux. Son idée de transporter de la glace sur de grandes distances avait joui de la faveur divine. L'entreprise naissante avait souvent frôlé l'échec, mais Dieu n'avait jamais manqué d'intervenir pour la sauver. Une fois sa prospérité assurée, Marteen avait fait don de douze pour cent de ses bénéfices chaque année, un peu plus que ce que prescrivait la Bible. Il espérait que sa générosité était un signe de sa destination au paradis, mais pour s'en assurer, il développa activement sa philanthropie, employant sa vaste énergie à améliorer le sort des moins fortunés. Il construisit des manufactures de pain et fonda des sociétés d'assèchement des marais. Il étendit la ville par-delà le Singelgraacht[1] et fit bâtir

---

1. Ancienne zone de fortifications d'Amsterdam. (*N.d.T.*)

des maisons solides, étanches pour les pauvres. Il donna à ses ouvriers une semaine de congé annuel, paya leurs soins quand ils tombaient malades – et Dieu le récompensa en lui donnant deux filles en bonne santé... mais pas de fils. N'ayant toujours pas d'héritier mâle après quinze ans de mariage, Maarten y vit une preuve de la perte de la faveur céleste, et quand Jacobina conçut pour la troisième fois, il jeûna pendant trois jours... et passa un marché avec Dieu.

Si l'enfant était un garçon, il s'abstiendrait à jamais des plaisirs de la chair.

Elle accoucha d'un fils et, cette fois, Maarten se sentit sereinement à l'abri. Mais il fut bientôt puni de cette présomption par le fait que l'enfant n'était pas comme les autres garçons. Egbert n'aimait pas jouer ni courir et, avec le temps, il s'enfonça de plus en plus dans un monde hermétique. Quand il refusa de s'aventurer hors de la maison, Marteen y lut le signe que sa propre âme pesait dans la balance. Il continua à combattre ses désirs sexuels, sans penser à l'effet que sa continence aurait sur sa femme. Mais ses affaires avaient beau croître et embellir, la conduite de son fils ne s'arrangeait pas, au contraire – et parfois, d'horribles rêves le réveillaient la nuit, qui lui montraient l'enfer et ses feux éternels.

Maarten Vermeulen-Sickerts était sur bien des plans un homme rationnel, mais la doctrine de la prédestination, une fois assimilée, devint inextirpable ; et comme il ne confiait ses craintes à personne, il était forcé de les affronter seul. La prestation de Piet, supérieure à tous égards à la gaucherie des autres précepteurs, fut profondément rassurante. Au terme de la soirée, Maarten s'endormit après la prière en se sentant plus calme qu'il ne l'avait été depuis des années.

*

Debout devant le miroir de sa nouvelle chambre, Piet ôta sa cravate et commença à déboutonner sa chemise. Il était étourdi par le soulagement.

On frappa à la porte. Didier Loubat passa la tête par l'entrebâillement.

— Tu en as réchappé?

— Je pense...

— Tu t'en es mieux sorti que le type d'avant. Fais attention à ne pas contrarier les filles. Un verre, ça te dirait?

— Je croyais que c'était défendu.

— Blok est au lit et la sorcière ne monte pas ici après l'extinction des feux. J'ai de la Chartreuse...

— Alors, d'accord, lâcha Piet d'un ton nonchalant.

Mais en fait, il n'y avait jamais goûté et était très tenté.

— Je vais la chercher. Je suppose qu'il te faudra aussi un vêtement de nuit.

Didier disparut et revint peu après avec deux gobelets ébréchés et une bouteille contenant un fond de liquide émeraude. Il avait défait sa cravate et les premiers boutons de sa chemise.

— Je te le prête jusqu'à ce que les tiens arrivent, dit-il en lui tendant un pyjama à rayures bleues et blanches, puis il s'assit au bord du lit pour servir la Chartreuse. Je suis content que tu sois là. Les derniers précepteurs étaient affreusement bêcheurs. (Didier était peut-être valet de pied, mais c'était un bon domestique qui ne se jugeait pas inférieur à quiconque gagnait honnêtement sa vie. Quand il avait vu que Piet n'était pas condescendant, il avait décidé de récompenser ce beau garçon en le faisant profiter de son expérience dans la place.) Si tu es raisonnable, tu te plairas ici, ajouta-t-il en lui tendant un verre. C'est de loin la meilleure maison d'Amsterdam et les membres de la famille ne posent pas de problème dès qu'on sait s'y prendre avec eux. Celle dont il faut se méfier, c'est Constance. Elle s'attend à ce que tous les hommes tombent amoureux d'elle. Mais il ne faut pas. Si Vermeulen te surprend avec une de ses filles, tu finiras au fond du Herengracht, les couilles lestées de billes de plomb.

— Je m'en souviendrai.

— Les beaux gars comme nous doivent être prudents, c'est tout, fit Didier sans la moindre gêne.

Il avait un corps mince, athlétique, de hautes pommettes et un charmant sourire de voyou. Piet, toujours excité par sa rencontre avec Jacobina, se demanda brièvement s'il pourrait l'aider à calmer son désir. *Non.* Là, il était dans la grande ville. Il était temps de remiser ses habitudes d'adolescent. Il vida son verre d'un trait, comme un homme, et toussa.

Didier le regarda, horrifié.

— C'est ma prime de l'année dernière... Traite-la délicatement, sinon tu ne pourras pas l'apprécier.

Il lui en versa un autre doigt. Bue avec parcimonie, la Chartreuse était délicieuse. Didier sourit, pour montrer qu'il ne le jugeait pas sur son manque d'expérience.

Piet en fut touché. Il était soulagé d'avoir commis

un impair aussi tôt dans leur amitié. Cela lui éviterait d'avoir à jouer les hommes raffinés.

— Et Louisa ? demanda-t-il.

— Elle n'ouvre jamais la bouche, mais son regard est perçant comme une dague. Rien ne lui échappe.

— Les sœurs s'entendent bien ?

— Elles s'adorent. Mais si elles te trouvent maniéré ou stupide, méfie-toi. Ne te laisse pas abuser par leur politesse. Elles peuvent être méchantes quand elles veulent.

— Comment ça ?

— Elles aiment humilier les gens – mais discrètement, pour que leur victime n'en sache rien. Ces temps-ci, elles ont choisi d'attirer leur proie dans une conversation par ordre alphabétique. Très drôle quand le pauvre diable ne s'en rend pas compte.

Ils discutèrent aimablement pendant une heure. Piet apprit que Didier était le fils d'un chauffeur suisse de l'hôtel Amstel, le palace d'Amsterdam, dont Maarten était le propriétaire. Il y avait travaillé comme page avant d'être repéré par M. Blok, qui l'avait promu au service de la maison.

— Quand je suis arrivé, il m'a donné un uniforme au pantalon si serré que je pouvais à peine respirer. J'ai dû demander à ma mère de m'en tailler un autre pour rester décent. (Le jeune homme raconta comment il avait séduit Hilde et termina en déclarant que lui et Piet devaient se serrer les coudes dans ce repaire de prédateurs. Ils rirent de cette blague.) Attention ! dit-il en mettant un doigt sur ses lèvres. Il ne faut pas que Blok sache qu'on est encore debout ou il viendra nous voir. Au début, il entrait sans arrêt dans ma chambre, dans l'espoir de me trouver nu. Il te fera le même coup.

— Il a déjà réussi ?

— Une ou deux fois, avant que je me méfie.

— Et les autres domestiques ?

— Naomi De Leeuw est une garce, mais très bonne gouvernante. Cette maison est tenue comme le meilleur hôtel d'Europe. Le grenier est surélevé pour que les maîtres ne soient pas réveillés quand l'un de nous, simple mortel, sort la nuit pour pisser. Tu auras droit à un traitement royal quand tu seras avec eux.

— J'attends ça avec impatience.

Didier se leva et s'inclina.

— Bref salut de la tête, regard dans les yeux, sourire, action, salut. (Il avait parfaitement saisi la triste intonation de la gouvernante.) Tu auras l'impression d'être un tsar. Mais quand je te servirai, rappelle-toi que c'est *ma* Chartreuse qu'on a bue ce soir.

— Je ne suis pas un ingrat.

— Tu n'as pas intérêt... Ça fait du bien d'avoir quelqu'un à qui parler. Les autres précepteurs étaient nuls, le chef est muet comme une carpe et à part ça, il n'y a que Blok.

— Qui dirige la maison, lui ou Mme De Leeuw ?

— C'est lui en principe, mais en fait c'est elle. Elle mène tout le monde *à la baguette* et si tu la contraries, elle s'arrangera pour te faire renvoyer. Elle adore Agneta et elle trouve le moyen de supporter Hilde. Sans doute parce qu'elle sait qu'elle peut la briser et la reconstruire à son image.

Piet en prit bonne note. Voir certains étudiants manipuler son père lui avait appris que s'entendre avec les petits tyrans était la clé d'une vie paisible.

— Quel est le secret avec Mme De Leeuw ?

— Sois toujours impeccable, exact, ne te donne pas de grands airs. Elle n'aime pas quand les précepteurs s'oublient en agissant comme s'ils n'étaient pas des serviteurs comme elle.

— Propreté, ponctualité, humilité.

— Voilà. Un peu difficile à faire avec deux bains par semaine, mais si tu veux, tu peux partager mon eau. En fait... (Didier sourit.) Si tu me prêtes la tienne, on pourra se laver un jour sur deux.

Jusqu'alors, la perspective de prendre un bain deux fois par semaine avait paru à Piet le comble du luxe, mais il fut ravi d'élever ses critères encore davantage.

— Il y a beaucoup d'eau chaude ?

— Assez pour un grand bain le soir. Blok a droit au mardi, au vendredi et au samedi. On peut se répartir les autres jours. Tu verras, un bon bain est une bénédiction après une longue journée de servilité. En plus, ça te gardera dans les bonnes grâces de Mme De Leeuw.

— Alors, ça marche. (Piet sourit.) Parle-moi d'Egbert.

— Tu ne l'as pas encore rencontré ? C'est le petit garçon le plus étrange que j'aie jamais vu. Il nous rendait fous quand il jouait du piano dans cette maison. Le même morceau cent fois de suite... Vrai, je n'exagère pas. Et cette peur de mettre le nez dehors ! Les enfants pauvres ne souffrent pas de ces phobies-là...

— Je suis censé le guérir de tout ça.

— Bonne chance. Beaucoup s'y sont cassé les dents.

Ils partagèrent le fond de la Chartreuse.

— Si Louisa ne parle jamais en public, comment sais-tu qu'elle et sa sœur disent du mal des gens ? Tu n'écoutes quand même pas aux portes ?

— Bien sûr que non ! C'est une chose qui peut passer dans d'autres maisons. Pas ici.

— Alors, comment es-tu au courant ?

— Je vais te montrer. Viens avec moi, mais ne dis pas un mot ou tu réveilleras Blok...

Didier ouvrit la porte, l'entraînant dans le couloir obscur. Blok, qui somnolait, entendit le plancher craquer. Il se réveilla aussitôt. Un des garçons allait aux toilettes. Peut-être pourrait-il y aller aussi et se cogner à lui comme s'il était à moitié endormi ? Mais il hésita trop longtemps et une porte se ferma. C'était celle de la mansarde de Didier, plus petite que la chambre de Piet et bien plus simplement meublée.

Didier tira Piet vers la fenêtre.

— La chambre de Louisa est au-dessous de la mienne. Elle fume sur son balcon parce que ses parents trouvent ça inconvenant. Quand sa fenêtre est ouverte, tu peux entendre tous ses conciliabules avec sa sœur. C'est comme ça que je sais qu'elle est athée. (Il posa un bras sur les épaules de Piet.) Elles parlent probablement de toi, ce soir. Tu as le cran de les écouter ?

Savoir quelle impression il avait faite sur les deux filles était une tentation irrésistible. Piet ouvrit la croisée le plus silencieusement possible. C'était une fenêtre étroite et, pour mieux se pencher, il dut s'appuyer contre son nouvel ami. Ils écoutèrent. Les lumières, en dessous, étaient allumées et ils surprirent Constance en train de dire :

— ... plus belles mains que j'aie jamais vues. Et ses manières sont bien meilleures que celles du précédent.

— Il n'est pas si beau que ça, dit Louisa du même ton réservé que celui qu'elle avait servi à Piet au dîner. Il a la bouche trop grande et son nez est un peu bizarre. C'est parce que nous sommes privées d'hommes, chère Constance. Nous sommes de moins en moins exigeantes. D'ailleurs...

Mais là, elle s'éloigna et ils ne l'entendirent plus.

— Elle est toujours aussi impitoyable..., souffla Didier, exhalant son haleine chaude, mentholée, contre la joue de Piet.

Les filles revinrent vers la fenêtre. Elles rirent, puis Louisa dit, d'une voix nettement plus sérieuse :

— Ce M. Barol a quelque chose de louche, tu sais. Quelque chose de faux. On voit bien qu'il a une très haute opinion de lui.

— Tout comme moi, dit Constance.

— Oui, mais toi, tu es beaucoup plus franche. Je ne lui fais pas confiance. Je te l'ai dit : il est louche.

Ce fut une fin terrible pour ce jour de triomphes, par ailleurs sans tache. Piet recula dans la chambre et sourit, comme s'il n'en avait cure. Mais il était profondément blessé.

— Ne t'inquiète pas... (Didier lui pressa l'épaule.) Moi aussi, j'ai quelque chose de louche.

*

Egbert Vermeulen-Sickerts se réveilla le lendemain matin peu après quatre heures, une heure où même Hilde – qui était chargée de préparer le petit

51

déjeuner de la famille – était encore profondément endormie. Il était petit, le teint rouge, les cheveux blonds très pâles. La veille, attiré par les éclats de joie et la musique qui venaient du salon, il avait oublié le mal de gorge dont il s'était plaint toute la journée pour se glisser jusqu'à la porte entrebâillée. Là, il avait aperçu l'homme qui allait être son nouveau précepteur. Il voulait à tout prix ne pas se ridiculiser devant un personnage aussi enviable.

Il se redressa et posa le pied droit, puis le gauche, sur le tapis. Ensuite, il les ôta et répéta le processus six fois. Il se rendit dans sa salle de bains et fit couler un bain glacé, où il se plongea à sept reprises. De même, il se brossa les dents sept fois, jusqu'à ce que le goût ferreux du sang lui emplisse la bouche ; puis, conscient que le temps passait, il s'habilla. Par un très grand effort de volonté – comme seule peut en inspirer la peur de la honte –, il réprima l'impulsion de se dévêtir et de se rhabiller encore six fois. Ce succès – minime, mais significatif – l'encourageant, il ouvrit la porte de sa chambre.

La maison était sombre et silencieuse. Il préférait la traverser sans se faire remarquer, au cas où il commettrait une faute qu'il devrait corriger. Mais ce matin, il fut d'une vigilance extrême et n'en fit aucune. Il descendit l'escalier en marchant d'un poids calculé sur un nombre pair – fort heureusement – de degrés rouges. Le sol de marbre de son entrée privée, avec ses pointes erratiques de noir sur le gris, pouvait se révéler une mer houleuse, mais aujourd'hui, il était calme, et il le franchit sans encombre. Il traversa la salle à manger et ouvrit la porte percée dans le mur.

L'heure sonna à l'horloge comtoise. Il compta cinq coups.

Egbert ne savait jamais comment le Nombre venait à lui. Il ne le choisissait pas. Il ignorait complètement qui émettait l'ordre catégorique, mais chaque matin, quand la porte de la maison de sa grand-tante se refermait sur ses pas, il l'entendait de façon claire. Aujourd'hui, c'était 495. Ce fut un soulagement. Les jours où Le Nombre dépassait 1 200, il ne pouvait pas gagner son piano avant le déjeuner. Quelquefois, il n'arrivait même pas à l'atteindre. Ces jours-là, il devait se faire porter pâle et retourner au lit. Mais 495, c'était réalisable en trois heures, même s'il trébuchait.

Les forces auxquelles Egbert sacrifiait chaque jour s'exprimaient avant tout dans le monde réel par les teintes blanches et noires, mais se cachaient aussi dans des nuances de lumière et d'obscurité. Il les appelait les Créatures de l'Ombre et elles se haïssaient les unes les autres. S'il ne les respectait pas toutes pareillement, un violent murmure éclatait dans sa tête et prononçait des châtiments terribles.

Le Nombre gouvernait la quantité de pas qu'il devait effectuer, tous les matins, pour se mortifier. L'ordre précis des couleurs provenait de séquences qu'il avait mémorisées dans les préludes et fugues de Bach, qui trouvaient leur expression littérale dans le carrelage noir et blanc de l'entrée.

Egbert évolua à travers les carreaux, sautant sur quatre blancs, puis sur un noir, et encore sur six blancs. Il bondissait en rythme, en arrière et en avant, d'un côté à l'autre du hall, le visage tendu par la concentration. Il entendit l'horloge sonner le quart d'heure, puis la demi-heure. Quand arrivèrent six heures, il perçut les bruits caractéristiques de la vie qui s'éveillait dans la maison de ses parents.

Au 211ᵉ élément de la séquence, il sauta après avoir mal évalué la distance... et frôla un carreau noir alors qu'il en visait un blanc. La sueur perla à son front. Sa mère lui avait dit que M. Barol descendrait à huit heures et là, il allait devoir tout recommencer. Donc, il s'exécuta. Cette fois, il parvint jusqu'au 420ᵉ carreau sans faux pas, mais à nouveau il trébucha et fut contraint de tout reprendre à zéro. À sept heures et demie, il était épuisé, progressant lentement par crainte d'une faute ultime qu'il n'aurait pas le temps de rattraper et, à huit heures moins le quart, n'ayant atteint que le 193ᵉ carreau, il se mit à désespérer. Là, il fut pris d'une folle témérité. Il ne voulait pas passer la journée au lit, feignant d'être malade, et il était hors de question que son nouveau précepteur le trouve dans cette situation compromettante.

À l'instar de son père, Egbert conservait sa détresse dans le secret de son cœur. Il n'avait jamais confié à personne la tyrannie des Créatures de l'Ombre et faisait de son mieux pour cacher cet esclavage à ses proches. Dehors, sous les feuillages, les innombrables nuances de lumière étaient si changeantes et la possibilité de louvoyer entre elles si mince, qu'il avait trouvé plus facile d'affronter la rage de son père que de se révolter contre ses oppresseurs. Il se mit à sauter de plus en plus vite. Certaines fois, il passait toute la journée à traverser l'entrée. Et d'autres, il commettait six fautes, le maximum autorisé, qu'il expiait en prenant sept bains glacés. Il avait atteint le milieu du *Clavier bien tempéré* quand il entendit des voix dans la salle à manger. Papa était descendu déjeuner. Là, il était coincé. Une retraite était impossible avant que son père s'en aille à son travail, parce qu'il ne croirait jamais à une prétendue fièvre. Et dès qu'il serait parti, Egbert aurait été découvert par son maître.

Il traversa les carreaux comme un fou, étourdi par la faim. La fortune lui sourit, retenant Piet quelques minutes avec son patron dans la salle du petit déjeuner. L'enfant entendit son rire chaleureux et continua à sauter, terminant la séquence sur un carreau blanc près de la porte du salon. Il la franchit, haletant, et se jeta dans l'étape finale de son odyssée.

*

Piet n'avait pas bien dormi, furieux que Louisa Vermeulen-Sickerts l'ait percé à jour, et que cela soit tombé dans l'oreille de Didier. Quand il se lava le visage, il commença à la détester. Mais la haine étant le refuge des hommes inférieurs, il refusa de s'y abaisser. Alors il décida, tandis qu'il nouait sa cravate, de la convaincre de l'aimer malgré elle. *C'était là* un défi digne de lui. Mais avant qu'il puisse le tenter, demeurait la question de son nouvel élève, sur lequel il restait à faire bonne impression.

Il entendit Egbert dès qu'il ouvrit la porte dérobée. L'enfant jouait du Bach avec une précision maniaque et Piet s'arrêta dans l'entrée pour l'écouter. Il était évident que le garçon était déjà un bien meilleur pianiste qu'il ne le serait jamais ; il ne pourrait donc rien lui enseigner dans ce domaine. Il aurait aimé que M. ou Mme Vermeulen-Sickerts l'introduise auprès de leur fils, mais Maarten l'avait chargé de se présenter lui-même. Piet hésita. Il n'aimait pas beaucoup Bach, et entendre l'enfant répéter le prélude inlassablement ne l'incita pas à changer d'avis. Il écouta encore quelques instants, puis frappa à la porte du salon et l'ouvrit avec son plus beau sourire.

Egbert était au piano, le dos à la porte. Piet toussa. L'enfant continua son jeu et ne se retourna pas. Il en était à sa cinquième répétition, et s'il n'allait pas jusqu'à la septième, tous ses efforts de la matinée seraient ruinés.

— Bonjour, dit Piet.

Mais à nouveau, Egbert l'ignora, poursuivit son morceau et, arrivé à la fin, il reprit. Piet était dérouté. Sa stratégie, si tant est qu'il en ait dressé une, consistait à gagner la confiance et l'estime de son nouvel élève. Il ne voulait pas entamer leur relation par une vulgaire prise de bec. *À un moment donné, il faudra bien qu'il s'arrête*, pensa-t-il. En effet, quelques minutes plus tard, Egbert s'interrompit.

— Bonjour, répéta Piet, et bravo...

— Bonjour, monsieur.

Une table se trouvait près de la fenêtre. Egbert s'y installa avec la lente indifférence d'un criminel résolu à ne pas se trahir quand on l'interroge. Il ne pouvait pas affecter la chaleur de Constance et, contrairement à Louisa qui était taciturne comme lui, il ne pouvait se cacher dans l'ombre de leur sœur. Il avait désespérément envie de faire bonne impression sur M. Barol, mais la peur de ne pas y arriver le poussait à afficher une morgue qu'il avait observée chez ses aînés – une attitude très antipathique chez un garçon de dix ans.

— Nous allons commencer par la grammaire française, dit assez froidement Piet. Connaissez-vous le subjonctif ?

— Oui, monsieur.

— Alors, déclinez-moi, je vous prie, le verbe avoir au présent et à l'imparfait de ce mode.

Egbert s'exécuta, impeccablement. De plus, il traduisit l'éditorial du *Algemeen Handelsblad* dans un français parfait, puis dans un allemand moins brillant, mais tout à fait correct. Sur quoi, ils passèrent à la nature morte. Là, Piet eut quelque chose à lui apprendre, car Egbert échoua complètement à rendre la grâce des tulipes au faîte de leur splendeur. Ils y travaillèrent plus d'une heure, puis son précepteur dit, avec une nonchalance étudiée :

— Il fait très chaud ici. Si nous allions dehors chercher un autre sujet ?

Mais en voyant l'enfant se raidir, il comprit qu'il ne se laisserait pas berner par des tours aussi simples. Se sentant en terrain dangereux, Piet n'insista pas et sonna pour avoir du café. Une grande bouilloire était toujours tenue en ébullition dans la cuisine de la maison voisine et, cinq minutes plus tard, Hilde frappa à la porte, s'inclina, le regarda dans les yeux, sourit, lui versa un café, et s'inclina encore – exactement comme Didier l'avait dit. L'effet fut merveilleux. Piet demanda au garçon de traduire dans sa langue une des lettres les plus décousues de Pline le Jeune et se retira avec les journaux dans un bon fauteuil. Les couleurs de la pièce étaient un peu criardes, mais il aurait pu passer la matinée dans de bien pires endroits. Pendant qu'Egbert poursuivait son étude, il sentit revenir sa bonne humeur.

Personne n'attendait de miracle immédiat. Certes, son élève était entêté, mais il passait d'une tâche à l'autre sans se rebeller. Il serait assez facile de le tenir occupé. Et pendant ce temps-là, lui, Piet, pourrait jouir d'un salaire coquet et disposer librement d'une des maisons les mieux tenues d'Amsterdam. Cela lui parut une assez bonne affaire, et avec cette satisfaction, lui vint un brin d'inspiration. Il déjouerait les peurs de l'enfant. Il ne lui suggérerait jamais plus de quitter la maison. Le forcer ne mènerait à rien ; seuls le temps et la douceur lui gagneraient peut-être sa confiance. Cela semblait une solution agréable pour le maître comme pour l'élève et, quand Egbert eut terminé, il vérifia sa traduction, lui en donna une autre, et retourna à son journal avec une certaine joie.

*

Les trois premiers mois de Piet au 605, Herengracht, s'écoulèrent rapidement, et dans l'ensemble très plaisamment, car ce qu'avait dit Didier était vrai : Maarten Vermeulen-Sickerts tenait sa maison comme son plus grand palace. Le temps avait beau passer, l'attrait de la nouveauté ne s'altéra guère. Bien au contraire. Piet avait une aptitude naturelle pour la volupté, et même s'il ne comptait plus les jours où il se glissait dans des draps frais et repassés, sortait d'un bain fumant pour laisser sa place à Didier, ou dégustait un suprême de foie gras dans de la porcelaine de Saxe, il savourait ces délices à chaque fois.

Par moments, il songeait à la vie qu'il avait laissée derrière lui : à l'alcôve humide où il avait dormi, soumis aux ronflements de son père à deux pas de lui ;

aux repas pris dans un silence maussade ; à l'esprit pessimiste et rétrograde qui enveloppait Herman comme un brouillard tenace. Dans la maison des Vermeulen-Sickerts, ces souvenirs se fanaient tel un cauchemar évanescent.

Nina Barol avait beaucoup regretté sa décision impulsive d'épouser son beau, mais sombre cousin au deuxième degré, et n'avait guère cherché à le cacher à Piet. Ayant enseigné la musique à l'élite de Paris, elle avait appris les manières du grand monde et veillé à les transmettre à son fils. Une photographie d'elle, souriant près du lit de Piet, lui prodiguait chaque jour des encouragements et lui rappelait ses maximes : Ne te mets jamais en colère. Aie toujours l'air d'agir avec aisance. Apprends le plus possible.

Le service chez les Vermeulen-Sickerts était prompt, luxueux et invisible. Ni la famille de Maarten ni ses invités ne mangeaient jamais rien qui fût préparé par un traiteur. Un chef formé par Escoffier à Paris officiait en cuisine, mitonnant des repas d'une finesse qui faisait craindre à Piet la perspective de devoir à nouveau manger des plats concoctés par qui que ce soit d'autre. Les draps de la famille étaient changés quotidiennement, et mis à sécher dans les champs en dehors de la ville. Leurs vêtements étaient traités comme des œuvres d'art. Et puisque M. Vermeulen-Sickerts réprouvait la paresse et croyait à l'efficacité des employés bien formés, tout cela était accompli par une domesticité limitée à cinq personnes. Le cuisinier, M. la Chaume, était si bien payé qu'il avait son propre train de maison sur l'Egelantiersgracht.

Le doux carillon de l'horloge donnait le tempo et, sous les ordres de la parfaite Mme De Leeuw, Didier

Loubat, Agneta Hemels et Hilde Wilken mettaient et desservaient la table, ciraient et balayaient, s'inclinaient et versaient, au rythme de ses tintements harmonieux. Être servi par eux donnait l'impression d'être au centre d'un univers régi par un ordre bienveillant, et même si Piet prenait soin de ne pas les froisser en leur donnant des instructions lui-même (sauf, parfois, à Hilde), il était si souvent avec la famille qu'il partageait ses luxes sans donner à ses gens lieu de lui en vouloir.

Il put ainsi étudier en détail la conduite des riches. Tard le soir, en attendant d'échanger leurs places dans la baignoire, Didier et lui se confiaient leurs observations avec une grande hilarité ; contrairement à Didier, qui méprisait souvent les Vermeulen-Sickerts, Piet trouvait quelque chose de noble dans leurs excès. Il ne les jugeait pas car il comptait, s'il le pouvait, les imiter un jour.

Vers la fin de l'hiver, la maison livra peu à peu ses secrets. Piet apprit à connaître les grands et les petits salons, la bibliothèque avec ses boiseries en noyer et son édition rare du *Sertum Botanicum*, la salle de bal au parquet ciré, le sous-sol et ses réserves de porcelaine ; pendant ses heures de loisir, il dessinait les merveilles qu'il y trouvait. Piet appréciait son cadre avec un enthousiasme très flatteur pour son maître, qui avait choisi tout ce que cette maison renfermait. Seules les chambres demeuraient un mystère, et parfois, en voyant Hilde revenir de l'une d'elles, un plateau à la main, il était chatouillé par une curiosité qu'il ne pourrait sans doute jamais satisfaire.

Dans l'intimité de sa chambre douillette, peu avant de se glisser entre des draps sentant le frais, Piet se félicitait de son habileté à avoir jusqu'alors triomphé des complexités de la maisonnée. Certes, il avait été aidé en cela par l'impression avantageuse qu'il avait faite sur l'épouse de son maître ; mais après avoir négocié son salaire et reçu une avance substantielle, il ne s'était pas empressé de lui lancer de nouvelles œillades. Conscient qu'une réticence de sa part risquait d'offenser la dame, il se permettait parfois de lui glisser un regard pour suggérer l'effort colossal qu'il devait fournir pour lui résister. Autrement, il la traitait avec une déférence suprême et elle ne lui laissait jamais entendre qu'il pût espérer davantage.

Cela le soulageait, même si certains soirs, en s'endormant, il se surprenait à penser à elle, excité à l'idée de la suborner. Mais il réprimait ces pensées dans la journée, se montrant humble, ponctuel et amusant. Il jouait du piano après le dîner – en évitant *Carmen* –, retenait tout ce que disait son maître sur sa collection d'art, et ne suggéra plus jamais à Egbert de sortir dans la rue. Il eut la sagesse de témoigner à Gert Blok et à Mme De Leeuw la même politesse qu'aux Vermeulen-Sickerts et, avec le temps, cela lui valut quelques petites faveurs : un exemplaire du journal pour lui seul ; des costumes et des chemises en parfait état qui n'allaient plus à son patron.

Agneta restait une énigme, mais elle était trop incorruptible pour qu'il se mette en frais pour elle ; et il toisait discrètement Hilde, qui était jalouse de son intimité avec Didier, pour lui rappeler qu'elle n'était pas en mesure de lui nuire.

*

Le plus grand problème de Piet durant ces premiers mois, comme l'avait prédit Didier, fut Constance Vermeulen-Sickerts, laquelle avait l'habitude d'être désirée par tous les hommes et ne voyait pas de raison à ce qu'il fasse exception à la règle. Elle était plus petite que sa sœur, d'une blondeur éclatante, fougueuse et admirée. Sa beauté (comme le dit Hilde à Didier, qui le lui répéta) n'était ternie que par des chevilles lourdes qu'elle s'ingéniait à dissimuler.

À l'instar de son père, Constance était une ambitieuse qui avait consenti beaucoup d'efforts pour obtenir le pouvoir qu'elle exerçait sur ses contemporains. Ses méthodes reposaient sur le magnétisme de sa personne et l'effet qu'elle pouvait en tirer. Elle se plaignait de vivre dans un trou perdu, mais en fait Amsterdam était à sa mesure – car il est plus facile de régner sans partage sur un duché que sur un empire. Cette ville était son monde ; sa cour, les salons et les salles de bal des maisons qui bordaient ses canaux ; ses sujets, les enfants privilégiés qui avaient été naguère ses camarades de jeu. Tout comme Piet, elle s'était forgé avec le temps un naturel hautement artificiel, dont le charme ne laissait de marbre que les âmes les plus froides, et qui lui permettait de triompher par la seule arme de la séduction. Beaucoup de femmes nouaient, malgré elles, de vives amitiés avec Constance, car elle était loyale, sympathique et savait écouter. Celles qui gardaient leurs distances la craignaient – à juste titre.

Il était rare que ses rivales la défient directement. Lorsqu'elles s'y risquaient, elles découvraient que

Louisa Vermeulen-Sickerts, d'ordinaire si muette, était capable de sarcasmes ravageurs, et assez prompte à en user pour défendre sa sœur. Elle avait pour maxime «Ceux qui rient ont toujours raison»... et était très douée pour mettre les rieurs de son côté. Les hommes qui se languissaient de Constance en perdaient le sommeil, et elle avait déjà (aux dires de la presse) rejeté dix-huit demandes en mariage, alors que la glaciale Louisa n'en avait refusé que trois. Néanmoins, ce contraste n'altérait pas la tendresse qui les unissait, car Louisa décourageait tous ses prétendants, n'en trouvant aucun à son goût, alors que sa sœur tirait autant plaisir du nombre que de la qualité de ses soupirants.

Elle les maintenait dans un état de désir brûlant, qui ne peut subsister longtemps sans être assouvi. En fait, elle n'avait aucune envie de renoncer à la compagnie de sa sœur et à la liberté de la vie sous le toit de ses parents; et comme Louisa partageait ce sentiment, ni l'une ni l'autre n'avait jamais sérieusement envisagé d'épouser qui que ce soit. Elles étaient impitoyables sur le point des défauts masculins et Constance, notamment, observait avec un plaisir cruel combien ses prétendants souffraient quand elle les quittait.

Maarten Vermeulen-Sickerts savait que ses filles – contrairement à celles des hommes moins fortunés – resteraient d'excellents partis encore de longues années, et il était ravi de les garder chez lui le plus longtemps possible. Le manège de Constance l'amusait, car au fond elle était drôle, chaleureuse et douée du sens de la famille – comme Piet le découvrit en l'écoutant par la fenêtre de Didier.

C'était seulement avec Louisa qu'elle était pleinement elle-même, un peu parce que celle-ci avait horreur des artifices. Piet et Didier, en surprenant leurs discussions privées, étaient portés à croire que Louisa était la sœur dominante, alors que les jeunes filles donnaient en public l'impression inverse. Sur son balcon après le dîner, elle disséquait avec une telle férocité les futilités de sa sœur que Constance éclatait de rire.

Louisa était l'intrigante, l'observatrice, le stratège qui maintenait la position de Constance à la tête du petit monde qui était tout ce qu'elle connaissait, ou qu'elle voulait connaître. Elle dessinait ses robes, refusant formellement ses demandes de parures inutiles. Elle dictait ses coiffures, la forçait à braver le soleil en août, et la réconfortait dans les moments d'abattement qui suivaient ses brillantes prestations quotidiennes. Elle se moquait de son manège avec les hommes, mais l'aidait habilement à attiser leurs souffrances. Elle transmettait des messages, machinait des rencontres et trahissait des confidences avec une piquante ironie. Elle n'approuvait pas les efforts de Constance pour séduire Piet Barol et ne s'en cachait pas, raillant implacablement son échec à provoquer en lui la moindre réaction.

— En fait, c'est un inverti, lâcha un soir Constance, qui s'était appuyée lourdement sur le bras de Piet après le dîner, sans recevoir de pression en retour.

— C'est absurde. Il est juste trop ambitieux pour tout risquer en s'empêtrant dans une idylle avec une coquette comme toi. Il sait que tu ne pourras jamais l'épouser. Qu'a-t-il à y gagner ?

— Ma personne, répondit Constance avec dignité.

— Tu ne te donneras jamais à lui de cette façon-là.

— Il y a des filles qui le font.

— Pas toi, ma chérie.

Constance savait que c'était vrai, mais elle était quand même froissée par son indifférence à ses charmes. S'il n'était pas un inverti, en conclut-elle, il devait craindre un rejet de sa part. Elle aurait donc à lui faire bien comprendre qu'elle accueillerait favorablement ses avances et, pour y arriver, elle demanda à sa sœur de l'aider.

Louisa accepta de participer à l'entreprise, pour peu que son issue soit tenue pour définitive. Elles en fixèrent les conditions à l'insu de Piet lors d'une promenade dans le Vondelpark, où elles choisirent le meilleur moyen de permettre à Constance d'arriver à ses fins. Puisque, de toute évidence, les sourires et les agaceries ne suffiraient pas, celle-ci admira secrètement Piet d'être beaucoup plus maître de lui que bien des hommes de son entourage. L'idée de lui faire une déclaration privée lui traversa l'esprit, mais elle l'écarta aussitôt, craignant de s'exposer à une humiliation. Comment faire pour allier les avantages de la franchise aux impératifs de la discrétion ? Louisa ne pourrait pas, en l'occurrence, servir d'intermédiaire.

Elle était dans sa chambre, se déshabillant en pensant à la première soirée de Piet dans la maison, quand la réponse, soudain, lui apparut. Elle passa alors chez sa sœur par la porte communicante, vêtue d'un simple négligé de soie.

— Ce n'est pas une mauvaise idée, dit Louisa, mais il vaut mieux le faire en l'absence de papa.

Elles attendirent donc que leur père se rende à Paris, ce qu'il faisait toutes les six semaines pour y inspecter ses hôtels. Un soir, après le dîner, elles demandèrent à Piet de leur donner une leçon d'opéra et ouvrirent la partition de *Carmen* à la page de son échange avec le Dancaïre.

Jacobina était au coin du feu, sa broderie sur les genoux. Louisa se plaça de manière à cacher le visage de sa sœur, au cas où leur mère lèverait les yeux. Prenant le rôle de l'homme, elle demanda à Constance pourquoi elle aimait tant Don José.

«*Parce qu'il est beau, et qu'il me plaît[1]*», répondit Constance en regardant Piet. Puis, elle ajouta, pour souligner ses paroles, leur traduction en néerlandais.

*

Piet n'ignorait pas qu'il était dangereux de flirter, même innocemment, avec les filles de son employeur, et il n'avait aucune intention de commettre cette faute première. Il savait aussi qu'il avait tout intérêt à faire preuve d'une retenue parfaite. Maarten était d'une vigilance naturelle à l'endroit de Louisa et de Constance. Bien se conduire avec elles lui vaudrait plus rapidement sa confiance que bien des stratagèmes.

Piet n'avait pas eu besoin de Didier pour savoir que Constance adorait attirer les hommes dans ses rets pour mieux les éconduire. En fait, sa vanité aurait été blessée si elle n'avait pas tenté de le séduire. Mais ce qui avait été, au début, flatteur et amusant devint inquiétant quand la jeune fille se montra acharnée, révélant sa détermination à faire plier ceux qui lui résistaient.

---

1. En français dans le texte. (*N.d.T.*)

Mais Piet Barol était tout aussi résolu que Constance Vermeulen-Sickerts. Quand elle se mit à attaquer plus fermement son équanimité, il perça sa tactique avec un œil expert. Elle commença, comme il l'aurait fait lui-même, par multiplier de façon subtile, mais éloquente, les contacts physiques. Elle lui prenait souvent le bras à l'entrée de la salle à manger et, par moments, frôlait ses doigts quand ils se séparaient. Il ne se trompait pas sur le sens de ces invites fugaces, mais il feignait de ne pas les remarquer – ce qui poussa Constance à porter des robes un peu plus décolletées et à parler, lors de leurs rencontres, avec une animation croissante. Elle était douée pour raconter les anecdotes, assez sûre d'elle pour s'y montrer en position de faiblesse, et ses récits des mésaventures de la jeunesse dorée de la ville étaient pleins de verve.

Piet la trouvait très sympathique. Il espéra un temps que son engouement pour lui se changerait en amitié, mais plus les semaines passaient, plus il sentait qu'il s'agissait d'un bras de fer qu'elle n'aurait de cesse de remporter. Cela la rendait un peu ridicule et il eut ainsi moins de mal à lui résister. Mais il en vint à craindre que son père ne s'aperçoive de la situation et ne le chasse de la maison. Cela aurait tellement nui à ses projets qu'il commença à se demander – comme la jeune fille de son côté – s'il n'y aurait pas un moyen d'aborder le sujet de façon détournée, toutefois sans équivoque, pour pouvoir l'enterrer enfin.

— Seul un idiot ferait une chose pareille, jugea Didier, assis sur le radiateur de leur salle de bains, alors que Piet était plongé dans l'eau que lui-même venait de quitter. Tu ne peux pas lui suggérer que tu sais que tu lui plais. Surtout si tu comptes la repousser.

— Mais je ne peux pas la laisser continuer. Si son père soupçonne...

— Le soupçon est une chose. Si tu *dis* quoi que ce soit, tu courras au désastre.

Piet en convint avec son ami. Aussi persista-t-il à feindre de ne rien voir quand les avances de Constance se firent plus fréquentes et moins discrètes. Lorsqu'un jour elle s'évanouit à l'heure du thé et l'obligea à la prendre dans ses bras pour qu'il la dépose sur le sofa, une idée effrayante lui traversa l'esprit : peut-être allait-elle lui faire une déclaration franche qui demanderait une réponse sans ambages ? Que dire alors pour lui signifier qu'une liaison était inconcevable tout en lui épargnant la gêne qui pourrait la porter à vouloir se venger ? Il ne tenait pas à être son ennemi. À mesure que s'accroissait le danger, il se mit à préparer un petit laïus à propos de scrupules religieux qui ne lui permettraient pas... etc. Mais en fait, ce ne fut pas nécessaire, car deux jours plus tard, alors que Didier et Hilde servaient le café, elle le mit dans l'embarras en public, mais avec art, sans avoir l'air d'y toucher.

Sa première pensée, quand elle lui dit qu'il était beau et lui plaisait, fut que Maarten, heureusement, n'était pas là pour le voir ; mais son soulagement fut suivi par la certitude que, s'il ne s'expliquait pas maintenant de façon claire, il n'aurait peut-être plus l'occasion de le faire en l'absence de son père.

— Qu'aimeriez-vous chanter ? lui demanda-t-il pour gagner du temps.

— J'y prendrais bien plus de plaisir si vous m'accompagniez.

Piet hésita. La tonalité érotique de *Carmen* était hors de question. Certes, mieux valait s'exprimer par le biais de la musique, mais laquelle conviendrait ? Il devait choisir un morceau émouvant, pour ne pas prendre à la légère les sentiments de Constance, mais qui ne soit pas mélodramatique. Idéalement, la mélodie devait s'achever joyeusement, mais traduire un rejet énergique. Que diable... ?

Soudain, comme souvent, l'inspiration lui vint à point nommé. Il leva les yeux vers Constance et doucement, très doucement, joua les premiers accords obsédants de *La Traviata*.

Jacobina, à qui rien n'avait échappé, sourit et se repencha sur sa broderie. Louisa, elle, fut impressionnée, mais aussi prise du désir étrange et contradictoire de voir Piet échouer, ce qui ôterait le masque de sa perfection improbable. Hilde avait quitté la pièce et Didier, qui n'allait jamais à l'opéra, comprit seulement plus tard, quand Piet lui expliqua. Mais Constance, elle, saisit tout de suite. Quand elle entendit Piet évoquer cette intrigue sur les liaisons désastreuses entre les classes, et les tragédies qu'elles entraînent, tout en la regardant sans ciller pour se faire bien comprendre, elle cessa brusquement de vouloir le séduire – préférant renoncer à un pari plutôt que le perdre. Alors, elle prit un exemplaire de *La Mode illustrée* et feignit de s'y plonger, avant d'essuyer, à l'heure du coucher, les railleries de Louisa sans trop s'en soucier. Tel était, en effet, le génie de Constance Vermeulen-Sickerts : elle était capable de renoncer à une chose qu'elle ne pouvait avoir – une qualité qui, s'ils avaient pu la partager, aurait pu éviter à ses soupirants de nombreux tourments.

*

Piet avait raison : son patron observait de près sa conduite, et quand il le vit résister aux assauts de Constance, il se demanda lui aussi si ce garçon n'était pas un inverti. Mais non. Il n'était pas comme M. Blok. Cela rendit la réserve du jeune homme encore plus honorable et fit naître en Maarten une estime paternelle qu'il lui témoigna de toutes sortes de manières touchantes. Il lui expliqua comment gérer les entreprises prospères : avec une solide confiance en soi, une volonté d'innovation et de la souplesse. Il lui fit visiter chaque recoin de sa demeure, en décrivant son contenu avec le plaisir du connaisseur, et s'attarda en particulier sur les vitrines de son bureau puis sur les statues d'Aphrodite, d'Athéna et de Pâris qui dominaient le grand escalier.

Pâris avait été chargé par Zeus, le roi des dieux, de juger laquelle de ces déesses était la plus belle.

— Une décision qui a causé la guerre de Troie... Voilà pourquoi, dit Maarten en pointant un doigt vers le plafond, je ne prends jamais parti entre ma femme et mes filles.

Il ne lui vint guère à l'esprit, tandis qu'il regardait Constance faire en vain le siège du jeune homme – et alors qu'il s'armait de courage pour intervenir au besoin –, que Piet Barol ne menaçait pas la vertu de ses filles, mais celle de sa femme. Jacobina ne laissait jamais voir qu'elle se rappelait le premier jour de Piet dans la maison, mais elle y pensait sans cesse et ne se trouvait pas entièrement soulagée qu'il semblât l'avoir oublié.

Jacobina était une femme qui avait toujours mené sa vie avec décence, et même de façon stricte, mais c'était parce qu'elle avait perdu peu à peu l'envie de la concevoir autrement, et non par ferveur religieuse. Le seul acte de rébellion de sa jeunesse avait été d'épouser l'habile Maarten Vermeulen, alors qu'elle aurait pu choisir un soupirant titré, et elle en avait été récompensée par l'éclatante réussite de son mari. Mais elle n'avait pas été très impulsive depuis, et l'arrivée de Piet l'incita légèrement à le regretter.

Le soir de son installation dans la maison, elle avait été secrètement fière, en allant se coucher, qu'un beau jeune homme lui ait lancé des regards aussi suggestifs. Mais au matin, ce souvenir l'horrifia et elle résolut de censurer toute impudence future. Au début, elle fut rassurée de n'avoir pas d'occasion de le faire, et elle répéta pendant des semaines le discours glacial qu'elle lui assénerait s'il la regardait à nouveau de façon trop marquée. Quand il ne le fit pas, elle en fut plutôt indignée et ses émotions contradictoires l'irritèrent. Elle s'adonna alors à la broderie, pour s'occuper les mains pendant que Piet et Maarten chantaient des duos au piano. Lors de ces représentations impromptues, elle se surprit à détailler l'apparence du jeune homme et à l'apprécier aux dépens du physique de son mari. Au terme d'une soirée où elle l'avait particulièrement admiré, elle en vint à l'imaginer nu, ce qui se reproduisit avec une telle fréquence qu'elle en fut alarmée. Elle se réjouit de voir Constance chercher à le séduire, car si Piet se montrait incorrect, il serait renvoyé, ce qui écarterait la tentation à jamais.

Mais Piet ne commit aucune inconvenance et, juste à une ou deux reprises, elle crut que c'était elle, et non sa charmante fille, qu'il regardait avec le désir qu'elle éprouvait et tâchait de ne pas montrer. Un mois après son arrivée, elle rêva pour la première fois de lui, et dans ce rêve, il mettait son jeune corps à son entière disposition. Elle se réveilla excitée et, après le départ de Maarten, congédia Agneta pour passer la matinée au lit, bravant les prohibitions de sa jeunesse pour se contenter jusqu'au déjeuner.

*

Tous les membres de la maisonnée avaient coutume d'aller ensemble au temple et de s'asseoir sur le même banc – car le dimanche, tous les hommes sont égaux aux yeux du Seigneur. Un beau dimanche de mai, Jacobina se réveilla d'un rêve de si fol abandon qu'elle espéra, pendant qu'Agneta la coiffait, que personne, pas même Dieu, ne la regardait.

Elle trouva les domestiques attendant dans le hall, et l'odeur de Piet lui donna un frisson de désir. Voir le compagnon de ses fantasmes s'incarner dans toute sa beauté terrestre était une tentation injuste le jour du Seigneur. Elle se détourna pour monter dans la Rolls-Royce, en appelant ses filles avec brusquerie. Maarten, déjà dans la voiture, lui dit «Bonjour, mon amour» avec une tendresse qui piqua douloureusement sa conscience.

Les tiraillements entre son désir insatisfait et ses élans de culpabilité mirent Jacobina d'humeur massacrante. Elle ne dit rien pendant le court trajet jusqu'à la Nieuwe Kerk et, une fois au temple, elle traversa la foule en hâte et salua brièvement ses amis pour aller s'agenouiller sur le banc des Vermeulen-Sickerts. Mais Jacobina ne pria pas. Elle pensa à Piet – et entendre sa voix joyeuse et grave demander à Mme De Leeuw si elle avait bien dormi ne l'aida pas à chasser son image, torse nu et prêt à l'honorer, qui la suivait depuis son rêve.

Le chœur entra, peu avant le pasteur. Au cours de la première hymne, elle se permit de lancer un coup d'œil au jeune homme et saisit son profil, ses yeux bleus et ses sourcils noirs, ses lèvres pleines ouvertes pour le chant. Là, elle fut prise d'une envie folle, soudaine, de le toucher, ne fût-ce qu'un court instant. Elle retourna son attention vers l'hymne mais l'idée persista, soutenue par la voix forte de Piet pendant les prières. Elle s'abîma dans la contrition pour son péché de chair, mais sans succès – car une voix secrète, venue du fond d'elle-même, lui disait que son repentir n'était pas sincère.

Le sermon s'inspirait des Béatitudes selon saint Matthieu. Sur les onze occupants du banc des Vermeulen-Sickerts, seuls Piet et Maarten l'écoutaient avec intérêt, chacun se mesurant à ses grands préceptes. Ni l'un ni l'autre ne se trouvait pauvre d'esprit, mais il n'y avait que Maarten pour admettre que cela pût lui interdire le royaume des cieux. Piet n'était pas sûr de croire au paradis et il se demanda s'il était le seul membre de l'assemblée à nourrir de tels doutes. *Non.* D'après Didier, Louisa Vermeulen-Sickerts était farouchement athée.

Quand il la regarda, il comprit, en la voyant détourner les yeux, qu'elle l'avait observé, elle aussi. Il n'avait pas encore trouvé le moyen de gagner son affection, trop occupé à combattre Constance pour oser faire le siège de sa sœur. Louisa portait une tenue exquise, un manteau de lin qu'elle avait conçu elle-même, et qui faisait paraître ostentatoires les robes des autres femmes. Depuis son deuxième jour dans la maison, où il avait résisté à son envie de la haïr, Piet avait été frappé par son goût très sûr. Le petit feutre qu'elle portait ce matin éclipsait les chapeaux de ses voisines, surchargés d'oiseaux et de fleurs. C'était Constance que les jeunes mâles avaient dévisagée lorsque les Vermeulen-Sickerts s'étaient avancés vers l'autel. Mais la grave et mystérieuse Louisa était la vraie beauté de la famille.

Il s'intéressa à nouveau au sermon. «Heureux les humbles, car ils hériteront de la terre», disait le pasteur – un point sur lequel Piet n'était absolument pas d'accord. Il trouvait évident que les forts exploitaient les humbles et ne leur laissaient rien. Il valait mieux s'affirmer contre la fortune, comme le conseillait Machiavel, et comme il l'avait fait lui-même avec tant de profit.

Quand Jacobina entendit «Heureux les cœurs purs, car ils verront Dieu», elle dressa soudain l'oreille. Elle, qui avait passé presque toute sa vie à être pure, n'avait pourtant pas vu le Seigneur. Sa nourrice, fervente catholique, lui avait transmis l'idée que les péchés sont précisément quantifiables et que des pénitences proportionnées peuvent en laver à jamais la tache. Petite, elle avait dit en secret des centaines de «Je vous salue Marie», pour racheter la gourmandise qui la portait à garder pour elle seule les bonbons bigarrés qu'elle s'offrait avec l'argent de sa tirelire.

En se levant pour l'eucharistie, elle se demanda si elle n'allait pas faire avec Dieu un pari analogue, pour obtenir le droit de nourrir sans regret des pensées honteuses. «C'est absurde!» se dit-elle... mais son ton se fit moins sévère quand elle vit les fesses de Piet qui attendait l'hostie.

À la fin du service, elle salua le pasteur plus distraitement que d'habitude et devint écarlate quand Maarten lui demanda si quelque chose n'allait pas.

— Je vais parfaitement bien, répondit-elle.

Mais en réalité, elle avait peur car elle avait décidé de toucher Piet Barol, quoi qu'il advienne. Juste un petit contact, que personne ne verrait. L'occasion s'en présenta pendant qu'ils attendaient la voiture, car le hasard voulut que Piet soit devant sa portière quand la Rolls arriva. Elle lui tendit naturellement la main, pour qu'il l'aide à monter. Il la prit avec fermeté. Quand elle s'appuya contre son bras, elle vit son biceps enfler pour supporter son poids.

— Merci, monsieur Barol, dit-elle... et leurs yeux se croisèrent, évoquant discrètement l'émoi du premier jour.

— *Je vous en prie*[1].

*

C'était pure folie de rappeler, même indirectement, les non-dits échangés lors de sa première rencontre avec Jacobina – Piet le sentit au moment même où il lui répondit, mais il passa outre. En suivant la Rolls-Royce à pied avec les autres domestiques, il comprit

---

1. En français dans le texte. (*N.d.T.*)

qu'il avait pris un risque, et pourtant... Il regarda Jacobina sortir du véhicule et gravir l'escalier de la maison.

Elle était indéniablement séduisante.

Il entra dans le hall, conscient de sa hardiesse. Par chance, il devait s'occuper des prières d'Egbert. Il s'attela à sa tâche avec soulagement, sachant qu'elle l'apaiserait. Que l'enfant refuse de quitter la maison l'obligeait à lui répéter l'office du matin avant le déjeuner dominical, sauf le premier dimanche du mois où le pasteur venait lui donner lui-même les sacrements. Le garçon était dans sa chambre, le teint si rouge que Piet crut qu'il avait de la fièvre. Mais en fait, Egbert n'était pas souffrant, il avait juste passé la matinée dans un bain glacé.

Entre l'enfant et le jeune homme s'était installé un climat de prudence depuis que Piet s'était refusé à lui demander de s'expliquer ou de se conduire comme les garçons de son âge. C'était commode à bien des égards, mais l'évitement persistant d'une discussion franche les avait empêchés de se lier. Piet s'agenouilla et invita Egbert à ouvrir son livre de prières. Ils suivirent le service ensemble et l'enfant demanda si ardemment l'aide du Saint-Esprit que son précepteur le plaignit. Piet lut les Béatitudes, ne laissant rien paraître de ce qu'il en pensait, et quand ils eurent fini, il l'envoya dans le bureau de son père y recevoir une homélie.

Il était sur le palier devant la chambre d'Egbert, sur le point de regagner la sienne, lorsque Jacobina sortit de ses appartements. Piet s'était attardé un peu plus qu'il ne l'aurait dû, pour braver le destin ; et le sort non seulement le prit au mot, mais le récompensa doublement, car elle portait la même robe de laine qu'à leur première rencontre.

— Ah, monsieur Barol. Déjeunerez-vous avec nous ?

Avant de se changer, Jacobina avait demandé à Agneta de porter un chèque de cinquante florins à l'orphelinat municipal, comme un marchand du Moyen Âge s'achetant une indulgence. L'argent serait tiré sur son propre compte et venait de son père, non de son mari.

— Avec le plus grand plaisir, Mevrouw...

*

M. la Chaume s'était surpassé. Ils mangèrent du consommé de tortue et des *timbales polonaises*, suivies d'alouettes farcies au foie gras. Le châteauneuf-du-pape, dont Piet but trois verres, semblait rendre impérative la recherche du plaisir. Jacobina riait des plaisanteries de Constance avec une extravagance qui, alliée au message de sa robe, disait à Piet qu'il n'avait qu'un signe à faire. Cette invitation, délivrée de manière si imperceptible, flatta la vanité du jeune homme, s'ajoutant à l'assortiment des délices offertes par la pièce élégante, les plats fins et la déférence des domestiques.

Quand Didier s'inclina, croisa son regard, sourit, remplit son verre et s'inclina encore, Piet s'émerveilla du chemin qu'il avait parcouru depuis la maison de son père, nettoyée, rarement, par une femme couverte de pellicules. Il songea avec dédain au sermon de la matinée et aux pauvres fous qui échangent leurs ambitions terrestres contre les vagues promesses du ciel.

Un *gâteau des trois frères* apparut, puis une délicieuse gelée au champagne, où des fleurs de surcau étaient magiquement suspendues. Piet avait assisté la veille à la préparation délicate de celle-ci, couche par couche. Il y plongea sa fourchette comme un barbare enfonce les portes de Rome, détruisant l'œuvre des autres pour la simple raison que ça lui est possible.

— Un peu de champagne, monsieur Blok ? offrit Maarten, qui était d'excellente humeur. (Il ne travaillait pas le dimanche et se réjouissait à l'idée de faire une sieste après toutes ces agapes.) J'exige que tu en prennes un peu, ma chérie... (Il caressa la main de sa femme.) Tu n'étais pas toi-même ce matin. Ça t'aidera à digérer... (Il fit signe au maître d'hôtel, imitant inconsciemment les riches qu'il avait enviés à l'époque où il ne pouvait pas encore se permettre de parler avec autorité aux *sommeliers*.) Nous prendrons le moët brut impérial, 1900. (Il se tourna vers Piet.) Une année exceptionnelle, si vous m'en croyez...

Sur ses instances, sa femme but une flûte de champagne. Quand Louisa annonça qu'elle et Constance iraient prendre le thé chez les Van der Woudes, et y resteraient peut-être pour dîner, elle en prit une seconde. Même si sa vie était, objectivement, d'un luxe enviable, elle croyait pourtant avec sincérité qu'il lui arrivait rarement de se faire plaisir. De peur que la vue de son mari n'affaiblisse sa résolution, elle se leva et gagna la fenêtre. Sur quoi, les convives se séparèrent.

Louisa et Constance allèrent se changer à l'étage, Maarten fit venir Egbert pour lui faire la lecture et les serviteurs débarrassèrent la table. Tandis que la compagnie s'égaillait, Jacobina annonça à la cantonade qu'elle devait s'occuper des fleurs de la salle de classe, puis elle passa, le cœur battant, dans la maison voisine.

*

Elle n'y était pas depuis deux minutes que Piet frappa à la porte.

— Je me demandais si vous aviez besoin de moi, Mevrouw... (Il entra sans attendre sa réponse.) Si oui, je suis à votre entière disposition.

La ressemblance entre cette déclaration et celles du Piet de ses rêves était saisissante.

— Il y a beaucoup de choses que vous pourriez faire pour moi..., répondit-elle.

— Je l'avais espéré.

Ils se considérèrent en silence. À présent, ce fut Jacobina qui sourit et, voyant que Piet ne détournait pas les yeux, elle se sentit gênée. Mais lui ne l'était pas, et son regard insistant le prouva. Elle passa devant lui pour sortir de la pièce et gravit l'escalier, se demandant s'il la suivrait. Quand il le fit, elle prit une clé dans un vase sur le palier, l'emmena dans la chambre de sa tante, puis elle ferma la porte à clé. Mais là, son élan s'évanouit, la laissant déroutée. *Et si ce jeune homme ne savait pas ?*

Mais Piet savait parfaitement.

Quinze jours avant son dix-septième anniversaire, un échange de regards similaire lui avait valu sa première invitation dans le lit d'une mezzo-soprano, dont le mari, professeur associé, passait l'année à

Leyde. La dame avait demandé à Nina Barol si elle pouvait engager son fils pour répéter chez elle et ils avaient répété à volonté, avec pour seuls instruments leurs corps dénudés, pendant les longs mois de l'année universitaire. Elle avait réfréné l'exubérance juvénile, peu inventive, de Piet et lui avait appris les vertus de la mesure et du rythme, en exigeant de lui une discrétion chevaleresque.

Que Jacobina ait fermé la porte à clé était la seule licence dont avait besoin Piet. Elle n'aurait à s'en prendre qu'à elle si le plaisir était suivi par des regrets. Il n'avait encore jamais rencontré de femme qui s'enflamme aussi vite et était un peu perturbé par son succès. Il se mit à genoux devant elle, chose qu'avait appréciée la mezzo-soprano, et souleva l'ourlet de sa robe. Jacobina le toléra sans le regarder. Il baisa sa cheville dans son bas de soie et elle le laissa faire. La volupté fut immédiate. Abandonnant soudain toute peur des conséquences, elle s'assit – s'écroula presque, sur la méridienne.

— Ôtez-moi mes chaussures, dit-elle. *Lentement...*

D'un geste délicat, Piet libéra les pieds de Jacobina. Puis, avec une *lenteur extrême*, il fit courir ses doigts sur ses mollets, au creux de ses genoux, jusqu'aux dentelles de ses jarretières. Cela la fit trembler, comme jadis la mezzo-soprano. Il desserra ses bas avec une révérence étudiée, mais en fait il s'interrogeait sur la suite. Il ignorait ce qu'elle permettrait et sentait qu'elle ne le savait pas trop elle-même. Il hésita, considérant son répertoire. Puis, avec un grognement animal qui donna à la dame un plaisir indicible, il remonta ses jupes par-dessus ses genoux et mit sa tête entre ses cuisses.

Le séducteur

*

La nourrice de Jacobina, Riejke Vedder, qui avait vécu chez ses maîtres jusqu'à sa mort, avait été adorée par les enfants Sickerts, qui lui vouaient un amour bien plus grand qu'à leurs propres parents. Jacobina, la cadette, était sa préférée. Pendant ses six premières années, jusqu'à ce qu'une gouvernante anglaise disputât à Riejke les droits exclusifs sur son éducation, Jacobina n'avait pas passé un seul instant hors de la vue de sa nourrice.

Riejke lui avait appris à parler et à marcher, à lire et à compter, à se laver et à faire ses besoins toute seule. La nourrice l'aimait d'un amour immense, comme les simples d'esprit et les croyants. Elle proscrivait tous les «vilains mots», sauf les discrets euphémismes sur les parties intimes en dessous du nombril. Confrontée à la nécessité d'évoquer ces régions honteuses, Riejke avait conçu des expressions à la fois aisément compréhensibles et parfaitement anodines. Ainsi, le jeune vagin de Jacobina devint son «petit chien» et son derrière, le «parterre de fraises». Tous les soirs à l'heure du coucher, Riejke disait à la fillette d'aller promener son petit chien et Jacobina se levait docilement, s'accroupissait sur le pot de chambre, urinait et se mettait au lit sans crainte de le mouiller. Pendant les pique-niques en famille, où il était moins facile de préserver son intimité, Riejke lui demandait si elle avait besoin d'«aller voir le parterre de fraises» ou juste de «promener son petit chien» (ce qui, *dans les cas extrêmes*, pouvait se faire derrière un buisson).

Ainsi, Jacobina avait grandi avec le sentiment que la partie la plus secrète et gratifiante de son corps était, en quelque sorte, autonome, un petit animal velu qu'il fallait promener et nettoyer, avec lequel on pouvait quelquefois jouer – mais prudemment, parce qu'il pouvait griffer ou mordre. Elle savait que c'était absurde, et pourtant les interdits de sa nourrice étaient restés gravés dans son esprit : elle se rappelait toujours qu'elle devait promener son petit chien avant un long trajet et la vue de fraises sur un gâteau au chocolat la révulsait. Jadis, son mari avait cajolé son petit chien et même, une fois, y avait mis la langue, avant de la retirer, rouge de honte. Mais depuis dix ans, il ne l'avait pas touchée, et aucune de ses caresses n'était comparable aux sensations que lui procurait à présent Piet Barol.

La mezzo-soprano avait été une bonne initiatrice et, quand il trouva son rythme, il fut soulagé de sentir les jambes de Jacobina se serrer autour de son cou. Ce signe d'approbation chassa ses derniers doutes et il se mit à apprécier la chose autant qu'elle – rien n'étant plus flatteur pour la vanité d'un jeune homme que de se savoir capable de faire jouir une femme.

Jacobina n'avait jamais rien connu de semblable aux ondes de plaisir déclenchées par Piet lorsque sa langue dessina des cercles concentriques vers un point dont elle connaissait l'existence, mais ignorait le nom. Quand elle le vit pleinement absorbé par son ardeur, une merveilleuse sérénité l'envahit. Le plaisir l'inonda, par vagues successives, tandis que la lumière déclinait derrière les rideaux. Alors, elle oublia l'inconfort de la méridienne, les protestations de sa conscience, la médiocrité des tableaux de sa tante – tout, sauf la chaleur des lèvres de Piet et le doux grattement de son menton contre ses cuisses.

Lorsqu'il glissa un doigt en elle, le poussant vers le haut avec autorité, ses jambes de cavalière se crispèrent si violemment autour de son cou qu'elle crut qu'elle allait l'étouffer. Il persista quand tout en elle se contracta. Bientôt, elle se tordit avec insistance et il sut que la jouissance était proche. Celle-ci fut annoncée par un halètement et l'expulsion d'un liquide chaud. Il resta à genoux pendant que les convulsions de Jacobina se calmaient et, quand elles s'arrêtèrent, il sourit – d'un air heureux et respectueux, qui exprimait une gratitude charmante.

Jacobina se leva en tremblant, glissa ses bas dans sa poche et ses pieds dans ses chaussures. Elle avait presque perdu la parole. Finalement, elle dit, d'un ton sec pour cacher sa gêne :

— Mes compliments, monsieur Barol.

— Merci, Mevrouw.

— *Je vous en prie*[1]. (Elle marcha vers la porte, mais hésita avant de l'ouvrir.) Nous devrions attendre que vous soyez présentable.

— Tout à fait.

Mais les érections que l'on veut réprimer sont d'autant plus rebelles, et sous le regard scrutateur de Jacobina, celle de Piet obéit fermement à la règle. Ce fut extrêmement gratifiant pour Jacobina. Enfin, avec un rire qu'elle n'avait pas eu depuis ses vingt ans, elle prit sur une table une édition imposante de l'histoire de l'hôtel Amstel et la lui tendit.

---

1. En français dans le texte. (*N.d.T.*)

Le séducteur

— Il serait bon que vous ayez une idée des affaires de M. Vermeulen-Sickerts, dit-elle d'un ton vif.
Puis elle ouvrit la porte et sortit sur le palier.

*

Piet la suivit, le livre soigneusement placé devant lui. Au moment où il monta dans sa chambre, il n'avait plus besoin de son aide pour garder une silhouette décente. Toutefois, il s'enferma et, quand il s'allongea sur le lit, il se vit observé par la photographie de sa mère. Il détourna la tête. La griserie du vin et du champagne s'était dissipée, remplacée par une douleur aux tempes. Il n'était pas enclin aux remords de conscience et, s'il n'avait pas eu de l'affection pour son patron, il aurait pu n'avoir aucun regret. Mais, tandis qu'il fixait le plafond, les dernières braises du plaisir s'éteignirent et une horreur glacée s'insinua en lui.

C'était une chose d'avoir flirté avec Jacobina avant d'avoir rencontré son mari, c'était bien différent d'offenser Maarten à présent qu'il vivait sous son toit et portait ses habits. Piet s'était toujours tenu en haute estime. Avoir l'impression d'être un mufle le dégoûta et il songea – trop tard ! – au conseil d'Épicure : peser les conséquences d'un acte hédoniste avant de l'accomplir. Il ne pouvait nier le vif plaisir que la chose lui avait donné. Qui aurait cru qu'une femme si respectable soit capable de pécher avec un tel abandon ?

Il se leva et gagna le miroir au-dessus du bureau. Ses lèvres étaient un peu gonflées.

— Tu ne dois pas recommencer, dit-il à son reflet.

Mais alors même qu'il parlait, il doutait de sa résolution, car il savait que sa conscience n'était pas assez exercée pour l'emporter sur sa soif de plaisir. Il répéta ces mots avec sévérité, se sentit ridicule et songea à prier pour trouver la force de résister. Mais il ne le fit pas. Si jamais Dieu existait, il lui parut stupide d'attirer l'attention sur lui en ce moment peu honorable.

Alors, il se dévêtit et prit un bain, soulagé que Didier ne soit pas assis sur le radiateur pour l'interroger. Une fois dans l'eau chaude, son sexe réclama satisfaction et quand ce fut fait, il se sentit mieux. Il sortit de l'eau, se sécha et se rhabilla. Puis il dit à Mme De Leeuw qu'il ne dînerait pas avec les Vermeulen-Sickerts et s'offrit pour un demi-florin un rosbif aux oignons. Il le grignota, songeur, à une terrasse au bord du Leidesgracht, tandis que le soir s'enfuyait et qu'il se demandait avec inquiétude ce qu'il devait faire.

*

Il finit par prendre la décision suivante : le plus tôt possible, pendant qu'il serait toujours en proie à ses bonnes intentions, il devrait servir à Jacobina le discours du jeune homme pieux, rongé par les scrupules, qu'il avait préparé pour Constance, mais qu'il n'avait pas eu l'occasion de prononcer.

Il alla la voir le lendemain en fin de matinée, après avoir donné à son élève des vers du *Paradis perdu* à traduire en néerlandais. Jacobina était dans le petit salon, répondant à des lettres sur une gracieuse écritoire ayant jadis appartenu à Mme de Montespan. Elle-même s'était interrogée sur la conduite à tenir après les excès de la veille, mais elle en avait conclu bien autre chose que lui.

— Je vous serais reconnaissante, dit-elle d'un ton froid, de ne pas me déranger. Si vous voulez m'offrir vos services, vous pouvez vous présenter à cinq heures au même endroit où vous avez été hier fort utile.

Sur ce, elle retourna à son courrier, ravie de son audace. Elle n'avait pas du tout l'intention de prendre un amant et sa conscience se refusait à une intimité verbale avec un homme qui n'était pas son mari. Ce qu'elle voulait, c'était plus – beaucoup plus – de ce plaisir physique que lui avait fait découvrir Piet Barol. Il ne lui semblait pas nécessaire de balayer les barrières sociales pour atteindre ce but ; en fait, leur inégalité lui était profitable.

Il était rare que Piet se retrouve sans voix, mais là, le petit soliloque qu'il avait conçu s'évapora.

— J'ai vécu toute ma vie à l'ombre d'une église, Madame..., commença-t-il gauchement après le premier instant de stupeur. Dieu a toujours été présent pour moi. Sa volonté...

— Vos débats intérieurs ne m'intéressent pas, monsieur Barol.

Elle pressa une sonnette et se repencha sur son courrier.

— Mevrouw...

— Je ne crois pas aux paroles, mais aux actes. (Elle poursuivit sa lettre.) Si vous n'êtes pas libre cet après-midi, je pourrai le comprendre. Même si je dois avouer... (là, elle lui sourit) que je serais un peu désappointée.

Hilde frappa à la porte, entra et fit la révérence.

— Veuillez demander à M. la Chaume de me faire monter une liqueur de poire. Il fait affreusement chaud aujourd'hui.

— Bien, Madame.

— Merci, Hilde. Vous aussi, monsieur Barol. Vous pouvez tous les deux disposer.

*

Lorsque Piet descendit l'escalier, il était impressionné et excité par l'attitude de Jacobina. Il n'avait jamais essuyé de dédain patricien chez une conquête et c'était extrêmement stimulant. Il attendit qu'Egbert achève sa traduction, la corrigea et lui en donna une autre, tout en soutenant vaillamment sa conscience dans son combat contre ses bas instincts.

Pendant qu'ils travaillaient, la passivité d'Egbert et le confort aménagé autour de ses faiblesses commencèrent à l'exaspérer. Il aurait pu emmener un enfant normal au Vonderpark et faire la course avec lui jusqu'au soir, pour laisser passer le danger. Il sentait bien que, s'il n'honorait pas son rendez-vous avec Jacobina, elle n'en proposerait jamais d'autre. Mais il ne pouvait pas quitter la maison, ce qui le laissait dangereusement près de la tentation.

Le seul remède possible était le soulagement préventif, mais il avait également ses dangers. Piet savait que le désir culmine juste avant le plaisir et, chez lui, le détachement qui succède à l'orgasme ne durait pas longtemps. Il craignait même, en l'occurrence, qu'il ne dure pas du tout. Il attendit jusqu'à cinq heures moins le quart. Puis il envoya son élève dîner, s'enferma dans les toilettes de l'entrée et ouvrit son

pantalon. Le souvenir de Jacobina surgit irrésistiblement. Il se porta au bord de la jouissance, mais c'était
l'état le plus risqué – et il eut beau savoir qu'il devait
se soulager, et le vouloir en toute sincérité, il ne put
s'y résoudre.

Sa conscience, ayant fait de son mieux, céda face à
un obstacle aussi insurmontable. Il se reboutonna, se
lava les mains et monta à l'étage.

*

Six semaines plus tard, Constance Vermeulen-
Sickerts fêta son vingt-deuxième anniversaire. Les
réjouissances données pour l'occasion furent somp-
tueuses, non par désir d'ostentation, mais par générosité naturelle, car les Vermeulen-Sickerts aimaient à
faire plaisir aux autres ; que la soirée impressionne
leurs invités n'était pas son but, juste sa conséquence
inévitable. Deux cents personnes furent conviées au
bal. Depuis des jours, la maison grouillait d'employés
en uniforme vert et blanc de l'hôtel Amstel, disposant
des palmiers, briquant les vitres, les poignées de porte
et le parquet de la salle de bal. Le mur qui séparait la
maison de la salle de musique, bien qu'apparemment
aussi massif que les autres, pouvait être abaissé au
sous-sol par un ingénieux système de poulies. Piet le
regarda disparaître avec une admiration non dissi-
mulée.

Il rêvait d'être de la fête et aurait été fâché de
savoir que Jacobina s'y était vigoureusement oppo-
sée. Elle n'avait aucune envie de le voir flirter avec
les amies de ses filles et ses objections furent si achar-
nées que Maarten s'irrita.

— Mais, Jacobina, on est au xxe siècle, dit-il un soir pendant qu'elle se brossait les cheveux avant le coucher. M. Barol est un parfait gentleman. Je ne tolérerai pas dans ma maison ce snobisme d'un autre âge.

Piet fut donc invité – non au dîner, mais au bal qui suivrait.

— Veinard! s'exclama Didier.

Et en effet, le lendemain, quand Piet reçut un chèque de Maarten «pour des chaussures et une queue-de-pie – demandez tout le reste aux femmes», il mesura l'étendue de sa chance. Il dépensa l'argent dans une belle boutique de la Kalverstraat et y prit un plaisir immense, car c'était la première fois de sa vie qu'il s'achetait des vêtements neufs.

Le soir du bal, il dîna de sandwichs dans sa chambre en écoutant, avec une excitation grandissante, un joyeux brouhaha monter vers lui. Maarten Vermeulen-Sickerts, qui avait des parts dans le Café Royal à Londres, avait fait venir son orchestre sur le *Queen of Holland*, et les airs qu'il jouait étaient modernes et furieusement chic. Piet descendit, bien décidé à briller, et la première personne qu'il croisa fut Louisa.

— Mazette, monsieur Barol...

— Bonsoir, mademoiselle Vermeulen-Sickerts.

Louisa était en vert, les cheveux retenus par des broches en diamant. Ce fut seulement quand elle marcha qu'il vit un pantalon de soie sous sa jupe en dentelle. Cette vision le stupéfia.

— J'aime bouger librement quand je danse, dit-elle sèchement, comme s'il lui avait demandé des explications.

Puis, avant qu'il ait pu lui en faire compliment, elle se fondit dans la foule d'un pas désinvolte. N'ayant pas le courage de la suivre, il alla demander du champagne à Didier.

— C'est la soirée pour te trouver un beau parti..., chuchota son ami, le regard fixé droit devant lui.

Cela lui avait traversé l'esprit, mais, en pensant à ce que dirait Louisa s'il courtisait une de ses amies, il y avait renoncé. Il se croyait, de toute façon, capable de faire fortune sans avoir besoin de faire un riche mariage. Il vida sa coupe si rapidement que le champagne lui piqua la gorge, puis il suivit l'appel bruyant de l'orchestre, l'invitant à rejoindre le bal.

Sa mère lui avait appris à danser et il était bon cavalier. Conscient que Jacobina était là pour l'épier, il choisit la plus laide des filles qui faisaient tapisserie sur un divan doré et lui demanda si elle lui ferait l'honneur de danser avec lui. L'esseulée fut si ébahie qu'elle le considéra un instant, bouche bée, et il sentit son estomac se serrer à l'idée d'être repoussé pour avoir enfreint une règle invisible des riches. Mais non. Ils dansèrent une valse, puis une autre ; l'ayant raccompagnée à son divan, il avisa une jeune femme, à la lèvre supérieure ornée d'un fin duvet, qui ne pourrait susciter la réprobation de Jacobina, et lui demanda si elle voulait bien lui accorder cette polka.

En observant son choix de partenaires, Maarten prit cela pour un nouveau signe de sa noblesse innée. Jacobina le surveillait, elle aussi, et les picotements de jalousie qui l'avaient fait rire jaune toute la soirée se dissipèrent. Myrthe Janssen prit le bras de son amie Constance et lui dit :

— Quel est cet homme divin qui ne danse qu'avec des femmes laides ? L'auriez-vous engagé ?

Ce à quoi Constance répondit, après un instant d'hésitation :

— En fait, oui. Mais pas pour ce que tu crois. C'est le précepteur d'Egbert.

— Adorable...

— Je suppose. Plutôt froid comme la glace. Il est affreusement sage...

— Les hommes sages ne dansent pas comme ça, ma chérie.

Et Myrthe, qui avait une ligne parfaite, une cascade de boucles blondes et qui avait coutume, comme Constance, d'arriver à ses fins avec les hommes, s'efforça d'attirer l'attention de Piet, sans succès.

*

L'orchestre fit une pause peu après minuit. Piet se dégagea de sa partenaire et sortit dans la nuit veloutée, vers le jardin où l'odeur des canaux était en partie masquée par des massifs de roses. Il avait emporté une flûte de champagne, qu'il but sous un ciel éclaboussé d'étoiles. Caressé par l'air frais, il se sentit envahi par un merveilleux bien-être. Et avec ce bonheur vint un élan d'amour : pour les Vermeulen-Sickerts, qui lui avaient donné accès à ce monde enchanteur ; pour la vie, qui lui offrait cet instant de solitude dans un jardin de roses ; pour sa mère et tout ce qu'elle lui avait appris.

Sa conscience lui rappela que son aventure avec Jacobina n'était guère compatible avec son affection pour son mari. Pourtant, au fil des jours, cette contradiction le gênait de moins en moins et, ce soir, deux flûtes de champagne avaient suffi à la balayer. Après tout, Jacobina ne lui permettait pas de prendre les plus grandes libertés et il approuvait sa retenue, s'abstenant de les réclamer. Il eut un large sourire en repensant à sa maîtresse l'après-midi de la veille, presque pâmée de plaisir sur la méridienne de sa tante. L'orchestre se remit à jouer et il se tourna vers la musique, décidant que, cette fois, il ne se contenterait pas de danser, mais prendrait la parole comme un égal.

En rentrant dans la salle de bal, il trouva Constance et Louisa au milieu d'une foule et rôda autour d'elles.

— Quand mon grand-père est allé à New York en 1842, disait un jeune homme aux moustaches hirsutes, il fallait trois mois pour faire la traversée. Et quand j'ai navigué sur le *Celtic* il y a quatre ans, ça a pris onze jours.

— Moi, je n'en ai mis que six sur le *Kaiser Wilhelm der Große*, dit un autre, aux joues roses. Deux machines à vapeur à triple expansion, actionnant deux hélices. Mais je dois dire que je préfère l'*Amerika*. C'est le premier navire à avoir un ascenseur en première classe.

— Au diable les ascenseurs ! C'est la cuisine qui compte. J'ai embarqué à bord du *Kronprinzessin Cecilie* l'an dernier. Il y avait un aquarium dans le restaurant, pour qu'on puisse choisir son dîner. Pendant cinq jours, je n'ai mangé que du homard...

— Du homard ! s'écria Constance, en jetant un regard entendu à sa sœur. Je préfère les artichauts.

— Un bon bouillon, dit Louisa, est tout ce qu'il me faut.

— Pour moi, du chocolat à tous les repas, ajouta Myrthe Janssen.

— Un régime divin, dit une autre jeune femme.

Par un léger haussement de sourcils, Didier, qui leur servait à boire, avertit Piet que ces dames jouaient au jeu de l'alphabet. Les jeunes vantards, inconscients de la chose, continuèrent à jacasser. Ils débattirent des charmes des divers paquebots pendant qu'on les sollicitait sur les moteurs de l'*Eugénie*, la cuisine *française*, la *gloire* de ces navires, et qu'on leur demandait si les suites du « Château de l'Atlantique » étaient bien réservées aux *happy few*.

Vint alors le tour de Constance. Elle hésita un instant et dit :

— L'*investissement*... Qui fournit les capitaux pour ces bateaux ?

C'était un sujet sur lequel le monsieur aux joues roses, Norbert Breitner, le fils du président de la compagnie Holland-Amerika, brûlait de disserter depuis un bon moment.

— Les Anglais et les Allemands sont les principaux concurrents, bien sûr..., dit-il avec condescendance. À peine les uns ont-ils créé le navire le plus grand et le plus rapide que les autres doivent le dépasser. Lorsque J. P. Morgan a tenté de prendre le contrôle de la Cunard, le gouvernement britannique a offert d'énormes prêts à la compagnie à condition qu'elle reste indépendante et fabrique les deux plus grands bateaux de l'Histoire. Le premier s'appelle le *Lusitania*. Il jauge plus de trente et un mille tonneaux et sera mis en service cet automne.

— Et naturellement, ajouta son ami moustachu, les petits caractères stipulent qu'ils seront convertibles en navires de guerre en cas de conflit.

— *J. P.* Morgan, dit Louisa, en soulignant la première initiale, était dans la loge voisine de la nôtre à Bayreuth, l'an dernier.

— Assurément le *Kaiser* de Wall Street! lança Myrthe.

— Le *Lusitania* va être le plus grand paquebot du monde, dit une autre jeune fille. Mes parents y ont déjà réservé leur suite.

— Pour son *maiden voyage*[1]! intervint Louisa en anglais, sans attendre son tour.

Sur ce, à la surprise des jeunes coqs, toutes les demoiselles éclatèrent de rire.

Piet, qui s'était armé de courage pour intervenir, garda le silence. Mais un autre gandin prit la parole, avec l'assurance naturelle d'un homme extrêmement beau et riche. Il avait un visage maigre, des traits finement ciselés et un air dédaigneux.

— Vous ne me convaincrez pas avec le *Lusitania*, déclara-t-il. Le seul bateau qui en vaille la peine, c'est l'*Eugénie*.

L'arrivée de cet oracle séduisant provoqua une brusque cessation des hostilités féminines.

— Pourquoi ça, monsieur Van Sigelen? fit Constance, en s'arrogeant le droit de la première répartie.

— Je me moque comme d'une guigne de la taille et de la vitesse. Le service et le confort sont tout ce qui m'importe, et dans ces deux domaines, les Français sont les meilleurs. Albert Verignan est un

---

1. «Voyage inaugural». (*N.d.T.*)

génie. Il a créé tout seul la compagnie des Lignes de la Loire et veille personnellement aux moindres détails. C'est le seul navire qui possède un théâtre. Son grill est le plus spectaculaire qui existe en mer et ses suites valent celles des hôtels de votre père, mademoiselle Vermeulen-Sickerts. Je recommande la *Henri de Navarre*, avec sa vaste baignoire. La décoration de chaque suite s'inspire d'un personnage de l'histoire de France.

Piet écouta M. Van Sigelen exposer longuement les attraits du navire. Pour ne pas avoir l'air gêné de s'attarder dans les parages, il prit une autre flûte de champagne offerte par Didier. Il entendit ainsi que le grill de l'*Eugénie*, une miniature de la galerie des Glaces de Versailles, surplombait le pont supérieur au point qu'il avait pour perspective le seul horizon.

— C'est comme si on dînait sur un nuage, conclut Van Sigelen. On s'attendrait presque à entendre la musique des anges...

Cette petite chute fit naître un rire plus bienveillant chez les demoiselles. Myrthe Janssen en profita pour lui prendre le bras et l'entraîner sur la piste de danse.

— Les moteurs de l'*Eugénie* ne sont pas du tout comparables à ceux à quadruple expansion, disons... du *Kaiser Wilhelm II*, reprit Norbert Breitner pour tenter de réaffirmer son autorité. La première fois qu'il cst allé à New York, il a été visité par quarante mille personnes.

— Non ! s'exclama Constance, ce qui parut à Piet moins une marque de surprise qu'une protestation contre l'habile manœuvre de Myrthe pour enlever M. Van Sigelen.

— Croyez-moi, chère mademoiselle Vermeulen-Sickerts, c'est tout à fait vrai. J'y étais.

Piet ne savait pas très bien si Constance, en usant d'un mot qui commençait par *n*, reprenait le jeu de l'alphabet là où l'avait laissé le «maiden» de Louisa. Mais une nouvelle flûte de champagne l'enhardit et il lança, d'une voix claire et assurée :

— De l'*opium*!... Vous en avez probablement fumé pour donner des hallucinations à tous ces gens.

Il y eut un silence.

Les jeunes filles se tournèrent vers lui, atterrées que leur ruse ait été démasquée par un inconnu. Louisa ne dit rien. Mais Constance, voyant les joues roses de Norbert Breitner virer à l'écarlate et sentant que les dames voulaient qu'elle reprenne la main, déclara :

— La *passion* est une qualité merveilleuse. Ne nous taquinez pas, monsieur Barol.

*

Quatre heures plus tard, après avoir déposé une brassée de cadeaux sur son bureau, Constance laissa tomber sa robe sur le tapis et se glissa dans le lit de Louisa. Celle-ci, assise à sa coiffeuse, ôtait les broches en diamant de ses cheveux. Elle garda le silence jusqu'à ce qu'Agneta ait apporté un plateau de chocolat chaud, ramassé la robe de Constance et félicité les jeunes filles de leur brillant succès. Après son départ, en suivant le fil des pensées de sa sœur avec une précision qui stupéfiait leurs amies, elle lança :

— Je maintiens, Constance, qu'il y a quelque chose de faux chez M. Barol.

— Tu es beaucoup trop soupçonneuse.

— Tu verras que j'ai raison...

— Tu ne penses quand même pas que je suis toujours amoureuse de lui ?

— Je ne l'ai jamais cru, ma chérie. Tu voulais le séduire, cela n'a rien à voir.

— Enfin... pour moi, c'est fini.

— Je sais.

— Tu conviendras que c'était drôle.

— D'avoir insinué que Norbert est opiomane ?

— D'avoir été assez malin pour comprendre et assez courageux pour jouer avec nous. Norbert est si pontifiant...

— Là-dessus, je suis bien d'accord. Et je n'ai jamais prétendu que notre M. Barol n'était pas futé.

— Tu vois, tu l'as dit : « notre » M. Barol.

— « Ton » M. Barol, si tu préfères.

Constance se retourna.

— Ce ne serait pas amusant d'avoir un grand frère ? Quelqu'un avec qui on pourrait se promener, cancaner, et qu'on pourrait convaincre nos amies d'épouser ? (Elle s'adressa au mur avec mélancolie.) Egbert est si désespérant...

— Ça ne sert à rien de se lier avec un homme qui ne dit pas la vérité. (Louisa bâilla, en se couchant à ses côtés.) Barol dira toujours ce que l'on veut entendre.

— Tu es affreusement cynique.

Elles continuèrent à se chamailler jusqu'à ce que le ciel s'éclaire d'un lavis indigo.

— Très bien, dit finalement Louisa, invitons-le à prendre le thé chez Karina Van Prinsterer. Crois-moi, il lui dira qu'elle est charmante et que sa maison est superbe.

*

Le lendemain après-midi, Maarten Vermeulen-Sickerts partit à New York surveiller l'achèvement de son entreprise la plus ambitieuse jusqu'alors, un hôtel d'une opulence sans égal à l'angle de la Cinquième Avenue et de Central Park. Sa famille l'accompagna au port et, à son retour au 605, Herengracht, Constance demanda à Piet s'il avait envie de venir prendre le thé chez une de ses amies.

— Une amie *très chère*, ajouta sa sœur. Elle a une des plus belles maisons de la ville. Sa mère est une dame d'honneur de la reine Wilhelmina.

Piet eut du mal à cacher son enthousiasme à l'idée de rencontrer un membre de la maison royale. Il n'eut que vingt minutes pour se changer et choisit la plus élégante des cravates que lui avait données Maarten. Après l'avoir nouée pour la cinquième fois, il fut très satisfait de son aspect.

Les Van Prinsterer demeuraient sur le Keizersgracht. Piet escorta les jeunes filles à pied, avec l'espoir qu'un des ennemis de son enfance le croise par hasard en si élégante compagnie. Leur destination s'avéra être un triste hôtel particulier doté de six fenêtres par étage, aux portes surmontées d'un blason or et écarlate. Celles-ci s'ouvrirent avant qu'ils aient pu frapper, comme si un domestique y était toujours posté. Dans le vestibule se tenaient deux grands valets de pied, en livrée jaune moutarde. Piet leur donna son chapeau, s'apprêtant à être impressionné.

Mais il ne le fut pas.

L'entrée était d'un bleu criard, semé de feuilles d'or tarabiscotées. Sur la balustrade chargée de l'escalier, les initiales LVP (de Leopold Van Prinsterer, le grand-père des actuels propriétaires) étaient tracées en lettres dorées. Piet trouva cet étalage outrancier. Le salon de réception, encombré de fauteuils à franges, avec ses tables couvertes de photos d'éminents personnages, était tout aussi tape-à-l'œil. Mais le comble de la vulgarité était un énorme paon empaillé, qui déployait sa queue sur la cheminée comme une divinité païenne dans un cimetière.

Piet examinait un portrait signé de Marie de Roumanie quand les dames Prinsterer apparurent. Elles étaient vêtues avec une sophistication qui confinait à l'absurdité. La jupe de la jeune fille était serrée sous ses genoux par un cordon à glands qui se balançait à chacun de ses pas. Ses manches en dentelle pendaient jusqu'au sol, ou presque, se changeant en éventails chaque fois qu'elle levait les bras, ce qu'elle faisait souvent pour marquer cet effet. Et, dans ses couches de tulle et de crinolines, sa mère ressemblait à un chou à la crème desséché dans la vitrine d'un pâtissier.

Ce manque de goût vestimentaire n'était pas compensé par une once de charme. Piet avait espéré servir une de ses anecdotes, polie comme le bois satiné de la table à thé, qui avaient déjà enchanté les dames du meilleur monde. Il avait prévu d'impressionner sous des allures modestes et de s'incliner avec une exquise timidité devant leur requête qu'il poursuive ses histoires pittoresques. Mais il fut d'abord dérouté, et ensuite contrarié de découvrir qu'on ne lui laissait pas faire la moindre impression.

Pas plus qu'à ses compagnes.

Les dames Van Prinsterer parlaient sans discontinuer, en se relayant pour reprendre haleine. Piet, malgré tout son art, n'arriva jamais à s'immiscer dans la conversation. Il remarqua que Constance et Louisa n'essayaient même pas et écoutaient avec attention, tout sourire.

Les Van Prinsterer venaient de rentrer de Venise. Elles avaient trouvé la chaleur insupportable et les gondoliers familiers. Elles jurèrent de ne plus jamais séjourner dans une ville où M. Vermeulen-Sickerts n'avait pas encore ouvert de palace, répétèrent cette rengaine en dévorant des gâteaux très sucrés et se plaignirent de ce que des hôteliers peu stylés leur avaient fait endurer. Pas une fois, elles ne cherchèrent d'autre réaction qu'un murmure de compassion chez leurs invités.

La pièce, de surcroît, était étouffante. Une heure s'écoula, puis une deuxième et Piet se mit à espérer pouvoir s'en aller. Ne trouvant pas moyen de le faire poliment, il demeura assis, ébahi par l'endurance de ses hôtesses. Mais quand la troisième heure commença, il lui sembla qu'il pourrait accepter n'importe quoi – même l'humiliation d'avouer sa place dans la société – pour retrouver sa liberté. Il était sur le point de dire qu'il devait s'assurer qu'Egbert prenne son bain à l'heure quand Constance s'exclama, en regardant sa montre :

— Mon Dieu ! Je n'ai pas vu le temps passer...

Ce qui leur permit de prendre congé.

Une fois dehors, Piet respira à pleins poumons la puanteur des canaux.

— N'est-ce pas qu'elles sont adorables? dit Louisa, en ouvrant son ombrelle.

L'idée que quelqu'un puisse trouver les dames Van Prinsterer adorables, à commencer par Louisa Vermeulen-Sickerts, laissa Piet bouche bée. Au début, il ne comprit pas pourquoi Constance, le voyant hésiter, fut prise d'un tel fou rire qu'elle eut du mal à s'arrêter.

— Allez-y, monsieur Barol, fit-elle quand ils eurent tourné le coin de la rue. Dites-nous ce que vous avez vraiment pensé.

— J'ai... (Piet flaira un test – ce qui, l'arrachant à sa stupeur, lui rendit toutes ses facultés.) J'ai pensé deux choses, dit-il solennellement, résolu à le passer avec panache. Pauvre reine Wilhelmina... Et pauvre paon.

*

Jacobina était une femme intègre. Elle avait beau en vouloir à son mari de la négliger, elle l'aimait profondément. Elle supportait mal de le croiser quand elle rentrait, enivrée, d'un rendez-vous galant avec Piet Barol et elle avait attendu avec impatience son absence dont elle comptait user judicieusement.

Sa nourrice, Riejke Vedder, avait des idées bien arrêtées sur la distinction des rôles féminin et masculin, et Jacobina n'avait jamais cherché à s'affirmer dans les domaines de la finance ni de l'intimité. Goûter à l'élixir de l'autorité sexuelle à l'approche de la cinquantaine était merveilleux.

Tout comme son amant.

Il ne faisait jamais de déclarations embarrassantes et ne demandait aucune récompense, sauf savoir si elle avait apprécié ses services. Elle s'adressait à lui avec la froideur polie dont elle usait avec ses domestiques et elle fixait l'heure de leurs rencontres comme les limites de leurs échanges. Elle ne lui permettait pas de se dévêtir ni de se masturber, et ne le laissait la caresser qu'avec ses doigts, ses lèvres et sa langue. C'était le prix qu'exigeait sa conscience et il lui pesait parce qu'elle rêvait de le voir nu. Mais ces interdits répondaient aussi à un besoin pratique. Jadis, elle avait craint la honte qui s'emparait de son mari après l'émission de sa semence et elle préférait repousser Piet pendant qu'il était violemment excité. L'idée qu'il se satisfasse plus tard – de surcroît, en pensant à elle – lui plaisait beaucoup.

Ils ne se parlaient pas dans la chambre de sa tante et, au fil des semaines, Piet parvint à décoder de manière plus aisée le serrement des cuisses de Jacobina et le sens de certains soupirs à moitié réprimés. Mais c'était imparfait, inévitablement. Les préférences de la mezzo-soprano n'étaient pas tout à fait celles de sa nouvelle maîtresse, et malgré sa confiance absolue en ses leçons, les efforts de Piet ne furent pas concluants.

La différence cruciale était que Jacobina était extrêmement chatouilleuse. Les caresses de Piet qui, suivant les leçons de la cantatrice, empruntaient un trajet sinueux vers le haut de ses jambes, la faisait parfois se tortiller d'une manière qui ne lui donnait aucun plaisir. Piet, croyant y voir un signe de la plus haute approbation, réagissait en ralentissant son rythme, au point qu'elle brûlait de lui dire de se dépêcher. Elle ne le faisait jamais, car elle était gênée à l'idée de formuler par des mots un vil désir physique ; mais sa réserve fut mise à rude épreuve quand ils se retrouvèrent pour la première fois après le départ de son mari.

Le désir de Piet de rendre la rencontre mémorable le porta à amorcer les choses avec une déférence suprême. Mais quand ses lèvres frôlèrent légèrement les chevilles de Jacobina, celle-ci éprouva de fortes démangeaisons. Puis, quand sa langue poursuivit son avancée trop lente au-delà de ses genoux, elle trouva ça insoutenable et se tordit irrésistiblement. Ce qui poussa Piet à ralentir davantage et la sensation devint tellement intolérable que, du plus profond d'elle-même, une voix impérieuse s'écria :

— Plus vite, monsieur Barol !

Ce qui eut aussitôt l'effet souhaité. L'irritation de Jacobina s'apaisa, remplacée par une merveilleuse sensation. Elle comprit alors les avantages de l'expression verbale, qui donnait des résultats d'une précision que ne pouvaient guère produire les crispations des membres et les soupirs haletants. Puis, quand les doigts de Piet se mirent à écarter ses cuisses, et sa langue à s'insinuer entre elles, elle eut une envie folle qu'il la pousse dans son corps le plus loin possible ; qu'il la lape goulûment comme une bête, qu'il se vautre en elle et la force à s'ouvrir.

Mais que pouvait-elle dire ? Elle ne pouvait pas lui demander de faire ces choses à un «petit chien». Elle se rappela alors le mot qu'elle avait entendu dans la bouche des garçons des rues et qui semblait juste exprimer sa pensée, mais le spectre de sa nourrice surgit et l'interdit. Jacobina ouvrit les yeux. Piet était entièrement caché sous ses jupes retroussées. Elle hésita, mais la certitude qu'elle ne devait pas laisser passer une telle occasion, peu à peu, s'imposa. Elle était allée jusque-là. Pourquoi sa transgression ne serait-elle pas récompensée ? Elle chassa l'image de Riejke... mais n'arriva toujours pas à parler. Les démangeaisons empirèrent. Elle tremblait et le rythme de Piet se relâchait. Quel supplice !

Enfin, avec un courage dont elle tira fierté pendant des jours, Jacobina Vermeulen-Sickerts prit la parole – et elle le fit d'une voix claire, pleine d'autorité, sans aucune trace de honte.

— Mon con, monsieur Barol, dit-elle fermement, cramponnée au chevet de la méridienne. Traitez-le de façon plus hardie !

*

L'érotisme de ce moment resta à jamais gravé dans sa mémoire. Piet obéit à son instruction avec un enthousiasme brutal, faisant déferler en elle des vagues d'orgasme jusqu'à ce que – plusieurs heures plus tard – l'obligation d'y mettre fin devînt insistante, puis totale. Ce fut un déchirement. Finalement, Jacobina fit appel à tout son sang-froid pour fermer ses jambes à Piet Barol. Elle le congédia avec un mot sec de remerciement et, quand il eut quitté la pièce, il lui fallut près de dix minutes pour pouvoir se lever. Elle regagna sa maison dans un brouillard euphorique.

Piet monta dans sa chambre, en proie à une excitation volcanique. Les quartiers des domestiques, au 605, Herengracht, n'ayant pas de serrures, il tira un fauteuil devant sa porte pour préserver son intimité. Il déboutonnait son pantalon quand il entendit soudain frapper. Sa porte s'ouvrit aussitôt en cognant le dossier, laissant voir le visage blanc de M. Blok.

Ce dernier comprit aussitôt ce qui se passait : les joues empourprées du jeune homme, la place insolite du fauteuil, l'odeur honteuse dans la chambre, lui dirent tout ce qu'il avait besoin de savoir. Il jeta un bref coup d'œil à l'entrejambe de Piet, et là – oh, merveille ! – vit le contour caractéristique d'une chose qu'il avait imaginée de longs moments à la dérobée. L'occasion était trop belle pour la laisser passer. Il se glissa dans la chambre et se mit à parler.

Gert Blok fit part à Piet de la fête que son maître donnait chaque année pour ses employés, en se plaignant du surcroît de responsabilités que ces festivités faisaient peser sur ses épaules. Il décrivit le petit manoir en ruine, ravagé par un incendie, que M. Vermeulen-Sickerts avait acheté l'an passé, et le nombre de salles de bains qu'il comptait installer quand il trouverait le temps de s'occuper de sa restauration. L'excitation de Piet s'estompa rapidement pendant ce long laïus. Il savait très bien que Blok était enchanté de l'avoir surpris, et son insistance l'irritait.

Finalement retentit le gong du dîner. Blok dut alors partir, et quand il s'en alla, Piet se lava les mains, puis descendit, les sens toujours à vif, l'esprit encore un peu affolé par l'ivresse de l'après-midi.

Il n'y avait pas d'invités et la gentillesse récente de Louisa et Constance rendait la réunion presque intime. Jacobina avait pris un bain parfumé et se sentait merveilleusement calme. Elle vit tout de suite que Piet ne l'était pas et la décharge de pouvoir qui la traversa dissipa tout germe de remords. Pendant que Constance racontait en détail les manœuvres de Myrthe Janssen pour séduire Van Sigelen, Jacobina se dit que Dieu n'aurait pas créé les corps humains comme Il l'avait fait – après tout, à Son image – s'Il avait réprouvé le plaisir sexuel, et donc, que sa conduite n'était pas le grave péché fustigé par les hommes d'Église. Elle songea au pasteur de la Nieuwe Kerk, un homme laid et stupide qui pouvait fulminer à son aise contre la luxure parce que nul ne risquait de l'y entraîner. Elle savait que, vingt-huit ans plus tôt, elle avait promis son corps à Maarten, mais puisqu'il s'était si longtemps abstenu de le toucher, elle pouvait sans doute le prêter à un autre...

En la regardant pendant le dîner, Piet ne pouvait chasser de son esprit l'image de sa maîtresse sur la méridienne de sa tante, les jupes relevées jusqu'à la taille. Il était extrêmement sensible à sa présence. Chaque fois qu'elle parlait ou jetait un coup d'œil vers lui, son sexe palpitait. Au moment du dessert, il commença à craindre de ne pouvoir se lever de table. Il joua avec les poires, se demandant désespérément ce qu'il devait faire, ce qui, hélas, aggrava son état. Enfin, ce fut Virgile qui le sauva en lui soufflant le discours qu'Anchise tient sur ses descendants dans *L'Énéide*. Il l'avait appris par cœur dans sa jeunesse et se le récita comme une incantation apaisante.

Finalement, la poésie classique réussit là où d'autres dérivatifs avaient échoué. Lorsque les dames quittèrent la table, il fut assez présentable pour les imiter, mais il n'osa courir le risque de passer une heure au salon. Alors il prit congé, en prétextant un mal de gorge.

Jacobina ne s'y trompa pas. Savoir qu'un jeune homme aussi désirable ne pouvait se contrôler devant elle la porta au comble du bonheur. Elle lui dit bonsoir avec politesse et ajouta, devant ses filles, qu'il pourrait l'aider dans sa correspondance le lendemain après-midi, à quatre heures.

*

Pict remonta dans les combles, en trébuchant comme un ivrogne. Là, sous les toits de plomb, l'air était chaud et oppressant. Il allait entrer dans sa chambre, heureux d'être enfin seul, quand il entendit Didier le héler de la salle de bains et se souvint que c'était sa soirée de congé.

— Viens bavarder un peu ! lui lança son ami. Le vieux est en bas, il fait le café.

Piet ouvrit la porte de sa chambre, feignant de n'avoir pas entendu. Mais il ne la franchit pas. Or, c'était un jeune homme qui venait de porter une femme au comble de l'extase – il ne put résister à l'envie de s'en vanter. Il entra dans la salle de bains, se demandant comment le faire de façon discrète, et il trouva Didier alangui dans la baignoire. Par les fenêtres ouvertes, flottait une brise délicieuse après le couloir étouffant. Il ôta sa veste et s'installa sur le radiateur.

Didier se plongea sous l'eau en se mouillant les cheveux. Ses mèches s'allongèrent, lisses et blondes sur ses yeux.

— On est si bien ici... Je n'en sors pas pendant une heure.

— Égoïste.

— Tu peux venir, si tu veux. C'est assez grand pour deux.

Les jeunes gens s'étaient souvent déshabillés sans gêne l'un devant l'autre. Ils avaient bavardé très agréablement pendant que l'un était assis sur le radiateur, en attendant son tour pour entrer dans l'eau. Mais ils n'avaient encore jamais partagé la baignoire. Ce soir-là, elle semblait étonnamment longue, pleine... particulièrement accueillante. Piet hésita.

— Ne sois pas si provincial...

La pique de Didier fit mouche.

— Bon, d'accord. Merci.

Il se dévêtit et se glissa dans la cuve en face de son ami, s'asseyant doucement pour ne pas éclabousser le sol. La masse de son corps fit remonter l'eau jusqu'au rebord.

— Qu'as-tu fait tout l'après-midi ? s'enquit Didier en écartant les pieds pour lui laisser de la place.

— J'étais avec une femme.

— Pas Hilde ?

— Bien sûr que non.

— Qui donc, alors ?

— Tu peux garder un secret ?

— Certainement.

— Eh bien...

Là, Piet lui raconta l'histoire, dans l'ensemble assez juste, d'une épouse respectable d'une quarantaine d'années qu'il avait passé l'après-midi à faire jouir jusqu'à ce qu'elle l'ait supplié de s'arrêter. Il lui rendait souvent visite. Elle refusait de le laisser se déshabiller, se masturber ou parler ; elle s'adressait à lui sur un ton péremptoire, comme à un domestique. Lui-même en éprouvait un plaisir redoublé quand il la soumettait aux caresses de ses doigts, de sa langue et de ses lèvres, la réduisant à l'état de loque gémissante à peine capable de tenir debout au terme de leurs ébats. Il raconta à Didier qu'ils s'étaient rencontrés dans le Vondelpark, que son mari était souvent absent et qu'ils disposaient de la maison à ce moment-là. Au terme de son récit, son sexe s'était réveillé du sommeil induit par Virgile et palpitait dans l'eau. Celui de Didier aussi.

— Tu crois qu'elle aimerait les parties à trois ? fit-il en lançant à Piet son sourire de voyou.

Il l'observa attentivement. Voyant que son ami n'était pas choqué, il lui conta une histoire à son tour.

— La première année où j'étais page à l'Amstel, un client m'a demandé de venir dans sa suite. Sa femme m'avait remarqué. Elle était plus jeune que lui, autrichienne, très sensuelle, dit-il avec un nouveau sourire malicieux. Nous avons passé la nuit à la lécher. Bien sûr, on ne se touchait pas, lui et moi. (Pendant son anecdote, son pied, poussé par le clapotis de l'eau, frôla légèrement la cuisse de Piet – il sentit les poils de son ami contre ses orteils.) Après, ça s'est souvent reproduit.

Tout comme Piet, Didier ne disait pas la stricte vérité. Il avait été, en effet, invité dans les chambres des clients à l'hôtel Amstel – et cela, bien souvent. Mais à chaque fois, les occupants de ces chambres étaient des hommes – et leurs épouses, quand ils en avaient, n'étaient pas là. À présent, la témérité l'envahit. Il tira la bonde de la baignoire et laissa l'eau s'écouler en partie, comme s'il s'apprêtait à la quitter. Mais quand le niveau fut assez bas pour révéler leur état, il dit :

— On ne peut pas sortir comme ça. Blok va monter d'un instant à l'autre. Si jamais il nous surprend...

L'érection de Piet était presque douloureuse.

— Bon, alors, qu'est-ce qu'on fait ?

— Je ne regarderai pas si tu détournes les yeux.

Leurs deux sexes se dressaient maintenant hors de l'eau. Celui de Didier était long, fin, jaillissant d'une touffe de poils noirs. Piet avait gardé le souvenir déplaisant du regard lascif de Blok avant le dîner.

— Bon, d'accord, dit-il, les yeux fermés.

*

Ils s'adossèrent à la baignoire et commencèrent à se masturber. L'eau bouillonna. Dans sa tête, Piet ôtait les bas de Jacobina, il envoyait valser sa robe pendant qu'elle lui arrachait sa chemise. Il était fier de son corps et rêvait de le lui montrer. Il l'imagina en train de l'admirer, de tirer son caleçon sur ses cuisses, de prendre son pénis dans sa bouche. Ses jambes se contractèrent et son pied gauche alla cogner une fesse de Didier. À l'instant où il la toucha, la peau lisse de son ami devint celle de Jacobina, ce qui accéléra la conclusion qu'il recherchait.

Didier écoutait intensément. Quand il pensa que Piet ne s'en apercevrait pas, il rouvrit les yeux. Piet avait la tête renversée en arrière, le cou et les épaules superbes. Sa main droite frappait l'eau. Pendant six heures, il avait été soumis à un vrai supplice de Tantale – des tentations auxquelles les limites imposées par sa maîtresse, puis les obligations du dîner avec ses filles, l'avaient empêché de céder.

La satisfaction, quand elle vint, fut abondante.

Didier la trouva impressionnante, et l'impossibilité d'égaler une telle profusion le gêna. Il se leva et saisit une serviette.

— Pardon.

Mais Piet n'avait plus la force de se cacher.

Didier finit de se sécher et passa son peignoir.

— N'hésite pas à demander à ton amie si elle a besoin de quelqu'un d'autre pour t'aider.

— Bien sûr.

Piet referma les yeux. Il n'était plus d'humeur loquace et souhaitait que Didier parte.

— Alors, bonne nuit.

— À toi aussi, mon ami.

*

Didier gagna sa chambre, tira la table en travers de la porte, puis ouvrit la fenêtre et s'allongea sur son lit, gardant précieusement en mémoire ce qu'il venait de voir. Averti des mérites de l'attente, il ne se caressa pas pendant cinq longues minutes en ravivant le souvenir, encore embelli, de la scène dans la baignoire – de sorte que lorsqu'il se masturba à loisir dans le silence de la nuit, son ami répéta non seulement sa performance, mais passa autour de ses épaules ses bras musclés, caressa sa nuque avec ses doigts et l'embrassa, les yeux dans les yeux.

Pendant ce temps, Piet remplissait la baignoire – d'eau *chaude* cette fois –, puis se lavait et allait se coucher, calmant les faibles protestations de sa conscience par une promesse d'amender sa conduite qu'il n'avait pas l'intention de tenir.

111

*

Après cet épisode, Piet commença à omettre son rituel quotidien de regret simulé. Il trouvait dommage de gâcher par des remords un seul instant de ce très bel été et chassa ses scrupules pour goûter aux abondants plaisirs qui s'offraient à lui pendant que son patron était en Amérique.

Il pensait de moins en moins à sa vie passée et se faisait plus audacieux dans ses explorations, laissant parfois Egbert seul avec une traduction pour aller dessiner les meubles Louis XV dans la salle de bal, ou bien les ornements de table réservés aux Noëls et aux baptêmes. Chaque pièce achetée par Maarten était une œuvre magistrale. Les gracieux papillons et les ours dansants gravés sur un gobelet en verre du XVIᵉ siècle pouvaient porter Piet au bord des larmes. Pour comble de merveille, son maître avait soixante-dix verres semblables, rangés dans une vitrine qui respirait l'intrigue et les traités secrets, et qui avait appartenu à un doge de Venise.

Piet n'était plus gêné quand on le surprenait à contempler les objets de la famille. Il se sentait enfin à l'aise avec les jeunes filles et à l'abri de la réprobation des domestiques grâce à la protection de Jacobina. Mais comme il aimait se faire aimer des autres, il continuait à dispenser les mêmes attentions aux Vermeulen-Sickerts qu'à leurs serviteurs.

Egbert se soumettait à ses traductions avec une docilité louable. Quand Piet comprit qu'il n'essaierait pas de quitter la salle de classe en son absence, il commença à ajouter d'autres plaisirs à celui du dessin. Il aimait offrir ses services à Jacobina devant les

112

domestiques et la pousser ainsi à froncer les sourcils, ce qu'elle faisait toujours quand elle fixait leur prochain rendez-vous. Même s'il imaginait souvent cette scène, il ne se déshabillait jamais devant elle et ne prétendait pas à d'autre intimité que celle d'un valet discret, à l'obligeance extrême. Elle, en revanche, se faisait beaucoup plus détaillée dans ses exigences, qu'elle continuait à exprimer sur le même ton que lorsqu'elle donnait des ordres à M. la Chaume ou demandait à Hilde d'emporter le service à thé. Dans les limites de cette exploration érotique, Piet commença à saisir combien la route qui mène au nirvana est longue et qu'une portion du trajet, si elle est pleinement savourée, peut offrir à deux personnes plus de plaisir qu'il n'en est donné à bien des gens dans toute leur vie.

La relation amicale qu'il avait tissée avec Constance et Louisa était elle aussi gratifiante. À présent, les deux sœurs l'admettaient dans leur pavillon d'été au fond du jardin, là où Louisa gardait ses patrons et ses mannequins, où elle passait commande aux couturières et aux modistes. Elle ne faisait aucun effort pour prendre part à la réalisation de ses créations, et Piet admirait son aisance à trouver normal que d'autres doivent travailler dur pour donner corps à ses rêves. Elle savait très bien ce qu'elle voulait et se montrait une critique sévère. À deux reprises, pendant que sa sœur et Piet jouaient au trictrac, elle fit pleurer une brodeuse qui n'avait pas réussi à saisir un motif – du lierre grimpant sur une ruine – qu'elle avait conçu pour un manteau inspiré par la légende arthurienne.

Comme son père, Louisa ne tolérait pas les incompétents. À la troisième faute, la brodeuse disparut. Par moments, Piet demandait ce qu'il était advenu d'elle. Sans doute avait-elle une famille à nourrir, mais la pression du quotidien était si éloignée de la vie du 605, Herengracht qu'il oublia de s'en enquérir.

Didier continuait à rire des extravagances des deux sœurs, rapportant maints exemples de leur mauvaise humeur. Mais celles-ci n'étaient dures qu'envers les domestiques. À présent qu'il était passé au statut d'invité, Piet ne les voyait que sous leurs dehors les plus charmants. Il ne se lava plus avec Didier et ni l'un ni l'autre ne fit jamais allusion à ce qui s'était passé lors du bain qu'ils avaient pris ensemble, mais ils continuèrent à partager leur eau et à échanger des potins pendant leurs ablutions ; et quand Didier souriait en lui servant une limonade ou un café, Piet lui rendait son sourire.

*

Le 17 juillet, Maarten Vermeulen-Sickerts revint de New York l'humeur sombre. C'était la première fois qu'il s'associait avec des Américains et cette collaboration l'inquiétait. Il n'avait jamais vu un enthousiasme aussi débridé – pour un nouvel étage, un énième ascenseur, un supplément ruineux de fresques et de dorures. Mille chandeliers en cristal avaient été installés et, apparemment, il en fallait encore six cents. Le projet allait sans doute prendre du retard et coûter beaucoup plus qu'il ne l'avait prévu.

Maarten jouissait de bonnes marges de crédit, mais à ce moment-là, ses finances étaient plus serrées qu'à l'accoutumée. Son nouvel hôtel, au bord du lac de

Côme, se retrouvait boudé peu après avoir été achevé. Ses deux palaces de Francfort et de Londres avaient été fermés pendant six mois, le temps de procéder à la réfection de leurs toits, car il ne pouvait y avoir de clients dans un hôtel bourdonnant d'ouvriers.

Contrairement à sa femme et ses filles, Maarten Vermeulen-Sickerts avait un sens aigu de la valeur de l'argent. C'était un homme intègre qui ne voulait faire payer des sommes coquettes que pour un service absolument parfait. Il contrôlait lui-même le choix des téléphonistes, dormait dans chaque suite impériale, goûtait le beurre de tous les restaurants. Il préférait fermer une saison plutôt que d'offrir des prestations qui ne soient pas de premier choix. Mais avoir fermé en même temps ses hôtels les plus rentables l'avait inopportunément laissé à court de fonds car son nouveau palace de New York, que son associé avait baptisé le Plaza, lui coûtait des dizaines de milliers de dollars par semaine.

Il s'était demandé un instant si Dieu ne le punissait pas pour la vanité de cette entreprise. Il avait approuvé les lubies de l'architecte depuis l'autre côté de l'Atlantique, était venu assister à la démolition de l'ancien hôtel et à la pose de la première pierre du nouveau. Mais les Américains avaient construit très vite et à sa deuxième visite, il avait été consterné par la folie qu'il avait financée. Bâtir un château Renaissance à des milliers de kilomètres de la vallée de la Loire était une chose. Mais avoir cru embellir l'original en ajoutant dix-neuf étages sous ses tourelles était bien différent, et semblait dangereusement se rapprocher de l'aventure de la tour de Babel. Celle-ci avait semé la ruine et la discorde parmi ses bâtisseurs et Maarten craignait qu'il n'en allât de même pour ce palace.

Son associé, Lionel Dermont, un Américain qu'il avait rencontré sur le paquebot *La Provence*, paraissait beaucoup moins en fonds à présent qu'il ne l'avait semblé au départ. En fait, Maarten n'était plus très sûr qu'il ait jamais possédé les sommes dont il s'était vanté. Pendant les six semaines qu'il avait passées en Amérique, il s'était mis à détester cet homme qui s'habillait avec trop d'élégance et disait à chacun ce qu'il fallait faire sans accomplir lui-même rien de tangible.

Lionel Dermont parlait beaucoup. Maarten, sauf avec ses associés les plus proches, était peu loquace. Or, la plupart du temps, M. Dermont ne faisait que brasser du vent, ce qui rendait d'autant plus pénibles ses soliloques. Il avait l'art d'alléguer maints prétextes pour expliquer le retard d'un chèque et, bien qu'il ait cessé depuis longtemps de prendre part à son financement, il était farouchement attaché à son idée d'un hôtel «digne des rois» et résolu à puiser autant qu'il le faudrait dans les fonds de Maarten pour le réaliser. Ce à quoi l'architecte et le décorateur d'intérieur l'encourageaient allègrement. De sa relation avec les trois hommes, Maarten tira l'impression fausse, mais inébranlable, que tous les Américains sont avides, effrontés et de plus, d'ennuyeux convives.

Le chic avec lequel M. Dermont avait reporté son dernier versement avait poussé Maarten à se demander comment affronter seul les urgences à venir. Il déjeuna avec ses banquiers de la Knickerbocker Trust Company, pour les sonder sur l'éventualité d'un nouveau prêt. Mais il ne put affecter la brillante assurance que l'on attend des hommes qui empruntent des fortunes à New York, car une conduite semblable aurait été impensable à Amsterdam. Quand il quitta leurs vastes bureaux sur la Cinquième Avenue, il avait conscience de s'en être piètrement sorti.

Cet échec le préoccupa durant tout son voyage de retour. Il commença à croire que Dieu réprouvait qu'il fasse de telles dépenses pour un monument à la vanité humaine. Lorsqu'il rentra chez lui, il était inquiet et morose. Bien qu'il n'ait pas hésité à débourser cent quatre-vingts dollars pour une cape de soirée destinée à Louisa et un peu moins en robes pour Constance et Jacobina, il savait qu'il n'aurait pas dû les acheter. C'était un nouveau défi envers Dieu.

Sa femme fit preuve d'une prévenance étonnante quand elle vint bavarder avec lui pendant qu'il s'habillait pour dîner. Mais quand il l'enlaça, il fut pris d'un désir soudain et recula pour éviter d'offenser davantage son créateur. Voyant qu'elle en était froissée, il fit de son mieux pour se montrer brillant et amusant à table. Mais en fait, la seule chose qui le dérida fut de voir que Louisa et Constance avaient l'air moins méfiant envers Piet Barol. Cela le réjouit. Maarten, dans sa jeunesse, avait été souvent cruellement blessé par des dames comme ses filles. Il était content pour Piet qu'on soit en 1907 et plus en 1877 – que le monde ait changé.

Après le repas, Egbert fut autorisé à descendre, ayant dîné de pain sucré et de lait dans sa chambre. Là, sous le regard impassible de Didier Loubat, toute la famille déballa ses cadeaux en poussant des « oh » et des « ah » pendant que le salon s'emplissait de rubans et de papier de soie.

En observant cette scène joyeuse, Piet constata qu'Egbert était troublé par la présence de son père et faisait attention à ne pas entrer en contact avec les papiers aux couleurs vives. Il nota aussi qu'il sautait furtivement d'un pied sur l'autre autour des guirlandes de roses du tapis, en suivant une danse mystérieuse.

Maarten lui avait apporté une voiture de pompiers rouge cerise et il vit tout de suite qu'elle lui déplaisait. Il ne se doutait pas que les Créatures de l'Ombre se méfiaient terriblement des couleurs éclatantes et que le simple fait de la tenir dans ses bras demandait un courage immense. Il ne fut donc pas ému quand Egbert la porta à travers toute la pièce pour la donner à ranger à Hilde. Il ne vit qu'un enfant maussade, trop gâté par les femmes, ce qui le déprima et raviva sa colère contre M. Dermont.

Jacobina, qui connaissait bien son mari, comprit qu'il risquait de gronder le garçon s'il restait d'humeur aussi sombre. Son irritation croissante l'ennuya, redoublant sa contrariété d'avoir été repoussée par lui avant le dîner.

— Chante-nous donc un duo, chéri, avec M. Barol, lança-t-elle. (Maarten avait une assez jolie voix et se sentait toujours mieux après avoir fredonné.) Pourquoi pas un air de Bizet? ajouta-t-elle, sournoise, pour le punir de ses défaillances amoureuses et paternelles.

Maarten, qui n'était pas d'humeur à bavarder, fut touché par sa suggestion.

— Épatant! Qu'en dites-vous, monsieur Barol? Vous pensez que nous sommes de taille? Nous devons sûrement avoir *Carmen*...

118

Mais Piet avait une meilleure idée. Il sortit *Les Pêcheurs de perles* et suggéra de chanter le duo *Au fond du temple saint.*

— Deux amis se retrouvent, mais s'éprennent de la même divine beauté. Ce conflit les rend presque ennemis, mais à la fin ils se jurent une amitié éternelle.

— Un superbe thème...

Maarten tira ses lunettes de leur étui et plissa les yeux sur la partition, se rappelant qu'il n'était diablement pas commode de suivre les notes.

Tous les deux étaient barytons et, le duo réclamant un ténor, Piet prit la partie la plus aiguë et la chanta en falsetto. Il avait si souvent joué l'arrangement pour piano qu'il n'avait pas besoin d'observer ses mains, et pouvait donc tourner les yeux à sa guise. En évoquant la foule qui se prosterne, étonnée par une telle beauté, il les leva sur la pièce par-dessus le piano. Constance et Louisa étaient sur la banquette, comme à l'accoutumée. Egbert occupait un petit tabouret aux pieds de sa mère. Le fauteuil de Jacobina se trouvait contre le mur du fond et ses enfants ne pouvaient pas la voir sans se retourner. Ainsi, quand Piet chanta «Voyez, c'est la déesse!», personne ne vit qu'il la regardait droit dans les yeux – ni qu'elle soutint son regard sans ciller.

Maarten se joignit à Piet pour chanter son émerveillement devant la beauté céleste. Mais quand il lança «Ô vision! Ô rêve!», il regarda les mains du jeune homme pour s'assurer de bien suivre la musique et Jacobina trouva éloquent qu'il prononce ces paroles sans penser à elle. Cela l'enhardit et elle posa sa broderie. Puis les voix masculines unirent leurs forces dans des tierces enthousiastes. Bien que celle de Maarten tremblât de temps en temps, dans l'ensemble le son fut excellent. S'adressant directement à Jacobina, Piet demanda quelle était l'ardeur soudaine qui brûlait dans son âme ; et Maarten, se penchant encore plus sur la partition, clama que l'amour s'était emparé de leurs cœurs et les changeait en ennemis.

À ces mots, Jacobina sourit.

Mais ensuite, Piet se laissa absorber par la musique et Maarten, alors plus sûr de lui, put lever les yeux par moments. Aussi les plongea-t-il dans ceux de Piet quand il chanta : «Non, que rien ne nous sépare !»

Piet en fut sincèrement touché. Il avait choisi ce duo pour adresser un message à l'épouse, mais la passion de la mélodie, la fidélité platonique des répliques masculines, l'attirèrent de plus en plus vers l'homme qu'il avait trahi. Tandis qu'ils se juraient d'être à jamais amis et des frères l'un pour l'autre, il se mit à éprouver un attachement filial pour son maître. Il l'aimait *réellement* et les déclarations ardentes qu'ils se lançaient lui firent oublier tout le reste. Ils chantèrent le dernier chœur d'une voix triomphale, pleinement à l'unisson, et se sentirent alors détendus et inséparables, comme si les riches harmonies de Bizet les avaient purifiés.

*

Dix heures après s'être couché, Maarten se réveilla avec la conviction que le jeune homme pouvait être un précieux allié. Comme il avait bâti sa fortune sur la reconnaissance des dons exceptionnels, il jugeait que Piet ne donnait pas sa pleine mesure en ensei-

gnant les conjugaisons allemandes à un enfant perturbé.

Maarten était un réaliste et un homme courageux.
Il n'essaya pas de se raconter qu'il avait gagné la
confiance de ses banquiers new-yorkais. Adossé à ses
oreillers en contemplant l'œuf à la coque que lui avait
apporté Hilde, il était contrarié par cet échec – mais
pas affolé. Il connaissait beaucoup de riches
Hollandais qu'il pourrait probablement convaincre de
lui prêter de grosses sommes. Il jouissait d'un plus
grand renom et de contacts plus sûrs dans son pays
qu'il ne pourrait jamais en avoir aux États-Unis.

Il se leva, s'agenouilla au pied du lit et se mit à
prier, s'excusant sincèrement du gaspillage commis
dans son nouveau palace. Puis il ouvrit les yeux et
remisa son humeur repentante. À présent, il ne pouvait plus reculer s'il voulait continuer à maintenir sa
famille dans le luxe où elle avait toujours baigné. Ce
fichu projet lui avait déjà coûté dix millions de dollars. Sans doute lui en faudrait-il deux de plus pour
le terminer – puis il y aurait les salaires du personnel, et les intérêts à payer... Il pourrait peut-être
emprunter une rallonge de cinq cent mille dollars à la
Knickerbocker quand son crédit actuel serait épuisé.
C'était loin d'être assez.

Maarten n'avait jamais fait estimer sa collection
d'art, mais il lui sembla alors qu'il serait avisé de le
faire... en toute discrétion. Il était trop fier pour introduire des mesures d'économie dans sa propre maison ; et même s'il pouvait encore différer d'un an la
réfection de son manoir, cela ne dégagerait pas assez
de fonds pour couvrir ses obligations. Il avait quantité
de meubles, bien plus que nécessaire, et il savait qu'il

y avait des hommes dans toute l'Europe qui seraient prêts à payer cher, à des prix confidentiels, les joyaux de sa collection. Il lui fallait une personne de confiance pour en dresser le catalogue.

Quand il eut pris son bain, il sonna M. Blok et le pria de faire venir Piet Barol dans son bureau à dix heures.

*

Le fait que Piet ait déjà dessiné des douzaines d'objets de la maison, et de surcroît les plus belles pièces, fut pour Maarten une confirmation éclatante de sa foi en ce garçon. Lorsque le jeune homme lui montra ses croquis, il lui parut miraculeux qu'il ait anticipé ses besoins – et y ait répondu d'avance, sans rien savoir de ses ennuis.

Sa préoccupation pour son salut l'avait rendu très attentif aux voies par lesquelles Dieu s'adresse à l'homme, et il jugea révélatrice l'initiative de Piet. Il était essentiel que personne ne le soupçonne de faire estimer ses trésors dans le but de les vendre. Son crédit reposait sur la confiance du public, qui serait fatalement minée si une telle nouvelle transpirait. À présent, il n'aurait nul besoin d'engager un photographe, qui pourrait s'avérer dangereusement bavard. Quand il feuilleta le carnet de croquis de Piet, il aurait pu l'embrasser. Son trait était aussi précis que tout ce que pouvait accomplir une machine, mais bien plus raffiné.

Lorsqu'il prit le carnet afin de le détailler à loisir en privé, le souvenir de ce qu'avait fait son fils la veille au soir lui revint en mémoire, et sembla compliquer le message que le Seigneur lui avait envoyé.

— Ce petit inventaire me serait utile, dit-il d'un ton plus vif, et je serais heureux que vous y consacriez un peu de temps chaque jour. Cependant..., ajouta-t-il avec une note de sévérité, il me faut vous entretenir d'une affaire plus sérieuse. Asseyez-vous, s'il vous plaît.

Pour un être aussi sensible que Piet, ce fut là un ordre inquiétant. La vie à laquelle il retournerait s'il perdait la faveur de cet homme lui revint très vivement, comme jamais depuis des mois. La mélancolie de son père, les froides nuits d'hiver, les distractions insipides des employés de la faculté et leurs intrigues mesquines resurgirent... et il crut suffoquer.

— Je suis très peiné de découvrir que mon fils n'a pas fait de progrès, poursuivit Maarten. Nous avons beaucoup apprécié votre présence dans la maison, mais son état n'a montré aucun signe d'amélioration.

Il voulait se montrer péremptoire, mais Piet sentit le désespoir qui pointait dans sa voix. Il le considéra. Il était clair que son patron n'avait aucune idée de son réel méfait. Il commença à soupirer de soulagement, tout en regrettant que Maarten soit l'époux de Jacobina – parce qu'il aspirait à le traiter noblement. Il ne servait à rien de prétendre qu'il ne toucherait plus jamais sa femme. Il avait essayé trop de fois, sans jamais y arriver. Il avait là une occasion de se racheter d'une autre manière.

— Je sauverai Egbert pour vous, Monsieur, dit-il avec ardeur. Je sais que je le peux. Je vous le promets.

*

Piet n'avait encore jamais consacré à Egbert l'attention qu'il avait accordée au reste de sa famille. Quand il quitta le bureau de son père, il était euphorique à l'idée de s'atteler à ce nouveau défi : trouver la clé de ses mystères. Il avait une grande confiance en sa capacité à se faire aimer des autres. Il n'était pas découragé par l'épaisse muraille qui séparait l'enfant du monde qui l'entourait.

Maarten lui avait donné un coffret de velours vert, pour qu'il fasse des croquis de ce qu'il contenait. Il pourrait demander à voir tout ce qu'il voulait dans la maison, avait-il ajouté, à condition de le dessiner. Que son appréhension du matin trouve une si heureuse conclusion transporta le jeune homme. Il passa sous les statues de Pâris, d'Aphrodite et d'Athéna en sifflotant, et monta l'escalier quatre à quatre. Il était clair à présent que Jacobina n'avouerait jamais. Par chance, ses retrouvailles avec son mari ne l'avaient pas changée en pénitente exaltée.

Dans le hall, il rencontra M. Blok et le pria gaiement d'aller lui chercher, dans la vitrine de la salle de bal, un objet si précieux qu'il n'avait jamais osé l'examiner : une boîte à bijoux, incrustée de perles et ornée de vignes dorées, qui avait été faite pour Catherine de Médicis.

— Pour cela, il faudrait la permission expresse de M. Vermeulen-Sickerts.

— Bien sûr, allez la demander.

Piet attendit dans le hall pendant que Blok se rendait à l'étage. À son retour, Piet plaça la boîte à bijoux sur le coffret de velours vert et passa dans la maison voisine en se sentant comblé par les joies de la vie.

Sa gaieté fut soudain dissipée par la musique qui venait de la salle de classe – une musique triste, sans âme, à la tonalité indiscernable.

Egbert s'était levé à quatre heures du matin pour se plonger dans un bain d'eau glacée jusqu'à ce que l'aube se lève. À présent, assis à son piano, il se livrait à une négociation des plus délicates concernant la voiture de pompiers qu'il avait osé manipuler la veille. Il trouvait par moments qu'il pouvait communiquer avec ses tyrans plus subtilement via les touches blanches et noires que par le seul truchement des mots. Là, il s'était abaissé à demander leur pardon. Qui avait été refusé. Il l'avait imploré, et s'était vu répondre que jouer avec les couleurs vives était une offense qui méritait une longue punition.

Au moment où Piet entra dans la maison de sa tante, Egbert était au bord des larmes ; et quand il passa dans la salle de classe, les Créatures de l'Ombre lui reprochèrent de laisser un intrus surprendre leur colloque. Il se lança alors dans une interprétation frénétique du prélude en *ut* mineur de Bach, veillant à jouer chaque note avec la même force. Le mouvement répétitif de la musique ne cessait d'entraver sa quête de liberté et la présence sournoise, vers la fin, d'une tierce majeure l'obligeait à la reprendre encore et encore.

Piet s'attabla et ouvrit le coffret de velours. Maarten lui avait demandé de dessiner son contenu parce que, de tous les objets de sa collection, c'était ceux qu'il sacrifierait le plus volontiers. Le coffret abritait une série de figurines de Dresde avec lesquelles avait joué la Grande Catherine quand elle n'était encore que la petite Sophie d'Anhalt-Zerbst. Les jeunes filles pirouettantes et les couples d'amoureux ne plurent pas à Piet, mais il les plaça en ligne et commença à les dessiner en attendant que l'enfant s'arrête.

Or, il continua. À chaque répétition du prélude, il sentait se resserrer ses entraves, jusqu'à ce qu'il comprenne que sa punition consistait en une humiliation devant son précepteur. Son impuissance à s'arrêter fit déborder ses larmes, qui coulèrent sur ses joues, rejoignant des ruisseaux de sueur.

Ce jour-là, la chaleur tournait à la canicule. Piet avait achevé de croquer les figurines et s'attaquait à la boîte à bijoux quand l'épuisement finit par mettre un terme aux efforts de son élève. Egbert songea à s'enfuir de la pièce, mais n'en eut pas la force. Alors, il s'écroula sur le piano, dans l'espoir de se faire oublier.

Piet Barol vint à lui. Egbert s'attendait à de la colère et à d'autres châtiments. Mais le choc de la gentillesse le démonta, et quand Piet le prit dans ses bras, il fut secoué de sanglots déchirants. Il pleura toutes les larmes de son corps quand le jeune homme le porta avec tendresse sur le sofa, et lorsqu'il eut fini, Piet lui posa très doucement la question à laquelle il avait réfléchi toute la matinée.

— Cher Egbert, lui dit-il, la musique est-elle la solution ou bien le problème ?

*

Six heures plus tard, Hilde frappa à la porte de l'enfant. N'entendant pas de réponse, elle entra et posa son plateau sur le bureau. Egbert dormait à poings fermés, les joues en feu. Hilde le regarda avec inquiétude.

Elle-même avait un frère, d'un an plus jeune que lui, et au début elle s'était réjouie de travailler dans une maison où vivait un garçon de neuf ans. Mais Egbert Vermeulen-Sickerts l'effrayait. Il jouait une musique incompréhensible. Il était si petit, si fluet, et pourtant, ses mains étaient presque aussi grandes que celles d'un adolescent, avec de longs doigts fins qui lui faisaient penser aux pattes des batraciens. Il n'avait pas tout à fait l'air humain... Elle s'arma de courage pour lui toucher le bras. Il était froid comme un cadavre.

— M... Monsieur Egbert, chuchota-t-elle.

Il ne bougea pas.

Elle s'assit dans le fauteuil moelleux au pied du lit. Elle avait passé tout l'après-midi à ranger les placards de Constance et de Louisa, ruminant sombrement son dépit amoureux, et elle était contente de pouvoir se reposer un peu. Elle se prélassa sur les coussins, en se demandant s'il était mort. La mort ne respectait pas les différences sociales. Sa famille ne l'aurait pas volé, se dit-elle, en songeant à la sévérité avec laquelle Louisa l'avait tancée parce qu'elle avait plié une cape en cachemire. Comme si on naissait en sachant que les capes devaient être suspendues, pas pliées ! La peine où la plongeait Didier qui, désormais, ne souriait plus qu'à Piet, se mêla à sa haine pour les filles de son maître, et elle fut gagnée par une violence froide.

— Monsieur Egbert ! dit-elle.

Elle se pencha en avant pour secouer son bras plus fort, trouvant injuste que ce soit elle, une femme adulte, qui doive appeler «Monsieur» un idiot de dix ans.

L'enfant ouvrit les yeux.

Elle se leva en hâte et fit la révérence.

— Je vous ai apporté votre souper.

Egbert cligna des yeux, et les événements mortifiants de l'après-midi lui revinrent avec force.

— Merci, Hilde, dit-il, imitant le ton raide de sa mère. Tout le monde est là pour dîner?

— Je crois que vos sœurs sont sorties.

Cela signifiait que Piet mangerait seul avec ses parents et risquait de leur dire ce qui s'était passé. Son regard angoissé éveilla la compassion de Hilde, qui n'était pas totalement insensible, même si les Vermeulen-Sickerts la portaient souvent à la dureté.

— Je reviendrai avec votre dessert, ajouta-t-elle avant de s'en aller.

*

Le lendemain matin, Egbert trouva le courage de demander si ses parents avaient été avertis de sa crise de larmes. Piet ne l'avait pas fait, car il savait qu'il n'arriverait à rien sans la confiance de son élève. Ils passèrent une matinée plaisante à discuter des causes de la Révolution française, mais ne renouèrent pas avec l'intimité de la veille. Les Créatures de l'Ombre exigeaient une grande réserve et Egbert les craignait trop pour oser se confier. Si bien que lorsque Piet lui demanda à nouveau si la musique était la solution ou le problème, il prit le regard vide qui avait mis ses autres précepteurs en échec et lui dit simplement qu'il l'ignorait.

128

Piet eut la sagesse de ne pas montrer son irritation, mais de semaine en semaine, dans la chaleur de l'été, celle-ci s'exacerba. Sauver Egbert était la réparation qu'exigeait son estime de soi, et chaque rencontre avec Jacobina rendait plus urgent de se racheter envers son mari. Il parla au garçon de la mort de Nina, espérant qu'une confidence de sa part le pousserait à s'ouvrir à son tour. En vain. Il se plaignit d'Herman pour montrer qu'il avait lui aussi des problèmes. Mais Egbert ne fit preuve d'aucune curiosité pour ses affaires privées. Piet, qui n'avait pas l'habitude de se heurter à une résistance aussi implacable, en fut contrarié. Tard le soir, dans la chaleur de leur salle de bains, Didier se moqua de ses efforts en lui disant que rien, sauf la perte de la fortune de Maarten, ne sauverait jamais un gosse aussi décourageant.

— Personne ne l'a guéri avant toi, donc tu n'as pas à craindre pour ta place, jugea-t-il. Reste tant que tu peux le supporter, épargne de quoi changer de vie, puis laisse-le faire tourner un autre en bourrique.

Mais Piet ne voulait pas s'avouer vaincu. Un samedi après-midi, il tomba sur une belle édition des *Ballades* de Chopin dans une boutique de la Kalverstraat, l'acheta et rentra en sifflotant. Le lendemain matin, il se leva tôt et pénétra dans la maison voisine juste après que l'enfant eut achevé sa traversée du carrelage de l'entrée. Egbert jouait une fugue tyrannique d'une précision si oppressante qu'il était convaincu d'en avoir trouvé la tonique. Il était clair que beaucoup de partitas de Bach ne lui étaient pas bénéfiques. Peut-être la musique romantique le pousserait-elle à exprimer un peu ses sentiments.

— J'ai un cadeau pour vous, dit Piet avec chaleur, quand son élève eut répété la fugue pour la septième fois.

Egbert accepta la partition en marmonnant un mot de remerciement. Mais quand Piet lui suggéra d'en jouer un morceau, il secoua la tête, se leva du piano et ouvrit son dictionnaire de français.

Piet réprima difficilement son agacement. Il ne savait pas que les maîtres d'Egbert exigeaient qu'il porte le même poids, pendant un temps donné, sur les touches noires et blanches, et que la licence temporelle de Chopin, ses gradations infinies de sens et de nuances, lui étaient impossibles – voire dangereuses à imaginer. S'installant au piano lui-même, Piet joua avec hésitation le début d'une ballade, dans l'espoir que ses erreurs inciteraient son élève à lui montrer qu'il pouvait faire mieux. Peine perdue. Egbert resta assis, apparemment plongé dans son dictionnaire, mais en fait tiraillé par un violent conflit. Il n'avait pas d'amis et personne, à part sa famille proche, ne lui avait jamais acheté de cadeau. Il brûlait de montrer sa gratitude et de saisir l'occasion que lui offrait Piet, mais sa crainte de représailles l'en empêchait.

— Jouez donc ce morceau. Il est trop difficile pour moi, dit finalement Piet.

— Non, merci, murmura Egbert, avec une insouciance horripilante.

*

Le dimanche suivant, le 11 août, fut le jour de congé de Piet. Il ne songea même pas à aller voir son père à Leyde. Il se leva très tard et, quand il descendit, il trouva Jacobina dans sa robe vert pomme. Elle prétendit avoir manqué l'office à cause d'une migraine et demanda s'il pouvait lui rendre un petit service avant le retour de la maisonnée. Une heure plus tard, ils s'en revinrent ensemble de la maison voisine et se séparèrent par prudence avec cérémonie. Jacobina s'en fut prendre un bain à l'étage, mais Piet, qui disposait rarement de toute la maison, ne voulut pas gâcher cette occasion. Il y avait trois pièces, en dehors des quartiers des femmes de chambre, qu'il n'avait pas encore vues, et la frustration de son désir charnel l'enhardit.

Il alla jeter un coup d'œil dans la cuisine pour s'assurer que les autres domestiques étaient partis au temple. Oui. Il n'était que dix heures et demie. Personne ne reviendrait avant une petite heure. Il resta près de la glacière, en mesurant les risques, puis monta au deuxième étage et ouvrit la porte de la chambre de Constance. Hilde, prise par ses dévotions, n'avait pas encore pu la ranger. Les deux sœurs étaient allées à un bal la veille et la robe rose de Constance, piquée de fils d'argent, gisait par terre là où elle l'avait ôtée. Sa coiffeuse était jonchée de peignes, de brosses et de pots de rouge (malgré les objections de sa sœur contre le maquillage) et l'air était chargé d'une senteur de muguet. Deux autres robes, écartées en faveur de la rose, étaient jetées négligemment sur une chaise. Piet en tâta une, se demandant combien elle coûtait, puis ouvrit un placard et découvrit des rangées de chaussures, bien plus qu'il ne l'avait jamais vue en porter.

Dans l'angle, près de la fenêtre, se trouvait un bureau couvert d'invitations. Il ouvrit un tiroir, trouva un paquet de lettres liées par un ruban de soie, le dénoua et lut un courrier ardent d'un dernier soupirant, dont l'adoration s'étendait sur quinze pages. Sa sentimentalité le fit sourire et lui rappela avec fierté sa propre habileté à repousser Constance. Il lut une deuxième lettre, rattacha le paquet et le remit en place. Il mourait d'envie de voir la chambre de Louisa, qu'il avait si souvent espionnée du grenier. Mais la tentation avait beau être grande, elle l'effrayait aussi, car il avait toujours un peu peur de la jeune fille.

Il gagna hardiment une petite porte à panneaux et l'ouvrit. Il ne s'était pas trompé : celle-ci donnait dans la chambre de Louisa, qui s'étendait devant lui comme à travers un miroir. Elle était très différente de celle de Constance. Là, il n'y avait ni roses, ni fleurs, ni toilettes de bal en désordre. Les murs étaient gris pâle, le lit simple, sans draperies et les meubles, du style sévère Directoire.

Piet franchit le seuil. Ainsi donc, c'était là que les deux sœurs parlaient de lui. D'un côté de la pièce, des portes-fenêtres donnaient sur un balcon au-dessus du jardin. Il n'y avait pas de lettres sur le bureau, ni dans tous les tiroirs qu'il ouvrit. Pas de boîtes à pilules semées sur la coiffeuse, ni de flacons de parfum. Il fit un pas vers la penderie, résolu à voir ses trésors. Mais quand il s'avança, une ombre surgit derrière la fenêtre et, avant qu'il ait pu se cacher ou battre en retraite, la porte du balcon s'ouvrit et Louisa entra.

Son arrivée fut si soudaine qu'il s'étonna plus tard de l'art avec lequel il s'était sorti de ce mauvais pas.

— J'ai cru que vous aviez manqué l'office, lança-t-il joyeusement. Je vous ai appelée. Je rêvais d'une partie de trictrac. Voulez-vous jouer avec moi ?

— Un instant, monsieur Barol...

Louisa marcha vers son bureau, sans se montrer surprise ni en colère.

— J'allais juste fumer une cigarette. Ne le dites pas à papa, voulez-vous ?

Elle portait une tenue de cavalière qui mettait en valeur son corps mince et athlétique.

— Pour garder les secrets, je suis un spécialiste.

— Je n'en doute pas...

D'un tiroir, Louisa tira un porte-cigarettes émaillé et une boîte d'allumettes.

Piet alluma galamment sa cigarette.

— Vous aimez monter à cheval ? dit-il, pour lui glisser un compliment.

— Pas autant que Constance et maman, mais quand même. Et vous ?

— J'adore ça.

*

Piet s'était vanté imprudemment et il le regretta sur-le-champ, car il sentit le danger dans la manière dont Louisa dit :

— Dans ce cas, on devrait tous monter ensemble un jour...

Mais il cacha son inquiétude en devisant gaiement pendant qu'elle fumait, puis tous deux descendirent au pavillon d'été et jouèrent au trictrac jusqu'au déjeuner.

Dans leur salle de bains ce soir-là, quand Piet lui demanda conseil sur cet incident, Didier répondit :

— Alors, tu devras rater la fête du personnel. Dommage... Les filles ne sont pas farouches et on y mange bien. Mais la famille a ses chevaux là-bas et ce sont de vrais monstres. Dis que tu es malade.

Piet n'était jamais monté à cheval de sa vie, mais il ne voulait pas laisser passer l'occasion de voir Willemshoven, où se trouvait le manoir de Maarten, ni de profiter de la fête champêtre qu'il y donnait pour ses employés. Le jeune homme songea aux chevaux dociles des fermiers de Leyde. Il ne devait pas être si dur de manier ces bêtes-là.

— Ça ira, assura-t-il.

À l'étage en dessous, Constance affirmait justement :

— Bien sûr qu'il sait monter. Je croyais que tu l'aimais bien à présent.

— Sa compagnie est amusante, mais je te garantis qu'il ment. Je le soupçonne d'inventer bien des choses...

— Si c'est ce que tu penses, ce n'est pas juste de lui donner ton cheval. Aristote est une brute.

Louisa sourit.

— On lui donnera celui de maman.

— Moi, je maintiens qu'il dit la vérité.

— On verra...

*

Elles ne tardèrent pas à être fixées. Le samedi suivant, le père de Didier arriva après le déjeuner dans la livrée vert et blanc de l'hôtel Amstel et conduisit Piet et les jeunes filles dans la deuxième Rolls-Royce des Vermeulen-Sickerts. M. Blok se chargea de la première. C'était une journée idéale pour une partie de campagne et, quand ils quittèrent la ville, Piet retrouva pleinement sa bonne humeur. Il n'était encore jamais monté dans une automobile. C'était merveilleux d'aller en Rolls, avec deux jeunes dames très demandées, à une fête donnée par un homme richissime dans sa propriété. À chaque village, des paysans quittaient leurs champs pour s'approcher de la route, regardant, bouche bée, les belles voitures et leurs passagers. Les employés de Maarten les avaient précédés dans un omnibus hippomobile. Le fait de voyager avec la famille, comme si c'était la chose la plus normale du monde, donnait à Piet un divin sentiment de supériorité.

Ils empruntèrent une longue allée sinueuse, qui menait au manoir à travers des bois fleuris.

— Papa voulait une demeure qu'il puisse entièrement reconstruire pour lui donner tout le confort moderne, expliqua Constance, qui était gênée d'avoir une résidence dans un si piètre état.

Mais Piet fut charmé par la façade couverte de lierre et les pièces vides, calcinées, où poussaient les mauvaises herbes et où nichaient des chouettes. Les jardins étaient à l'anglaise. Derrière la maison, sur une vaste pelouse qui descendait vers un ruisseau, une grande tente avait été dressée près d'un kiosque, où brillaient des trombones que des musiciens accordaient.

À l'arrivée des Vermeulen-Sickerts, l'orchestre entonna l'hymne national, et Piet sortit de voiture avec la dignité d'un prince en visite. Il avait payé cher un habile tailleur pour qu'il retouche un costume en tweed de Maarten, qui lui allait comme s'il avait toujours été le sien.

— Venez voir les écuries. C'est le seul bâtiment qui soit en bon état, dit Louisa en prenant le bras de sa sœur.

Ils traversèrent la pelouse et plongèrent dans l'ombre des arbres. Savoir que les employés de l'Amstel le prenaient pour un invité plaisait infiniment à Piet. Il parlait avec tant de naturel que Constance s'en réjouit, sûre qu'il allait détromper sa sœur. Arrivés dans une cour, ils surprirent deux palefreniers qui fumaient des cigarettes. Les valets se levèrent d'un bond et s'inclinèrent. Les jeunes gens les suivirent, passant sous une grande arche qui donnait sur une vaste écurie. Là, pour la première fois, Piet fut frappé par l'énormité de son mensonge – car les chevaux qu'il vit n'étaient pas du tout comme les bêtes placides des environs de Leyde.

— Sellez-les après le déjeuner, dit Louisa à un palefrenier. M. Barol prendra Sultan.

Mais Piet trouva aussitôt une répartie.

— C'est votre père qui m'a donné ce costume, dit-il, comme à regret. Il serait vexé si je l'abîmais...

— Oh, vous pouvez vous changer, reprit-elle avec un sourire. Notre cousin Jurgens a oublié sa tenue d'équitation ici l'an dernier. Elle doit être à votre taille. Un peu plus large, peut-être. Je vous l'ai fait porter.

*

Jacobina, en blanc dans une robe Paul Poiret, n'adressa pas un mot au précepteur de son fils de toute la journée. Mais en recevant les invités, consciente que maints regards étaient tournés vers elle, elle se surprit à le chercher des yeux et à admirer sa beauté. Elle se rappelait très bien la fête de l'an passé : il avait plu à verse. Elle avait porté une merveilleuse robe de chez Worth – à présent complète-

136

ment ruinée –, mais déjà la femme qu'elle était alors lui semblait différente, moins vivante.

Le plaisir renouvelé avait restauré l'éclat de sa jeunesse bien mieux que les traitements pénibles que s'infligeaient ses amies dans les villes d'eaux à la mode et elle remarqua, en serrant la main des employés de l'Amstel, qu'elle faisait la fierté de son mari. Cela l'enchanta, au point qu'elle s'ingénia à charmer les blanchisseuses, les femmes de chambre et les petites épouses flétries des portiers, et à écouter les banalités de ces femmes empruntées, comme si rien ne l'avait jamais autant amusée.

Elle avait choisi avec soin le costume de Piet parmi les anciennes tenues de Maarten et s'enorgueillissait de sa silhouette. Ses yeux se tournaient sans cesse vers lui, et son esprit vers les délices de leur prochain rendez-vous. Mais après le déjeuner, elle s'inquiéta en constatant qu'il avait disparu. S'était-il éclipsé avec une fille de cuisine ? Irritée par cette crainte, elle se mit à parcourir nerveusement la foule des invités. Elle fut d'abord soulagée de le voir sortir des écuries avec ses filles, dans une seyante tenue d'équitation. Mais quand il se hissa péniblement sur son cheval, elle se mit à trembler. Il était clair qu'il n'avait jamais monté de sa vie.

C'était aussi évident pour ses filles et, cette fois, Constance n'eut pas envie de rire du piège qu'avait tendu Louisa.

— Ce n'est peut-être pas gentil de partir aussi vite, souffla-t-elle à sa sœur, quand il perdit ses couleurs. Et si on...

— Penses-tu, ma chérie ! C'est un temps idéal pour galoper. Il ne faut pas laisser passer l'occasion, d'autant que M. Barol aime tellement faire du cheval !

De loin, sur la pelouse, Jacobina vit aussitôt ce qui s'était passé. Comprenant qu'elle était la seule à pouvoir empêcher Piet de sacrifier sa vie sur l'autel de la fierté, elle s'excusa auprès des femmes de valets pour se précipiter vers les cavaliers. Quand elle s'aperçut qu'ils allaient vers les bois, elle se mit à courir aussi vite que ses talons et ses jupes étroites le lui permettaient. La panique lui donna des ailes, et lui rendit toute l'énergie de sa jeunesse. Elle les rejoignit au moment où le palefrenier ouvrait le portail, mais elle était tellement hors d'haleine qu'elle put à peine parler.

— Monsieur Barol... Je... Je m'inquiète pour mon fils. Je... J'aimerais que vous rentriez à Amsterdam.

Mais Louisa lui glissa, de sa voix la plus affectueuse :

— Laisse-nous donc nous amuser un peu, maman. Egbert ne doit pas monopoliser M. Barol.

Sur quoi, elle s'élança avec un sourire malicieux, et Piet ne put rien faire pour empêcher Sultan de la suivre.

*

Pour le non-initié, le trot d'un cheval est un mouvement qui n'a rien de normal. Piet commit l'erreur de se pencher en avant, comme les jockeys qu'il avait observés, mais cette marque d'inexpérience ne fit que conforter Sultan dans l'idée qu'un novice le montait. C'était un cheval moitié frison, moitié arabe, qui avait une très haute opinion de lui-même. Il était tellement attaché à Jacobina qu'il serait volontiers mort pour elle dans une charge de cavalerie, le sort glorieux de ses ancêtres. Ce qu'il ne pouvait pas supporter, c'était l'affront d'avoir un cavalier inexpérimenté, et il décida de se venger.

À côté des gracieuses filles Vermeulen-Sickerts, qui avaient fière allure sur leurs montures, Piet se sentait ridicule et savait qu'il en avait l'air. Il ne se trouvait pas souvent dans une telle position de faiblesse et jugea cela horripilant. S'entendre demander poliment par Louisa s'il aimait son cheval était presque aussi mortifiant que le regard de compassion inquiet de sa sœur. Il fit un effort courageux, mais ne put s'accorder sur un rythme avec sa monture – et quand il murmura son nom, dans l'espoir de la calmer, cette présomption d'intimité la froissa encore plus.

Lorsqu'ils passèrent en vue de la maison, ses parties intimes battant sans cesse contre la selle, il commença à éprouver une douleur pire que la gêne. La souffrance lui redonna le sens des priorités, et il était sur le point d'admettre son mensonge et de s'en excuser quand Louisa accéléra l'allure.

Une grande allée avait été percée à travers la forêt près d'un siècle plus tôt, mais ces dernières années, le domaine avait été négligé et les bois avaient saisi l'occasion de reconquérir le terrain perdu. Des arbustes répandaient leurs racines entre les gravillons et des arbres plus robustes s'étendaient à travers la clairière pour rejoindre leurs pareils.

Piet courait le risque d'être décapité par des branches que les filles de sa maîtresse évitaient facilement, et Sultan décréta qu'il en serait ainsi. Il se mit à galoper à une allure effrénée. À présent, la terreur, s'ajoutant à la douleur physique, réduisit Piet Barol au silence. Désespérément cramponné aux flancs de l'animal, il se coucha sur son encolure. Plusieurs fois, Sultan fit de brusques écarts qui faillirent le désarçonner. Piet n'avait jamais eu aussi peur. Quand ils bondirent par-dessus un ruisseau, l'idée qu'il risquait de mourir lui serra la gorge. Elle le rendit furieux – contre lui-même, mais plus encore contre Louisa Vermeulen-Sickerts, car il était évident qu'elle ne s'arrêterait pas avant d'avoir assisté à son échec.

*

Lorsqu'ils regagnèrent l'écurie en revenant à travers champs, Piet était couvert de bleus et il brûlait de rage. Il descendit de cheval, les cuisses en feu, et partit vers le manoir sans un mot. La fête s'achevait. Les discours avaient été prononcés et l'orchestre jouait ses derniers airs. S'il avait eu une allumette et un bidon d'essence, il n'aurait pas hésité à mettre le feu au château. L'idée de retourner en ville en compagnie des femmes qui avaient concerté son humiliation était insupportable. Il chercha une place dans l'omnibus des employés, mais chaque siège était pris. «Je vais rentrer à pied», se dit-il. Mais cela prendrait des heures, et sa douleur aux fesses et au bas-ventre croissait à chaque pas.

À la fin, il ne put que se résigner à grimper à l'arrière de la Rolls, sans desserrer les dents. Constance fut la première à s'installer à ses côtés. Son regard affectueux l'agaça au plus haut point. Il ne répondit pas quand elle hasarda que la journée avait été splendide. Louisa les rejoignit et ils endurèrent le trajet du retour dans un silence pénible, les filles répondant aux joyeuses questions de M. Loubat pendant que Piet macérait dans ses pensées.

Une foule s'était massée devant le 605, Herengracht. Des serviteurs sortaient de la porcelaine d'un chariot de marchandises. Des gamins des rues accouraient, espérant glaner une aumône et apercevoir les dames dans leurs jolies toilettes. Piet savait que Didier rirait quand il lui raconterait sa mésaventure – et n'avait nulle envie que l'on se moque de lui. La Rolls-Royce s'arrêta au bas de l'escalier. M. Loubat en sortit, ouvrit la portière du côté de Piet et s'inclina.

Louisa avait résolument ignoré les coups d'œil discrets de sa sœur depuis qu'elle était montée dans la voiture. Mais là, elle s'arma de courage et se pencha vers Piet en posant une main sur son genou.

— Monsieur Barol, pardonnez-moi.

Ce fut la provocation suprême.

Il aurait hurlé, si M. Loubat n'avait pas été là.

— Vous êtes contente à présent ? dit-il d'une voix étranglée – un compromis entre la fureur et la discrétion. Je ne suis pas aussi riche que vous et je veux bien l'admettre. Mais je n'ai pas non plus autant de privilèges.

Sans attendre sa réponse, il sauta de la Rolls, puis gravit l'escalier et s'engouffra dans la maison. Maarten était dans l'entrée avec le directeur de l'Amstel. Piet se laissa présenter et convint que ça avait été, en effet, une merveilleuse journée. Sur ce, il prit congé pour aller voir Egbert.

Dans la maison voisine, son élève était enfermé dans le labyrinthe du prélude en *ut* mineur de Bach. Il venait d'achever la neuvième répétition lorsque Piet entra dans la pièce. Comme les Créatures de l'Ombre en avaient exigé vingt et que le *presto*, vers la fin, était diabolique, il ignora son précepteur pour préserver sa concentration.

Il rejoua le morceau deux fois pendant que Piet l'observait en fulminant. Mais la répétition suivante, venue raviver les autres outrages de la journée, le fit sortir de ses gonds.

Il saisit son élève et le jeta sur son épaule. D'abord, l'enfant fut trop étonné pour protester, mais lorsque Piet ouvrit la porte du grand salon, il commença à pleurnicher :

— Non, monsieur Barol, non !...

En vain. Au moment où Piet entra dans le hall, il se moquait des conséquences, aveuglé par la volonté de s'opposer à cette famille trop gâtée.

Il eut beau voir que Jacobina avait rejoint Maarten et le directeur de l'hôtel, ça ne l'arrêta pas. Il franchit la porte de la maison en portant Egbert dans ses bras, descendit l'escalier, puis il fendit la foule. Dans un acte de défi contre toute l'injustice du monde, il posa l'enfant sur les pavés.

*

Le cri perçant d'Egbert poussa même Agneta à plaquer ses mains sur ses oreilles. L'enfant sauta d'un pied sur l'autre, comme s'il marchait sur du fer en fusion. Il hurla, s'arrachant les cheveux par touffes. Les domestiques reculèrent, horrifiés. Seul M. Loubat osa intervenir, s'approchant avec un claquement de langue plein de sollicitude, comme pour calmer un cheval nerveux. Mais quand il toucha Egbert, celui-ci se jeta sur lui, le mordit et le frappa avec la force d'un jeune homme de vingt ans.

Il fallut trois adultes, dont Maarten Vermeulen-Sickerts, pour le maîtriser et l'emporter dans la maison, loin des regards curieux. Tout ce qu'entendit Piet, en leur emboîtant le pas, fut l'ordre suraigu de Jacobina :

— Dans sa chambre ! Tout de suite !

Il y courut lui-même, en proie à une contrition aussi sincère que commode. Mais M. Blok jouait les sentinelles et ne le laissa pas passer. En montant dans les combles, Piet était mort de peur. Quel faux pas incroyable... Il perdait rarement son sang-froid et, quand sa colère se dissipa, il comprit que sa vanité avait causé sa chute.

Dans sa chambre, sa mère le regarda depuis la table de nuit. Elle ne l'avait jamais grondé, n'exprimant sa réprobation que par un lourd silence qui lui sembla alors remplir la pièce. Il se vit renvoyé à Leyde sans références, sans espoir de retrouver une place à Amsterdam – car il ne pourrait supporter la honte de croiser Louisa et Constance dans une autre maison où il servirait. Il vaudrait mieux quitter le pays... mais avec quel argent ?

Il ne répondit pas quand Didier frappa à sa porte, soulagé de pouvoir s'épargner la gêne d'une consolation, mais il lui fallut longtemps pour s'endormir – et lorsqu'il y parvint, il ne rêva que de jeunes élégantes sarcastiques.

*

Egbert ne se calma qu'après s'être plongé soixante-trois fois dans un bain froid mêlé de glace pilée. Sa mère lui tint la main au cours de cette épreuve, faisant renouveler la glace chaque fois qu'il l'exigeait. Ayant déjà aidé son fils à endurer de tels supplices, elle savait que la moindre intervention ne ferait qu'aggraver les choses. Elle n'avait jamais confié les détails de ces scènes à Maarten. Ce soir-là, elle plaça le corps tremblant de l'enfant dans les draps soyeux du lit conjugal, l'embrassa tendrement et lui dit qu'il était en sécurité et qu'il devait dormir. Maarten Vermeulen-Sickerts qui, dans les occasions difficiles, avait toujours réagi avec courage, ne pouvait porter un regard clément sur la faillite de la volonté. Savoir que tous ses invités passeraient la journée du lendemain à débattre avidement des excentricités de sa famille l'emplit d'une honte brûlante, bientôt suivie par la terreur de l'homme vertueux conscient d'avoir offensé Dieu.

La fête de Wilhemshoven s'était si bien passée que, pendant quelques heures, il avait retrouvé toute son assurance. À présent, il se voyait rappeler que la vie est pleine d'humiliations imprévues. Cette pensée, mêlée d'une compassion pour son fils qu'il jugeait déplacée, et pouvait encore moins exprimer, le mit au lever du soleil d'une humeur massacrante – de plus, exacerbée par les coups de pied que l'enfant, en proie à des rêves agités, lui avait infligés.

*

Le lendemain matin, Blok frappa à la porte de Piet et l'ouvrit aussitôt, enchanté de trouver sa proie en train de s'habiller pour l'office. C'était la première fois qu'il voyait le jeune homme torse nu et il ne perdit pas une miette de la scène pour pouvoir, à loisir, se la remémorer. Il n'avait pas imaginé que ses bras se gonflaient à ce point quand il les levait pour passer sa chemise. Là, il informa Piet, sur un ton des plus glacials, que sa présence était requise dans le bureau.

— Il est en colère ?

— Hors de lui.

En disant cela, Gert Blok prit conscience que c'était peut-être la dernière fois qu'il surprenait Piet à demi nu, voire qu'il lui adressait la parole. Il connaissait son maître quand il était d'aussi méchante humeur. Son désir pour le jeune homme le perturbait, le poussait presque à le haïr. Mais l'idée de ne jamais le revoir était insupportable.

— L'essentiel, dit-il alors, c'est de ne pas chercher à vous justifier. Je le connais depuis plus de vingt ans. Hier soir, votre conduite était inqualifiable. Ne prétendez pas le contraire. C'est votre seule chance.

*

Pendant les trois quarts d'heure qui suivirent, Piet observa le conseil du majordome. Il ne tenta pas de se disculper, ne montra que le plus ardent repentir, endura le torrent de reproches de Maarten avec l'humilité d'un flagellant. Cela fonctionna. Il quitta le bureau de son patron les joues en feu, mais toujours en poste ; et il monta l'escalier pénétré de l'idée qu'il n'était pas encore l'égal de la famille qu'il servait.

On lui avait défendu d'aller au temple, en lui ordonnant de dire ses prières avec son élève. Il frappa à sa porte, mais l'enfant ne répondit pas. Il ferma les yeux, s'arma de courage et entra. Egbert était assis en pyjama près de la fenêtre. À la vue de son précepteur, il prit l'expression que Louisa réservait aux modistes coupables. Piet savait qu'il lui devait des excuses – et que son avenir dans la maison reposait sur l'obtention de son pardon, car sa maîtresse ne prendrait jamais son parti contre son fils. Ce qui ne l'empêchait pas de trouver cette perspective humiliante.

— Bonjour, Egbert.

— Bonjour, monsieur Barol.

— Voulez-vous dire vos prières avec moi ?

L'enfant gagna le centre de la pièce, puis il s'agenouilla. Il joignit les mains, ferma les yeux et pinça les lèvres, d'un air dur et inébranlable.

— Je suis prêt.

— Alors, commençons.

L'heure que Piet passait le dimanche avec Egbert était en général la plus morne de la semaine, car c'était une corvée de répéter un office auquel il venait d'assister. Il trouvait les événements cités dans le Credo hautement improbables, et affirmés en outre avec une irritante certitude. Au moins, aujourd'hui, il avait été dispensé d'aller au temple et ne devait dire les prières qu'une seule fois.

La chambre fastueuse d'Egbert lui rappela combien ses économies étaient insuffisantes pour pouvoir vivre décemment à New York ; de plus, après avoir goûté à ce luxe, il aurait bien du mal à démarrer dans un emploi trivial et à loger dans des quartiers modestes remplis de Polonais, d'Irlandais et de Grecs. Il chassa cette idée et prit le livre de prières sur le bureau.

— Aimeriez-vous lire les commandements ?

Egbert ne répondit pas, le forçant à les lire lui-même. La plupart du temps, Piet conduisait leurs dévotions tambour battant, mais ce jour-là, il procéda avec solennité. Quand il dit «Tu honoreras ton père et ta mère», il se souvint qu'il n'avait écrit que deux fois à Herman depuis son arrivée à Amsterdam, puis, avec agacement, qu'il n'avait pas reçu de réponse. Il poursuivit : «Tu ne commettras pas d'adultère.» Ce qui commença à piquer sa conscience. «Tu ne convoiteras pas la maison ni la femme de ton prochain»...

Après les commandements, il passa avec soulagement aux psaumes : «Dieu est bon pour les justes, ceux qui ont le cœur pur. Toutefois, j'ai failli trébucher, mon pas a manqué de glisser...»

Là, il se sentit observé et la lecture du Livre de Job n'aida pas à dissiper son malaise. «Périsse le jour où je suis né, la nuit qui a dit : "Un enfant mâle a été conçu."»

Au moment où il acheva le service, il se sentit plus profondément puni qu'il ne l'avait jamais été de sa vie, et sa conscience souffrait de savoir qu'il l'avait mérité. C'était une sensation extrêmement déplaisante. Mais ses excuses, quand il les exprima, furent d'autant plus sincères.

— Je n'avais pas le droit de vous conduire dehors, Egbert, dit-il avec humilité. Je mérite peut-être de perdre ma place. Ça arrivera sûrement si vous ne me pardonnez pas. (Il prit la main froide de son élève.) Je vous en prie, laissez-moi vous aider pour pouvoir m'amender.

*

L'enfant avait passé la journée à caresser l'idée du renvoi de Piet Barol. Il l'avait imaginé emballant ses affaires, portant sa valise dans l'escalier, retournant à l'hôtel d'où il était venu... Egbert avait sur ses parents l'autorité de l'enfant invalide, et il savait qu'il pouvait faire chasser son précepteur s'il le désirait.

Il s'était attendu à des excuses et ne dit rien quand il les reçut, la perspective de punir Piet étant extrêmement apaisante. Mais vers le soir, quand sa colère se dissipa, la protection qu'elle lui offrait contre la blessure de son amour-propre s'envola. Il resta assis dans sa chambre, fixant le mur comme s'il y était enchaîné. Lentement, un nouveau sentiment s'insinua entre les liens qui l'entravaient. Peut-être que ce qu'avait fait Piet était bon pour lui. Maintenant, Egbert avait été dehors, et les menaces des Créatures de l'Ombre s'étaient révélées infondées.

Sa mère, qui lui apporta son dîner, fut surprise de le trouver d'aussi bonne humeur. Elle avait passé l'après-midi à se sentir coupable de n'avoir pas congédié Piet et fut heureuse de voir que son fils avait l'air beaucoup mieux. Elle le quitta le cœur plus léger. Puis, quand Maarten hasarda : « Je suppose que je devrais monter le voir... », elle fit venir Constance au salon pour qu'elle les distraie par ses anecdotes.

*

Huit heures après avoir dit ses prières avec son précepteur, Egbert commit un acte de défi. Il prit un bain *chaud*. Il n'avait pas fait ça depuis deux ans et ce fut merveilleux. Il s'était habitué à avoir peur de l'eau.

En tirer du plaisir le transforma. Il resta dans son bain jusqu'à ce que la peau de ses doigts se ride, rajoutant de l'eau chaude dès qu'elle refroidissait. Le bien-être qu'il y découvrit le poussa à admettre qu'aucun de ses autres précepteurs n'aurait osé agir comme Piet Barol : ils avaient tous trop peur de lui. Après ça, peu à peu, il commença à se réjouir de n'avoir pas demandé le renvoi du jeune homme... et quand il sortit du bain, il tremblait – non de froid, mais à la pensée de l'idée audacieuse qu'il venait d'avoir.

Peut-être que Piet Barol *pouvait* le sauver...

Egbert voulait terriblement se libérer de sa maison étouffante, où il n'apercevait du monde extérieur que les portraits brossés par ses sœurs du mirage de leur vie brillante. Quand il se sécha, il examina chaque pouce de son corps et n'y trouva aucune trace de blessure. Cela confirma la lente prise de conscience que les Créatures de l'Ombre ne pouvaient rien lui faire s'il ne se pliait pas à leurs ordres. Il alla se coucher et il dit ses prières, mais il ne dormit pas, excité par les perspectives très tentantes qu'il entrevoyait. Pendant trois heures, il se cuirassa contre ses maîtres puis, quand l'horloge de l'entrée sonna minuit, il leur demanda la permission de tout dire à Piet.

Cette simple suggestion fit naître des murmures menaçants parmi les ombres de la pièce, dans le rayon de lune qui filtrait entre les rideaux. Mais Egbert négocia avec son assurance toute neuve, insistant avec une audace héritée de son père. Quand l'aube fut venue, il avait passé un marché : il pouvait mettre Piet dans le secret, à condition qu'il remporte l'épreuve du carrelage de l'entrée.

*

Trois semaines plus tard, Maarten et Jacobina partirent en Angleterre, d'où ils s'embarquèrent sur le *Lusitania* lors de son voyage inaugural vers New York. Deux cent mille badauds se massèrent sur le quai de Liverpool pour assister au départ. On était déjà en septembre. Si l'hôtel ouvrait le 1er octobre comme prévu, Maarten savait qu'il devrait surveiller son achèvement lui-même, M. Dermont s'étant montré fort difficile à joindre. La seule information aisément accessible était celle des factures du décorateur, qui avaient à nouveau atteint des sommets insensés. Depuis six semaines que Maarten avait quitté les États-Unis, l'homme avait encore commandé deux cents robinets dorés et huit cents assiettes en porcelaine fine (pour lesquelles il n'avait pas demandé de remise !). Et, bien que la Knickerbocker ait accepté d'augmenter son crédit de cent cinquante mille dollars, c'était loin d'être suffisant.

Trois jours avant de prendre la mer, Maarten avait envoyé une trentaine de dessins de Piet à un discret marchand de Zurich. Il n'avait pas l'intention de vendre les pièces, mais il devait obtenir des évaluations précises pour garantir les prêts qu'il serait forcé de demander à ses amis néerlandais.

Père et fils se séparèrent avec raideur, tous deux absorbés par des crises qu'ils ne pouvaient mutuellement pas se confier. Lorsque les domestiques se furent dispersés, Egbert suivit Piet dans la salle à manger et lui dit :

— Je répondrai à votre question, monsieur Barol, au sujet de la musique. Mais à la seule condition que vous passiez un test. Choisissez, je vous prie, un nombre entre 90 et 200.

C'était la première fois qu'Egbert engageait la conversation avec lui depuis l'épisode des pavés. Piet en fut soulagé.

— 178.

L'enfant parut content. Il considérait tout choix au-dessous de 200 réalisable par un novice.

— Ne me posez aucune question. Je pourrai seulement m'expliquer si vous réussissez. Il est important que vous marchiez sur les carreaux dans l'ordre que je vous donne, et cela sans erreur, sinon vous devrez recommencer à zéro.

— Je suis prêt.

— D'abord un carreau blanc, s'il vous plaît.

Les carreaux du vestibule étaient petits et Piet avait les pieds larges. À mesure que l'enfant nommait les couleurs, il passa de l'un à l'autre, souriant d'abord de ce jeu puéril. Mais il découvrit ensuite, lorsque Egbert augmenta son rythme, qu'il avait plus de mal à suivre ses consignes qu'il ne le pensait. Son pied frôla, au 41e pas, le carreau attenant à celui qu'il visait.

— Reprenez, ordonna son élève. Vous pouvez seulement recommencer six fois.

— Sans quoi... ?

— Vous ne connaîtrez jamais le secret.

Il dit cela avec un tel aplomb que Piet comprit que son avenir reposait sur son aptitude à sauter d'un pied sur l'autre, dans un ordre précis mais énigmatique, sur les instructions d'un enfant. C'était absurde, mais il ne voulait pas échouer. Il redoubla d'attention, mais plus il se concentrait, plus Egbert accélérait – car les

Créatures de l'Ombre l'y poussaient pour faire trébucher le jeune homme. Ce qu'il fit, et il dut recommencer à nouveau. Il transpirait et aurait bien aimé ôter sa veste. Mais tout moment d'inattention se soldait par une erreur.

Piet commit cinq fautes, mais à la sixième tentative il parvint au 177e carreau, un blanc, et y resta en équilibre à quelque distance de la porte de la salle de classe.

— Maintenant, je vais venir à vous.

L'enfant se mit à sauter. L'adresse de son jeu de pieds était impressionnante. Il rejoignit Piet et le dépassa de cinq carreaux.

— Finissez par un noir et entrez aussitôt dans la pièce. Visez celui-là.

Le carreau qu'il montrait se trouvait à trente centimètres, mais à plus d'une enjambée de là où était Piet. Le garçon lui tendit le bras.

— Appuyez-vous sur moi pour sauter ! Vous allez y arriver.

*

Maarten s'était réjoui à l'idée de passer deux mois seul avec sa femme à New York. Il était sûr qu'elle saurait s'y prendre avec M. Dermont et que sa présence animerait les dîners qu'il serait forcé de prendre avec ses associés. Mais ses espoirs d'une traversée agréable et rafraîchissante s'évanouirent dès le deuxième jour. Se plaignant que les vibrations des moteurs la rendaient malade, Jacobina se cloîtra dans sa cabine et, par tous les signaux qu'échangent les époux de longue date, elle lui fit bien comprendre qu'il l'avait froissée.

Jacobina n'avait plus eu de contacts avec Piet depuis la veille de la fête du personnel et son corps, habitué au plaisir régulier, supportait mal l'abstinence imposée par Maarten. Elle s'était imaginé qu'ils disposeraient d'une suite comme à l'accoutumée et elle comptait se réfugier dans un salon privé. Mais se retrouver enfermée dans un petit compartiment avec un homme qui n'avait pas envie de la toucher était exaspérant. Elle en conçut une mesquinerie qui ne lui ressemblait pas, et dont la principale victime fut Agneta. Celle-ci avait beau faire, Madame n'était jamais satisfaite de sa coiffure et elle trouvait toujours ses robes mal repassées.

Maarten savait que Jacobina avait le pied marin et l'entendre affirmer qu'elle avait sans cesse des nausées commença à l'inquiéter, puis à le contrarier. Il se mit à passer le plus clair de son temps au fumoir, en compagnie d'autres maris qui se plaignaient volontiers de leurs femmes autour d'un whisky-soda. Ce qui lui apporta un soulagement provisoire, mais ne le réjouit pas. Pas plus que le spectacle qui l'attendait à l'angle sud-est de Central Park : un hôtel qui n'en portait que le nom – en réalité, un chantier ruineux et chaotique, un palace inachevé où les rideaux avaient été accrochés avant que soient finies les corniches, où il n'y avait pas d'eau chaude après le quatrième étage, ni de cuisine équipée pour former les bataillons de serveurs que M. Dermont avait déjà engagés et qu'il payait à présent à traîner, à mâcher du chewing-gum et à faire des farces.

L'une de ces facéties précéda de quelques minutes l'arrivée de Maarten. Découvrant qu'un seau d'eau, posé en équilibre sur les portes de la salle de bal, avait trempé dans sa chute le parquet à peine posé, il laissa éclater sa colère en renvoyant la vingtaine de spectateurs hilares. Cela calma même M. Dermont, qui conduisit les Vermeulen-Sickerts à l'hôtel Metropole et prit le train de l'après-midi pour Philadelphie, en serrant dans un sac son certificat de propriété de la moitié des parts. Il ne tenait pas à être là quand le décorateur présenterait sa dernière facture, d'autant plus qu'il n'avait rien pour participer à son règlement. En fait, il en avait assez de tout le projet et commençait à se considérer comme la victime de la situation – un homme qui s'était vaillamment chargé de toutes les corvées et n'avait reçu en retour que doutes, soupçons et appels de fonds. Il se le répéta à tel point que, lorsqu'il atteignit sa destination, il le croyait vraiment. Cela lui permit d'envoyer à Maarten un câble impénitent : «Parent souffrant – STOP – Vous verrai à l'inauguration – STOP», la conscience tranquille.

Quand il lut ce message, Maarten s'enferma dans la salle de bains de sa suite, déchira le papier en mille morceaux, le jeta dans les toilettes et cracha dans la cuvette. Après quoi, il pria. Ce fut une prière misérable et il rouvrit les yeux convaincu que Dieu avait refusé de le secourir.

En passant dans le salon, il trouva sa femme avec la manucure de l'hôtel. La facture présentée par la dame le déprima encore plus. Il l'acquitta, puis il sortit boire un café chez Walkers – et, après l'avoir payé en laissant un gros pourboire, il marcha tout doucement vers le Plaza.

«Il est dangereux pour un homme de trop chercher à sonder les voies du Seigneur», se dit-il, et il reprit courage à la vue du ciel bleu.

Au-dessus de lui se dressait la vaste façade qu'il avait fait construire. Pour la première fois, il lui trouva un aspect merveilleux et pas seulement monumental. C'était un bâtiment qui serait peut-être encore là dans un siècle, chose qui lui rappela ce que lui avait appris son père – il n'y a de la noblesse que dans ce qui dure.

Au moment où il atteignit l'entrée, il se sentait mieux, et devant les portes ouvragées il se fit un serment solennel : il ne laisserait pas ces Américains le briser.

*

Le jour où Maarten renvoya le décorateur du Plaza, le directeur des travaux et une quinzaine de grooms espiègles, Egbert honora sa promesse envers son précepteur. Quand il eut fini sa traduction de la matinée, il tira d'un sac en chevreau la chevalière de son grand-père et la passa à son majeur, le seul doigt assez gros pour pouvoir la porter. Il l'avait reçue en cadeau à sa confirmation et, par des expériences imprudentes, en avait libéré des prodiges qu'il ne pouvait maîtriser. À présent, cette bague lui faisait peur, mais il savait qu'il ne pourrait rien expliquer sans elle.

Egbert était, par nature, très sensible à l'ordre et aux séries, mais néanmoins capable de s'affranchir de la tyrannie des Créatures de l'Ombre. Il se leva et il marcha vers son Bösendorfer. Piet, qui dessinait une petite table venue de la maison voisine, ne leva pas les yeux. L'enfant toussa timidement et cogna par six fois la bague sur le bois du piano.

— Écoutez..., chuchota-t-il. Vous pouvez les entendre.

Piet obéit. Les cordes résonnaient comme les voix étouffées des spectres. Egbert frappa à nouveau, pour demander accès à un monde invisible. Piet eut l'impression de saisir des bribes de valses et de gavottes, de vifs mouvements de concerto – seuls vestiges, semblait-il, des gens qui les avaient joués ; des êtres qui avaient été jadis aussi vigoureux que lui et étaient, à présent, morts et tombés dans l'oubli.

Tout à coup, le jeune homme prit conscience qu'il reposerait lui-même un jour sous la terre et serait rongé par des vers. Comme l'enfant qui se tenait devant lui, l'air si brave. Piet avait connu la mort de bonne heure, quand elle lui avait arraché sa mère. Mais jusqu'à cet instant, elle lui avait semblé lointaine, comme si la disparition était réservée aux autres.

— Que veut dire ce murmure ? s'enquit-il.

Egbert le lui expliqua.

*

Pendant que les démons d'Egbert s'affaiblissaient, son père menaçait d'être écrasé par ceux qui l'accablaient. Il n'en dit pas un mot, notamment à sa femme, s'épuisant à montrer aux gens une façade de calme. Il congédia les principaux maîtres d'œuvre engagés par M. Dermont, en embaucha d'autres, les surveilla de près et fit venir le maître d'hôtel de son palace de Lucerne pour prendre en main la formation du personnel. Un zèle formidable s'empara alors du site au pied de Central Park, mais à chaque petit triomphe succédait un désastre. Dix jours avant l'inauguration, un incendie ruina un tiers de la cuisine. Quarante-huit heures plus tard, une citerne explosa au grenier dans les chambres des employés.

Maarten câbla à Amsterdam, à la recherche de nouveaux capitaux. Il promit d'emprunter à un taux élevé et déposa cinq cent mille dollars dans les coffres de la Knickerbocker, dans l'espoir d'obtenir un autre million de crédit. Ses propres fonds suffiraient pour tenir le projet à flot en attendant la réponse de la société fiduciaire, mais bientôt il lui faudrait une rallonge supplémentaire. Il s'acharna, déterminé à s'en sortir. Mais il avait beau travailler dix-huit heures par jour, fin septembre il se trouva confronté à un choix cruel : ouvrir comme prévu, pendant qu'il y avait encore des ouvriers dans l'hôtel, ou bien reporter l'inauguration jusqu'à ce qu'ils aient fini.

Il décida d'ouvrir – un fait sans précédent. Aussitôt, la Bourse de New York, dont les valeurs avaient déjà chuté d'un quart depuis le début des travaux, plongea encore plus. Il en fut averti par le cri d'un vendeur de journaux et, en lisant leurs titres, il comprit que Dieu voulait le châtier en brisant des milliers de personnes.

Il traversa le hall du Plaza et s'arrêta sous la verrière du restaurant garni de palmiers, en songeant au sort de Babylone. Une froide lumière projetait des lueurs féeriques sur des fauteuils qui sentaient encore la colle de tapissier. C'était une pièce splendide, mais son opulence réclamait la présence de clients fortunés. Si les riches n'affluaient pas par centaines, Maarten serait ruiné.

Il s'assit un moment, cette pensée en tête. Puis il alla trouver sa femme. Elle était dans leur suite au Metropole, entourée de cartons dont Agneta sortait des chaussures, des chapeaux, des robes et des foulards, chacun plus ravissant que le précédent. Ne sachant trop comment exprimer son dépit, Jacobina avait puni son mari en dépensant des sommes provocatrices. Elle avait acheté des cadeaux à ses enfants et un tableau pour sa tante à Baden-Baden. Quand son époux entra, Agneta Hemels libérait d'un papier de soie des bottines en cuir doublées de velours, avec des attaches en perles. Cette vue irrita, puis attrista Maarten.

— S'il vous plaît, mademoiselle Hemels..., marmonna-t-il. (Puis, quand elle sortit en s'inclinant, il dit :) Je t'ai irritée pendant ce voyage, ma chérie.

— Pas du tout.

— Excuse-moi. Je ne voulais pas te contrarier.

— Pourquoi devrais-je l'être ?

— Je n'en ai aucune idée. Je ne peux pas m'amender si tu ne me le dis pas.

Jacobina posa le collier en saphirs qu'elle avait choisi, avec son accord, pour Constance, et regarda son mari. Elle avait beaucoup d'affection pour lui, et jadis il avait prêté une oreille attentive à ses rares petits secrets. Elle était à présent consternée d'en avoir un qu'elle ne pouvait pas lui confier. Mais le souvenir de Piet lui interdisait la sincérité et au lieu de dire « Tu ne me touches plus », elle répondit :

— Je suis seulement inquiète, chéri. Je veux que l'hôtel soit une réussite, comme tu le mérites. Je te promets d'être plus gaie.

Au terme de cet échange, ni l'un ni l'autre ne s'étaient rien dit d'essentiel. Tout ce que fit Jacobina pour montrer à Maarten son regret pour un crime qu'elle n'avouerait jamais fut de se mettre en quatre lors de l'inauguration du Plaza. Aussi prétendit-elle qu'une suite avait été réservée par une prestigieuse famille, pour que le nom «Vanderbilt» figure en première place sur le registre des clients.

*

Piet ne fit pas à Egbert l'affront de soutenir que les Créatures de l'Ombre n'existaient pas. Pour l'enfant, elles étaient bien réelles et c'était la seule vérité qui comptait. Piet lui en parla donc comme s'ils étaient des généraux dressant un plan de bataille.

D'abord, il évalua les méthodes et le territoire des ennemis. Il observa la manière dont Egbert traversait le hall d'entrée et lui demanda quelle punition il encourait pour sept faux pas. Quand il apprit l'existence des bains glacés, il faillit en pleurer. Il veilla à faire remplir d'eau chaude matin et soir la baignoire du garçon et à faire vider entre-temps la citerne de sa salle de bains. Cette innovation produisit une amélioration graduelle, mais indéniable, à laquelle contribua son admiration joviale. Quand il dit à Egbert qu'il avait l'air chaque jour plus fort et plus brave, l'enfant commença à se sentir plus ferme et plus vaillant. C'était la première fois qu'il éprouvait de telles émotions et il en tira un plaisir immense. Il se mit à oser d'autres audaces pour le plaisir de les raconter à son précepteur, qui l'écoutait avec la plus grande attention.

Pour la première fois, à présent qu'ils poursuivaient sincèrement le même but, une franche affection les rapprocha. Le dix-septième jour de leur campagne, Egbert n'accepta pas le premier nombre qui lui fut annoncé et traversa le hall d'entrée en 70 pas au lieu de 820. Pour fêter ce triomphe, Piet demanda à Mme De Leeuw de préparer un de ses excellents gâteaux aux pommes, qu'il partagea avec Egbert en faisant le bilan de leur progression.

L'enfant était assis sur le sofa du salon de sa tante, les pieds sur les coussins et des miettes sur les genoux. Piet n'avait encore jamais relâché son langage devant lui, mais il le fit alors pour renforcer leur camaraderie.

— Là, Egbert, nous sommes prêts à lutter contre ces salauds. (Il tendit sa main au garçon.) Nous devons les braver. Si je lance une attaque, me suivrez-vous ?

*

Deux semaines plus tard, Agneta Hemels céda aux tentations qui l'avaient assaillie depuis son arrivée à New York. Debout sur le pont du *Lusitania*, tandis que le navire pénétrait dans le port, la vue des tours rutilantes de la ville l'avait alors frappée comme une vision de conte de fées. Sur le quai, le chaos des portiers et des automobiles avait donné à ce paradis une dimension terrestre. Mais dans les tourbillons de la foule, elle avait senti un trésor que la petite Amsterdam ne pourrait jamais offrir : l'anonymat.

Agneta avait été entourée toute sa vie par des personnes qui la connaissaient. Elle n'était jamais sortie dans la rue sans en rencontrer, ce qui l'avait obligée à passer trente-deux ans sur ses gardes. C'était une femme réservée, craignant les commérages. L'indifférence totale de New York l'exalta autant qu'elle contrariait son maître. En tant que femme de chambre de Jacobina, elle avait voyagé dans toute l'Europe et vu beaucoup de choses superbes. Mais rien – ni Versailles, ni le Colisée, ni même les tours vertigineuses de la cathédrale de Cologne – ne lui avait donné l'élan d'amour qu'elle conçut pour New York.

Elle avait accompagné sa maîtresse dans les boutiques, et leurs trajets en ville l'avaient laissée muette d'émerveillement. En voyant défiler les avenues dans le confort d'un fiacre, elle avait été incapable de réfréner son enthousiasme et de comprendre le peu de joie de Jacobina. La froideur avec laquelle Mevrouw Vermeulen-Sickerts achetait des babioles et des tenues de prix l'écœurait. Il lui semblait extrêmement injuste qu'une femme aussi libre des contraintes financières doive en tirer si peu de plaisir, et cette pensée entama son aptitude à s'abstenir de la juger.

Depuis sa petite chambre au dernier étage du Metropole, Agneta contemplait, enflammée, le parc luxuriant et les toits miroitants de la ville. Elle avait droit à un après-midi de congé par quinzaine. Mais si la première l'avait ravie, sa deuxième promenade solitaire fut gâchée par sa tenue modeste, qui n'allait pas du tout avec la splendeur triomphante de New York.

Ce fut au retour de cette expédition frustrante qu'Agneta fut gagnée par la tentation la plus irrésistible de sa vie. Tandis qu'elle rangeait les derniers achats de sa maîtresse et les ajoutait à l'inventaire de ses toilettes, le désir de les porter et de flâner sur la Cinquième Avenue comme une dame élégante l'envahit – un désir qui devint impérieux quand elle sortit d'un carton une robe d'après-midi en satin turquoise et une veste bordée d'hermine. Elle les leva devant le miroir. Elle n'était pas aussi grande que Jacobina, mais il y avait dans le placard une paire de hauts talons qui pallierait cela. Elle ferma la porte à clé, bien qu'elle sût que sa maîtresse s'était rendue à un essayage. Il était quatre heures de l'après-midi. Elle ne reprendrait son service qu'à six heures. Ne pourrait-elle pas... ?

Elle osa.

Elle enleva sa robe et la suspendit dans l'armoire. Puis elle s'assit à la coiffeuse et arrangea son chignon. Cela fait, elle se coula dans le satin turquoise, qui rehaussa prodigieusement l'éclat de ses yeux. Crânement, elle chaussa les hauts talons et se contempla dans le miroir. La transformation était éblouissante. Ouvrant le coffre-fort, elle en sortit la boîte à bijoux de Jacobina, prit le collier en saphirs acheté pour Constance et des boucles d'oreilles en perles.

Agneta était au fond une femme modeste, mais l'impudence de la ville l'avait corrompue. Elle rit alors de voir son allure splendide et quitta la suite des Vermeulen-Sickerts pour prendre l'ascenseur. Le liftier, qui la voyait tous les jours, ne la reconnut pas et s'inclina. Deux messieurs entrèrent dans la cabine et firent de même.

— Dois-je commander une voiture pour vous, Mademoiselle? s'enquit le portier, comme si c'était pour lui un honneur suprême.

— Non, merci. Je préfère marcher.

Et Agneta sortit, découvrant que la foule, sur la Cinquième Avenue, s'écartait sur son passage et que tous les messieurs soulevaient leur chapeau.

*

Le même après-midi, le 21 octobre, éclata une catastrophe totalement inattendue, qui donna à Maarten une preuve concluante de la colère de Dieu. Il avait rendez-vous avec le président de la Knickerbocker et avait passé toute la matinée à peaufiner ce qu'il voulait être une prestation brillante. S'il pouvait emprunter un nouveau million de dollars en Amérique, il était sûr de réussir au cas où les capitaux européens viendraient à lui manquer. Il avait néanmoins conscience que rien ne fait fuir autant les prêteurs que le désespoir – et il avait tenté de se détendre en buvant un cocktail au déjeuner.

Or, quand il sortit de son taxi avec dix minutes d'avance, il fut dérouté de trouver une queue devant les bureaux de la compagnie, et agacé que le portier ne veuille pas le laisser entrer.

— Mais j'ai un rendez-vous avec M. Barney...

— M. Barney ne reçoit personne aujourd'hui.

Par-dessus l'épaule de ce rustre, Maarten jeta un œil dans le hall en marbre de la banque. Il lui fallut un moment pour comprendre le chaos qui régnait aux guichets. Chaque personne dans la queue retirait de l'argent, apparemment le plus possible. Le portier le poussa brutalement, et quand Maarten lança : «Je signalerai votre insolence à M. Barney!», l'homme répliqua, en haussant les épaules :

— Il a démissionné. Faites la queue comme tout le monde.

Ce rejet péremptoire rappela à Maarten les affronts qu'il avait essuyés – et surmontés – dans sa jeunesse. Voyant qu'il ne gagnerait rien à se plaindre, il fit la queue en remarquant avec inquiétude que, parmi les garçons de course, se trouvaient des personnes de qualité qui ne voulaient pas compter sur des subordonnés pour recouvrer leurs fonds. Par une dame en veste de renard, il apprit que M. Barney avait trempé dans une tentative de monopolisation du marché du cuivre, qui avait révélé une série d'engagements risqués entre les banques où il avait des parts. De plus, le bruit courait que les réserves de la Knickerbocker étaient insuffisantes pour honorer les demandes de ses déposants.

— Mais, madame..., dit Maarten, aucune banque n'en a assez pour satisfaire en même temps tous ses clients. Si chacun voulait bien se calmer...

Mais apparemment, personne n'y était disposé. À mesure que la foule angoissée se massait dans la Trente-Quatrième Rue, la panique commença à gagner Maarten. Il ne lui fallait pas seulement un nouveau million de crédit. Les cinq cent mille dollars qu'il avait réunis à Amsterdam se trouvaient dans les coffres de la compagnie, et leur perte précipiterait une crise qui pourrait lui être fatale.

La Knickerbocker ferma ses portes à cinq heures, alors qu'il restait encore des douzaines de gens devant lui. S'il n'y avait pas eu la dame au renard, il aurait perdu tout courage et hurlé comme les autres. Mais il la salua avec calme et fendit la foule pour retourner à son hôtel. Là, les journaux lui apprirent que Pierpont Morgan avait réuni les plus grands financiers de la ville pour trouver un moyen de prévenir une ruée sur les banques, et que la Banque nationale du commerce avait refusé de compenser les chèques de la Knickerbocker.

Il était très irrité d'être une personne insignifiante dans cette ville immense. À Amsterdam, il aurait été aux côtés de Morgan, participant aux décisions. À New York, il était juste un malchanceux comme les autres.

Il trouva sa femme en train de s'emporter contre le directeur de l'hôtel. Il lui manquait le collier en saphirs, et ses boucles d'oreilles en perles. (Elle n'avait pas encore découvert la disparition de la robe en satin.)

— Ma femme de chambre n'oublie jamais de fermer mon coffre. Il a dû être forcé! hurlait-elle, affolée, d'une voix perçante.

Le directeur du Metropole, qui défendait toujours son personnel contre les accusations des clients distraits, fit observer très respectueusement que le coffre ne portait pas de traces de violence.

— Peut-être en avez-vous sorti les bijoux pour les mettre ailleurs..., hasarda-t-il. (Puis, quand Jacobina maintint le contraire, et que sa femme de chambre les aurait trouvés en pareil cas, il dit avec un air grave :) Avez-vous pleine confiance en votre domestique?

— Bien sûr ! rétorqua Jacobina d'un ton brusque. Mais elle avait tort.

*

Agneta Hemels avait toujours été une femme irréprochable. Elle avait soigné ses parents jusqu'à leur mort, et travaillé très dur pour payer les dettes de jeu de son frère. Elle n'avait jamais rien volé de sa vie. Mais quand elle flâna gracieusement sur la Cinquième Avenue, parée de la robe de Jacobina et du collier de Constance, elle y prit un plaisir enivrant.

Elle entra chez un bijoutier, où tous les employés s'affairèrent autour d'elle. Elle demanda à voir des bracelets en diamant et, pendant un moment délicieux, feignit de vouloir en acheter. Personne n'avait jamais fait de courbettes devant elle, ne lui avait dit que des poignets aussi fins méritaient les anneaux les plus purs. Elle fit mine d'examiner une bague en émeraude, mais en réalité elle songeait à la perspective qui venait de s'ouvrir devant elle, aussi étincelante que la pierre à son doigt : elle pourrait aisément disparaître dans ce vaste pays d'aventuriers...

— Je reviendrai demain, mentit-elle au vendeur en queue-de-pie. Mettez-moi de côté la bague et ces deux bracelets.

Elle quitta la boutique en tremblant. Il était près de six heures. Elle s'en revint songeuse au Metropole, en se demandant s'il y avait un Dieu et ce qu'Il lui ferait si elle mettait son projet à exécution. (Si jamais Il existait, elle était sûre que c'était un homme.) Agneta avait assisté à des centaines d'offices, mais n'avait jamais très bien su si elle croyait vraiment. En

166

regagnant l'hôtel, elle mit Dieu à l'épreuve : elle entrerait comme une cliente et prendrait l'ascenseur dans ces beaux atours. Si on l'appréhendait, elle avouerait sa faute. Sinon, elle s'octroierait son dû pour ses années passées à satisfaire les caprices des autres.

Le portier s'inclina très bas devant elle. De même que le liftier. Ni Jacobina ni Maarten n'étaient dans le hall et elle regagna sa chambre sans incident. Une fois seule, elle se dévêtit prestement, passa une de ses robes, plia celle en satin dans sa valise avec son linge et y glissa le collier en saphirs et les perles. Après quoi, elle appela un chasseur pour lui demander de descendre son bagage et de lui commander un taxi. Puis elle entra dans la suite des Vermeulen-Sickerts, que le directeur venait de quitter, et se déclara indignée que l'on ait profité de son absence pour voler sa chère maîtresse.

Elle s'empressa autour de Jacobina, l'aida à se déshabiller et lui conseilla de s'étendre avant le dîner. Ensuite, elle fit monter un bouillon pour Maarten, dont l'air impassible l'irrita. Comme il pouvait facilement supporter la perte de quelques pierres précieuses ! Elle le quitta pendant qu'il tentait de passer un coup de fil à Philadelphie et pénétra dans le dressing de sa femme. Là, elle choisit cinq robes, deux capes, un manchon et sept paires de chaussures, qu'elle disposa dans une malle avec le contenu de la boîte à bijoux de sa maîtresse et une grosse somme d'argent. Puis elle passa un manteau de voyage à col de velours, avant de se coiffer d'un élégant chapeau. Le dressing ayant une porte indépendante sur le couloir, elle sonna un valet de pied pour qu'il porte la malle au rez-de-chaussée.

À nouveau, le liftier s'inclina devant elle et, quand le portier l'aida à monter dans la voiture qu'elle avait commandée, elle lui glissa un billet d'un dollar. C'était tout ce que Jacobina lui avait donné pour ses dépenses et elle prit plaisir à s'en débarrasser.

— À la gare de Grand Central! lança-t-elle au cocher et, quand il eut tourné le coin de la rue sans que personne n'ait couru derrière elle, elle versa des larmes de joie.

*

La révélation de la perfidie d'Agneta ébranla profondément Maarten et contribua à le convaincre que ses vieilles certitudes s'effondraient. Il découvrit sa fuite quand la femme de chambre omit de les réveiller le lendemain matin. Le choc de la disparition des bijoux le retint si longtemps que lorsqu'il arriva à la Knickerbocker, la queue s'étendait déjà jusqu'au coin de la rue.

Le bruit courait que Morgan et ses associés étaient prêts à laisser couler la compagnie. Beaucoup de clients dans la foule — des hommes comme des femmes — refoulaient leurs larmes. D'autres étaient en colère. Maarten se plaça derrière eux, résigné à l'inéluctable. Il savait qu'il avait perdu son argent.

C'était la volonté de Dieu.

La suite le confirma. Peu après midi, les grandes portes de bronze se fermèrent sous des cris de protestation. En l'espace de trois heures, plus de huit millions de dollars avaient été remboursés, dont les cinq cent mille de Maarten, désormais envolés. Il avait du mal à y croire – et pourtant, à présent que le désastre était consommé, il comprit qu'il l'avait prévu.

Il courut dans d'autres banques, mais il savait que c'était sans espoir. En effet. Le taux d'intérêt de l'argent était de cent pour cent à la Bourse de New York et plus personne ne prêtait.

— Il nous faut rentrer, ma chérie, dit-il à Jacobina. Dans l'état actuel des choses, je peux à peine payer la note d'hôtel.

Ce soir-là, ils prirent le paquebot de nuit pour Liverpool et, pour la première fois depuis sa jeunesse, Jacobina fit ses bagages elle-même.

Le coût exorbitant des billets fit si honte à Maarten qu'il resta au lit pendant les trois premiers jours de la traversée. Au matin du quatrième, il se leva tôt et s'éclipsa de leur cabine pour aller réfléchir sur le pont désert. Si Dieu était contre lui, il ne servait à rien de vouloir se sauver. Toutes ses tentatives échoueraient. Le Seigneur l'avait bien montré en mettant à genoux le système bancaire des États-Unis, rien que pour le punir. Avant de prendre des mesures pratiques, il était vital de regagner l'affection de son Créateur – à moins, bien sûr, qu'il ne soit prédestiné à la damnation, auquel cas... Il s'agenouilla lourdement, sans se soucier de la présence d'un steward qui sortait des chaises longues, et s'en remit à la clémence du Tout-Puissant. Il avait l'habitude de redouter les flammes de l'enfer, mais sa réussite terrestre l'avait jusqu'alors protégé des manifestations les plus directes de la réprobation divine. Il pria jusqu'à ce que le steward lui demande s'il voulait un café. Cette interruption le déconcentra, le laissant effrayé et sans voix.

*

En recevant le câble annonçant le retour soudain de son maître, Mme De Leeuw fit courir Hilde à la salle de classe pour transmettre la bonne nouvelle à Egbert. Quand elle ouvrit la porte qui donnait dans la maison voisine, elle se trouva confrontée à un tableau étrange : Piet Barol se tenait sur une jambe, en équilibre instable au milieu de l'entrée, et son élève l'observait en tremblant. Elle fit la révérence.

— Je vous demande pardon, monsieur Egbert, vos parents seront là demain.

— Merci, Hilde, dit Piet d'un ton sec, qui avait tablé sur une plus longue absence pour pouvoir vaincre les ennemis de l'enfant. (Après son départ, il demanda, d'une voix plus pressante :) Quelle couleur, mon vieux ?

— Noir.

Piet lança son pied gauche comme un danseur et le posa, très lentement, sur un carreau blanc...

— Et maintenant ?

— Blanc.

Là, Piet leva sa chaussure droite et la posa doucement au croisement de quatre carreaux... Il attendit. La pièce demeura silencieuse. Il n'entendit que la respiration troublée d'Egbert et le murmure d'un radiateur.

— Et après ? dit-il.

Mais l'enfant ne répondit pas.

*

Le séducteur

Les Vermeulen-Sickerts arrivèrent le lendemain soir, après avoir passé une nuit d'angoisse dans un hôtel de Liverpool. M. Blok fut très contrarié de voir qu'Agneta Hemels n'était pas avec eux. Il supposa qu'elle avait été renvoyée à New York et regretta d'avoir laissé passer l'occasion de le faire lui-même. Il appréciait ce genre de scène que Mme De Leeuw, qui avait l'œil à tout, lui permettait rarement.

La nouvelle de la vilenie de sa protégée consterna la gouvernante. Informée par Jacobina, elle osa – fait sans précédent – s'asseoir en sa présence et la première chose qu'elle dit fut :

— Nous devons le cacher au petit personnel.

— Je suis de votre avis, dit M. Blok. Cela donnerait un exemple des plus fâcheux.

Et ainsi fut conçue la fable qui voulait qu'Agneta ait rencontré un homme en Amérique et, après sa demande en mariage, soit partie vivre à Chicago avec la bénédiction de ses patrons. Quand Hilde apprit ça, elle monta au grenier et sanglota parmi les caisses et les vieilles malles, puis elle redescendit, d'une humeur aussi noire que Maarten.

*

Depuis son vain appel à la compassion divine sur le pont du *Lusitania*, Maarten avait eu recours à une abnégation extrême, ne consommant que du pain et du café pendant le reste de la traversée. Aussi avait-il subi cet entretien avec M. Blok et Mme De Leeuw avec l'indifférence du désespoir. On était le 28 octobre, et les journaux donnaient des nouvelles apocalyptiques : le 24 et le 25, la Bourse de New

York avait à peine tenu jusqu'à la cloche de clôture et le taux d'intérêt de l'argent avait atteint cent cinquante pour cent.

Constance vit aussitôt qu'il se passait quelque chose de grave. Elle embrassa son père avec tendresse, ne voulant pas se montrer indiscrète, mais sa curiosité ne resta pas longtemps insatisfaite.

Pendant qu'il macérait dans son bain, Maarten avait eu l'idée que seule une humiliation totale, qu'il s'infligerait avec rigueur, le laverait peut-être du péché d'une ambition démesurée. Il ne devait pas cacher à sa famille ses revers de fortune et il la réunit sans tarder. Il n'invita pas Egbert à ce colloque, mais il aurait aimé y convier Piet Barol – car un homme de sa valeur aurait pu l'aider à porter le poids de ce devoir viril. Mais c'était impossible. Méthodiquement, d'une voix adoucie par la faim, il raconta à sa femme et à ses filles ce qui s'était passé : la fourberie de M. Dermont et sa vision d'un hôtel de rois, sa propre passivité face aux rêves de grandeur de l'architecte, la disparition de son associé à un moment critique, ses tentatives pour continuer à se battre – et la sanction finale, irréfutable du Seigneur : la perte d'un demi-million de dollars et l'expiration brutale de son crédit.

— J'ai demandé à mes amis de venir après dîner pour m'en remettre à leur miséricorde. Sans leur aide, je coulerai.

En écoutant son père, Louisa fut consternée de le voir totalement soumis à ses superstitions et rêva de l'en libérer. Les instincts protecteurs qu'elle concentrait d'habitude sur Constance se réveillèrent. Elle aurait tant voulu être un homme ! Alors, elle s'embarquerait pour l'Amérique, retrouverait ce Dermont à

Philadelphie, parlerait même à Pierpont Morgan s'il le fallait, exigerait et obtiendrait la restitution de l'argent de sa famille. Mais elle dit simplement : «Nous nous en sortirons, papa», en espérant que la réunion s'achèverait avant la livraison de ses derniers achats... Ce ne fut pas le cas. Sous les yeux de la famille médusée, Hilde apparut en croulant sous le poids d'une balle de cachemire, qui portait l'inscription : *Livraison urgente.* Louisa avait pensé commander des tenues assorties pour elle et pour Constance, mais à présent, cette idée la gêna.

— Vous pouvez porter ça à l'étage, Hilde, ordonnat-elle, puis elle ajouta, une fois celle-ci repartie : Je vais rendre cette étoffe, papa. C'est le moins que je puisse faire.

Maarten en fut touché, mais cette offre soulignait à quel point ses filles connaissaient mal le monde réel et étaient peu armées pour y naviguer sans la protection de son argent.

— Garde-la, ma chérie, répondit-il avec tristesse. Ce n'est pas ça qui nous ruinera.

*

Ce soir-là, Piet eut une vague idée de la crise en se penchant à la fenêtre de Didier. Mais les jeunes gens n'arrivèrent pas à comprendre ce qui se disait dans la chambre de Louisa.

Les deux sœurs étaient occupées à rassembler les affaires dont elles pouvaient se passer.

— Je suppose que tu as toujours eu envie d'ouvrir une boutique, lança Constance en regardant d'un air sceptique la pile de vêtements que Louisa jugeait superflus.

— Je ne te laisserai pas mourir de faim. Tu pourras être ma première vendeuse...

Passé le choc de la nouvelle, Louisa avait senti une occasion s'offrir dans l'infortune de sa famille.

— Les filles pauvres travaillent. (Elle ouvrit son coffret à bijoux et en sortit un bracelet en rubis hérité de sa marraine.) Tu ne les as jamais enviées ?

— Non.

— C'est parce que tu manques d'imagination, ma chérie, dit Louisa en prenant une chaise. Et si on ouvrait une petite boutique sur la Kalverstraat ? Du plus grand chic, bien sûr. Avec des miroirs, des lumières tamisées et des tapis moelleux. Toutes nos amies accourraient.

— Pour se réjouir de notre chute..., dit amèrement Constance. (Elle pensait à Myrthe Janssen, dont on venait d'annoncer les fiançailles avec Frederik Van Sigelen. Peut-être avait-elle été imprudente de ne pas se marier quand elle était un beau parti...) Crois-tu que quelqu'un voudra encore de nous ? s'enquit-elle en se contemplant dans la glace, ce qui la réconforta un peu.

— Quelle question ! Pense à toutes les lettres d'amour qui sont dans ton bureau.

— Elles ont été écrites à une fille riche.

— Non, Constance, c'était à toi qu'elles s'adressaient.

Il y eut un silence. Louisa commença à sortir des chaussures de son armoire.

— Jamais je ne me marierai pour de l'argent, dit finalement Constance.

— Si tu travaillais pour moi, tu n'y serais pas forcée.

— Tu ne parles pas sérieusement...

— Pourquoi pas ?

À peine une heure avant, Louisa n'avait pas songé sérieusement à ouvrir une boutique. Elle s'était bornée à caresser un beau rêve impossible. À présent, il lui semblait que son père avait bien moins le droit de s'opposer à elle, et le scepticisme de sa sœur précipita sa conviction.

— Si nous vendions nos bijoux, nous pourrions louer une boutique et engager Babette et Mevrouw Wunder. Babette est une très bonne coupeuse. Tu pourrais être mon mannequin. Je dessinerais tous les modèles et je veillerais à ce qu'on ne nous roule pas.

— Ne te réjouis pas autant de notre ruine.

— Elle ne m'amuse pas, dit Louisa en se reprenant. Mais l'une de nous doit avoir du sens pratique.

— Pas ce soir, ma chérie.

Sur ce, Constance alla fermer la fenêtre, parce qu'elle avait peur de l'avenir et ne voulait pas que sa sœur s'en aperçoive.

*

Le lendemain après-midi, l'ignorance où l'on voulait tenir les domestiques fut mise à mal par un crieur de journaux qui vendait une édition spéciale de l'*Amsterdamsche Lantaren* – une feuille à scandale dont la première page titrait : RUINE PROBABLE D'UN GRAND BOURGEOIS. Piet fut attiré à la fenêtre juste à temps pour voir Mme De Leeuw acheter tous les numéros. Il donna un exercice de géométrie à Egbert et gagna la cuisine, qui était en état d'effervescence. M. la Chaume avait abandonné sa sauce sur le feu pour arracher un exemplaire à la gouvernante avant qu'elle ne puisse brûler son butin. L'article ne donnait pas de noms, mais les allusions étaient évidentes et, quand l'affaire s'était ébruitée, son ampleur avait décuplé. Un des «premiers citoyens de la ville» avait perdu «plusieurs millions de dollars». Sa «vaste collection d'objets d'art serait sans doute vendue à des prix alléchants».

Il était vrai que Maarten s'était cloîtré dans son bureau avec plusieurs messieurs à la mine grave depuis son retour des États-Unis. Hilde avait rapporté qu'ils cessaient de parler chaque fois qu'elle entrait, ce qui n'était guère dans les habitudes de la maison.

— Je ferais mieux de porter ce torchon diffamatoire à l'étage, conclut M. Blok.

*

Tout comme Piet, Maarten Vermeulen-Sickerts inspirait à beaucoup d'hommes une jalousie viscérale. Quand, dix minutes plus tard, il vit le journal, il comprit qu'un de ses plus fidèles amis l'avait trahi. Il s'efforça de se pénétrer d'une indulgence chrétienne, mais il n'y parvint pas et envoya valser son presse-papiers en verre de Venise. Près de lui, sur la table qu'elle occupait toujours, se trouvait la miniature en argent du funambule – se balançant en équilibre instable, et pourtant sans cesse préservée du désastre.

Elle ne le rassura pas.

Maarten n'avait pris que trois tasses de café et deux

tranches de pain de toute la journée et, entre ses rendez-vous, il avait prié avec ferveur.

— Je ne peux rien faire sans vous, dit-il à voix
haute en tournant les yeux vers le ciel.

Pour la première fois depuis bien des semaines, il
perçut les manifestations du Saint-Esprit. Il saisit la
bible sur son bureau et l'ouvrit au hasard, convaincu
qu'il allait y découvrir son sort – et ce qu'il lut l'émut
aux larmes parce que c'était la répétition du psaume
136 : « Car sa miséricorde est éternelle... »

Maarten prit cela comme un signe d'amélioration
de ses rapports avec le Tout-Puissant. Se sentant aussitôt plus tranquille, il fit le vœu solennel que si le
Plaza était jamais rentable, il ferait don à l'Église
du tiers de ses profits. Ce qui lui permit de croire
que le palace pourrait *peut-être* rapporter de l'argent,
puisqu'il en sortirait quelque chose de bon. Les
Américains allaient sûrement retrouver leur plaisir à
dépenser. Il était si instinctif chez eux.

Maarten avait eu honte de demander de l'argent à
ses amis, mais comme Dieu réclamait cette humiliation, il l'avait supportée sans se plaindre. À un taux
d'intérêt exorbitant, payable à un an, avec toute sa
collection d'argenterie en garantie, il s'était vu prêter
de quoi tenir six semaines. Il savait que son redressement dépendait de celui du système financier
américain – mais comme Dieu avait provoqué ce
cataclysme pour le mortifier, ne pourrait-Il pas à présent juger que Son but avait été atteint ?

Il sonna pour se faire apporter à manger. Il était
affamé, et le festin que lui fit monter M. la Chaume
fortifia son âme. Son repas terminé, il écrivit une lettre
procédurière au rédacteur en chef de l'*Amsterdamsche*

Lantaren et envoya Didier la porter. Il n'imaginait pas que ses domestiques verraient dans cette mesure une confirmation de la teneur de l'article. Mais quand Didier revint, il trouva Hilde en larmes et M. la Chaume réduisant de moitié la quantité de champagne prévue pour le dessert de la soirée.

*

Dans l'entresol de la maison, l'après-midi se déroula comme à l'accoutumée. Mais à l'heure du thé, M. Blok comprit qu'il devait prendre position. Il y avait vingt-cinq ans qu'il travaillait pour Maarten Vermeulen-Sickerts, et pendant tout ce temps il avait dévoré nombre de romans chevaleresques. Il s'était souvent imaginé suivant son prince jusque dans la défaite et à présent, son courage fut renforcé par l'idée qu'il avait assez épargné pour s'offrir une modeste retraite. Ce petit filet de sécurité lui permit de jouer les serviteurs condamnés avec une conviction totale.

Une fois le dîner servi et la table débarrassée, il réunit tous les domestiques. Bien qu'Agneta se soit abstenue de toute familiarité avec quiconque, chacun souffrait de son absence. C'était comme si elle avait été saisie par les créanciers et qu'elle serait, en temps voulu, suivie par le mobilier, les statues et les vins du cellier.

Blok s'assit en bout de table et entama un discours lénifiant. Il rappela à ses auditeurs qu'il était de leur devoir de ne pas verser dans les potins de bas étage, car les concurrents de M. Vermeulen-Sickerts chercheraient à leur soutirer des informations. Il les exhorta à présenter au monde une confiance de façade.

— Ils ont vraiment perdu tout leur argent ? demanda Hilde qui, n'ayant pas les économies de M. Blok, était malade d'angoisse.

Le majordome hésita. Le nier reviendrait à réduire la gravité de la crise, donc de son importance dans son dénouement. En convenir serait déloyal et pourrait inciter Hilde et Didier à chercher à se replacer. Finalement, il dit la vérité : il n'en avait aucune idée.

— Mais ce que je sais...

Mme De Leeuw l'interrompit.

— Cette famille ne sera jamais pauvre, Hilde. Elle pourra perdre un tableau, peut-être toute sa collection, même la porcelaine que vous mettez deux jours à nettoyer et qui ne sert jamais. Mais ces gens-là ne connaîtront jamais le froid, ni la faim, ni la gêne de macérer tout un été dans les mêmes vêtements. C'est nous qui allons souffrir...

La gouvernante n'était pas du genre à parler en public et, sous le coup de l'émotion, ses joues s'empourprèrent.

M. Blok toussa.

— Je proteste ! Si le pire devait arriver, les Vermeulen-Sickerts nous donneraient une pension. Ils nous ont toujours bien payés. Ils...

Mais Mme De Leeuw avait perdu toute retenue.

— Oh oui, monsieur Blok... deux fois plus que leurs amis.

Elle afficha l'air de parfaite sollicitude qu'elle réservait aux invités souffrants.

— Mais c'est très peu quand on pense à tout ce que nous faisons et à tout ce qu'ils ont.

Didier croisa le regard de Piet et, pendant un instant, ils faillirent éclater de rire. Mais ils se retinrent car les yeux terribles de Mme De Leeuw se remplissaient de larmes, puis elle dit, d'une tout autre voix :

— Je sais que chacun de vous pense que je suis froide et mesquine...

Il y eut un silence. Comme souvent après l'énoncé d'une vérité, les personnes présentes furent d'abord incapables de la contredire.

Piet se reprit le premier, peut-être parce que, ayant connu de près les souffrances de sa mère, il était le plus à même d'éprouver de la compassion pour elle.

— Bien sûr que non. La journée a juste été...

Mais elle leva la main pour l'interrompre.

— Vous êtes très généreux, monsieur Barol, et vous vous y connaissez en flatteries. Mais je sais que vous murmurez derrière mon dos, vous, M. Loubat et Hilde. Vous pensez que je suis aveugle parce que je ne le montre pas, dit-elle en se tamponnant les yeux avec un coin de la nappe. Vous me croyez insensible parce que je ne souris pas. Mais c'est parce que j'ai trop souri à tant de gens qui ne s'intéressent pas à moi que mon sourire n'a plus de sens. J'étais gaie dans ma jeunesse. J'ai souvent eu envie de vous dire, Hilde, de ne pas avoir peur de moi. Mais je n'ai jamais pu parce que je n'arrive plus à sourire. Et c'est pour ça, monsieur Blok, que Maarten Vermeulen-Sickerts nous doit beaucoup plus qu'une pension.

— Quand même, dit Hilde, d'une voix moins timide, je préférerais avoir une pension que rester sans un sou.

*

Mme De Leeuw s'était habituée depuis longtemps à contenir ses états d'âme. Sans cela, elle n'aurait pas pu être une parfaite gouvernante. Mais une fois les digues ouvertes, elle ne put les refermer et, bien que M. Blok ait mis précipitamment fin à la réunion des domestiques, elle garda les joues empourprées.

Elle passa dans sa chambre aussitôt après le dîner. C'était la plus grande de celles du personnel, mais une pièce aveugle qui avait été jadis une cave à charbon, et l'éclat des étoiles et l'air frais lui manquaient. Dès qu'elle entendit Hilde s'enfermer dans sa chambre, elle mit ses pantoufles et sortit dans le couloir. La maison était plongée dans le noir, mais elle en connaissait tous les recoins. Au pied de l'escalier, elle s'arrêta pour tendre l'oreille. Personne. Elle monta les marches et entra dans la salle à manger. D'un petit meuble à la porte bien huilée, elle tira un verre à liqueur qu'elle troqua, après une courte hésitation, contre un modèle plus grand. Débouchant la première carafe de digestif qu'elle put trouver, elle le remplit à ras bord, se pinça le nez et le but d'un trait.

C'était du porto – très sucré, ce qui la fit tousser. Elle n'avait pas l'habitude de boire. Elle posa le verre sur le buffet, où Hilde croirait l'avoir oublié quand elle préparerait les plateaux du petit déjeuner, et descendit le couloir jusqu'au petit salon octogonal. Dans son cerveau bien ordonné s'alignaient les besoins de chaque meuble qu'elle croisait sur son passage : les chaises à cirer deux fois par an, celles à ne pas toucher, les tapisseries à déplacer pendant les mois d'été. Ces devoirs lui importaient bien plus que la provenance ou la valeur du mobilier. Elle les remplissait fidèlement.

La pièce octogonale était baignée d'une lumière argentée. Elle ferma la porte, ouvrit les portes-fenêtres du jardin, et s'assit sur le divan doré qui avait été conçu pour le château de Saint-Cloud. Cela l'affligea de penser que toutes ces belles pièces seraient vendues à des gens dotés de gouvernantes moins zélées.

L'air était froid et vivifiant. Elle joignit les mains, mais ne pria pas. Il y avait bien longtemps que Mme De Leeuw ne se souciait plus de Dieu. Là, dans la pénombre propice aux illusions, Maarten Vermeulen lui apparut comme le jour de leur première rencontre, trente et un ans plus tôt.

Il venait d'acquérir une part de l'hôtel Amstel. Elle était l'aînée de ses femmes de chambre, mais une supérieure jalouse barrait son avancement. Pourtant, Maarten avait reconnu son talent en lui donnant la charge de la maison qu'il avait achetée au bord du Herengracht. Il était simple alors, n'ayant pas encore acquis tous ses biens ni son raffinement. C'était elle qui avait formé les domestiques et disposé les meubles. Elle l'avait tant aidé ! Jacobina Sickerts ne l'aurait jamais épousé si Naomi n'avait pas appris à son maître qu'on lui devait le respect.

Elle leva les yeux vers le chandelier aux griffons dorés : l'un des deux achetés par Maarten au temps de son célibat, pour le salon du premier étage. À l'époque, la salle de réception était encore une sombre pièce gothique. Mlle Sickerts l'avait trouvée trop triste et Marteen l'avait redécorée en bannissant tout son mobilier dès qu'ils s'étaient fiancés. L'un des chandeliers avait été relégué ici ; l'autre avait été donné à la gouvernante – un don impulsif, irréfléchi, qui avait causé beaucoup d'angoisse à celle-ci.

*

Naomi De Leeuw n'avait jamais connu son père et elle était déjà adolescente quand elle avait compris que les hommes qu'elle croisait dans l'escalier aidaient sa mère à joindre les deux bouts. C'était sa sœur Annetjie, de treize ans son aînée, qui l'avait protégée, lui offrant toute l'affection qu'elle avait jamais reçue et un corps chaud et doux auquel elle pouvait se coller les nuits où la neige tombait du toit percé.

Quand Annetjie avait rencontré Gerhardt Moritz, elle avait vingt-quatre ans et Naomi onze. La petite n'avait jamais imaginé que son charmant beau-frère lui ravirait sa sœur. Il ne lui était jamais venu à l'idée que quelqu'un puisse le faire. Mais un an plus tard, M. Moritz annonçait leur départ pour l'État libre d'Orange[1], un pays où aucune femme blanche n'avait à faire elle-même sa lessive. Ce fut seulement alors qu'elle mesura toute la réalité de ce vol.

Gerhardt emporta Annetjie une semaine avant le douzième anniversaire de la fillette et ce jour-là, Naomi fit un vœu : elle gagnerait de l'argent pour aller voir sa sœur à l'autre bout du monde. Elle se plaça à quatorze ans et, bien que ce rêve restât insaisissable, elle n'y renonça pas. Au contraire, elle le

---

1. Fondé en 1854 par des Boers qui avaient émigré du Cap entre 1835 et 1840, il devint colonie britannique en 1904, avant d'être annexé à l'Union sud-africaine en 1910. (*N.d.T.*)

garda comme un talisman contre la honte d'avoir à laver le sol des autres.

C'est ainsi que, longtemps après, le don du chandelier aux griffons lui parut miraculeux, car elle savait combien son maître l'avait payé : une somme largement suffisante pour un voyage en Afrique du Sud...

Pendant tout l'hiver 1879, elle s'efforça de le vendre, dépensant ses économies en trajets pour le porter chez des marchands qui, voyant sa tenue modeste, lui offraient une faible part de sa valeur ou l'accusaient de vol. Elle obtint de son maître un titre de propriété, cela rendit les marchands moins sceptiques, mais pas plus généreux. Elle se prit à rêver que Maarten fasse la transaction pour elle, mais elle était trop fière pour lui demander un tel service.

Ce fut à cette époque que Naomi, sans le dire à personne, renonça à la foi. Elle continua à donner au petit personnel un parfait exemple d'assiduité au temple, mais ne crut plus jamais que Dieu n'abandonnerait pas Ses enfants et ne les mettrait pas à l'épreuve au-delà de leurs forces.

Trente ans plus tard, elle ouvrit ses mains jointes, laissant couler entre ses doigts la colère qui l'avait animée pendant la soirée. Il lui resta alors une simple vérité : les Vermeulen-Sickerts n'étaient pas mauvais. Simplement, ils ne se donnaient pas la peine d'imaginer la vie des autres.

Naomi avait dû gaspiller la moitié de ses économies pour perdre le rêve qu'elle avait longtemps nourri. Avec le reste de son argent, elle envoya le chandelier en cadeau de mariage à Gertruida, la fille d'Annetjie, qui épousait un homme du nom de Van Vuuren. Après quoi, durant des années, jusqu'à ce que la cinquantaine dissipe de telles chimères, elle inventa un lien entre les griffons d'Amsterdam et ceux de Bloemfontein, et polissait elle-même les écailles de dragon en parlant à sa sœur comme si elle était à ses côtés.

À présent, Annetjie était morte depuis quinze ans, mais les griffons observèrent Naomi avec une gravité stimulante qui lui rappela l'air de reproche bienveillant de sa sœur. Alors elle se leva, très droite.

— Tant que je pourrai parler et marcher, dit-elle au jardin baigné de lune, je serai responsable de mon sort.

Sur ce, elle alla se coucher et se conduisit le lendemain comme si elle ne s'était jamais emportée.

*

En réponse à la prière de Maarten, le système bancaire des États-Unis entama un redressement brusque et énergique. Le 23 octobre, alors qu'il était couché, désespéré, dans sa cabine du *Lusitania*, Morgan réussit à persuader les plus grands financiers de New York d'accorder un prêt de huit millions de dollars à une société fiduciaire pour l'empêcher de faire faillite comme la Knickerbocker. Le lendemain, jeudi 24 octobre, le ministre des Finances déposa vingt-cinq millions de dollars dans les banques new-yorkaises et Rockefeller engagea la moitié de sa fortune pour garantir le crédit américain. La Bourse de New York faillit suspendre ses cours et seule l'intervention de Morgan, qui réunit trente-trois millions en quarante-huit heures, permit au marché de tenir jusqu'à la clôture du vendredi.

Quand Maarten reconstitua ces événements plus tard en les comparant à la trajectoire de son drame, il ne fut pas surpris de découvrir que toutes ces mesures avaient échoué. Aucune d'elles n'aurait pu marcher tant que Dieu restait déterminé à le punir. Ce fut seulement lors du week-end des 26 et 27 octobre, quand le jeûne, peu à peu, lui ouvrit les yeux, que la panique amorça son déclin. Et ce ne fut que le lundi 28, après qu'il eut confessé ses erreurs à sa famille et avoué sa chute à ses amis (dont l'un allait jouer les Judas), que la chambre de compensation de New York émit des certificats de prêt d'un montant de cent millions de dollars.

En l'absence d'une banque centrale, ces certificats firent office de numéraire. Plus Maarten se confessait, plus les banques acceptaient de les prendre en règlement d'avances ou de prêts. Cela permit à d'autres banques de garder des réserves pour honorer les demandes de leurs clients inquiets. Dès le mardi 29, quand Maarten, abjurant tout amour-propre, s'en remit entièrement à la clémence de son Créateur, la preuve de l'amour indéfectible du Seigneur lui fut donnée par le rétablissement du calme à New York.

La nouvelle gagna Amsterdam le mercredi 30, et confirma au pénitent qu'il occupait une place centrale dans les projets du Tout-Puissant. Il poursuivit son jeûne pour se prémunir contre un nouvel accès d'orgueil, prolongeant de deux semaines son régime strict de pain de seigle – car la Bourse continuait sa chute et la situation restait délicate. Ayant obtenu six semaines de financement, il ne perdit pas de temps à courtiser les prêteurs. Il s'abîma de longues heures dans d'épuisantes prières, refusant de se lever tant que ses genoux n'auraient pas souffert le martyre et que son corps, comme celui du Christ, n'aurait pas payé pour les péchés du monde. À la fin, Dieu lui demanda un autre sacrifice. Il dut promettre de donner aux pauvres les trois quarts des gains du Plaza, déduction faite de ses intérêts d'emprunt, afin de sauver la Bourse. Maarten en fit le serment solennel le 14 novembre. Le lendemain, le Dow Jones subit une chute de cinquante-trois points, puis amorça sa remontée. La confiance restaurée par cela fut telle que le bar du Plaza, et ses suites royales, se retrouvèrent pleins à craquer. Dieu préserva ainsi Maarten d'avoir à demander de nouveaux prêts à ses amis.

Les banques ne demandaient qu'à rouvrir les vannes du crédit, et furent ravies d'en consentir au patron de l'hôtel le plus en vogue de New York.

*

Peu après que la National City Bank eut offert à son père une facilité de paiement de deux millions de dollars, Louisa vint sonner à la porte de son bureau. Elle s'était beaucoup activée lors des journées où il s'était enfermé pour prier, et elle y trouvait un bonheur que sa vie futile ne lui avait jamais procuré. Passant outre l'avis de sa sœur, elle avait déniché une boutique à deux pas de la Kalverstraat, qu'elle pourrait louer pendant un an si elle vendait son bracelet de rubis. Elle avait donc cédé cette babiole à Frederik Van Sigelen qui l'avait payée un bon prix, et s'était aussi séparée d'un rang de perles et de boucles d'oreilles en diamants. Cela lui avait laissé de quoi payer deux coupeuses et une brodeuse la première année, et sa vaste collection d'étoffes lui permettrait de tenir une saison. Malgré son anxiété, elle dit tout cela à son père d'une voix ferme.

Maarten, qui venait d'échapper de peu à la ruine, était d'excellente humeur.

— Quelle idée bonne et généreuse, mon ange ! Je suis sûr que tu nous aurais sauvés de la pénurie.

Ce n'était pas du tout la réaction qu'elle avait attendue. Elle poussa un soupir et s'assit.

— Tu as beaucoup à m'apprendre, papa, mais sois certain que je serai une élève attentive et zélée. Si tu voulais bien me montrer comment tenir les comptes les premiers mois, je te promets qu'après, je me débrouillerai. Constance a accepté de m'aider à la boutique et d'être le mannequin de ma collection. Je suis convaincue...

— Mais ce n'est plus la peine, mon trésor, dit gentiment Maarten. Va donc racheter tes bijoux. Le monde a repris ses esprits. Le Plaza ne désemplit pas. J'ai appris ce matin qu'on m'avait consenti suffisamment de crédit pour voir venir et les réaménagements, à Francfort et à Londres, seront bientôt finis. Tu peux continuer à t'amuser tranquillement avec tes amies.

— Mais ce n'est pas comme ça que j'ai envie de vivre...

— C'est absurde, ma chérie.

— Pas du tout, je t'assure.

— Tu as raison, dit Maarten, en regrettant de l'avoir blessée. Cela part d'une noble intention. Je ne veux pas dénigrer tes efforts, juste te dire que la crise est passée.

188

— J'en suis heureuse, mais je compte bien le faire, papa.

— Faire quoi ?

— Ouvrir une boutique. Gagner moi-même ma vie.

— Mais qu'est-ce que tu veux dire ?

Là, Louisa commença par le commencement, exposant son projet en détail sans montrer son irritation.

— C'est complètement impossible, dit Maarten quand elle eut terminé.

— Bien au contraire, papa !

— Alors, ce n'est pas conseillé.

— Mais pourquoi ?

— Par bon sens et par correction, Louisa.

— Quelle honte y a-t-il à travailler dur ? En faisant son chemin, comme toi autrefois...

— Tu n'es pas du tout dans la même situation que moi à ton âge. Crois-moi, tu devrais t'en réjouir.

— Je te suis reconnaissante de m'avoir offert ces débuts dans la vie. Mais je voudrais, j'aimerais...

— Que voudrais-tu, ma fille ?

— Suivre ma voie dans le monde.

— Alors, tu dois épouser un homme ambitieux et talentueux, dont tu pourras servir les intérêts comme ta mère a servi les miens. Voilà comment une femme peut réussir.

— Je suis capable de réussir toute seule, papa...

— Je n'en doute pas. Mais ce ne sont pas les usages du monde.

*

Constance ne s'était pas du tout réjouie à l'idée de ramper devant ses anciennes rivales pour chercher à leur vendre des articles de mode. Elle n'avait pas été une reine totalement charitable de la jeunesse dorée d'Amsterdam, et elle savait qu'elle avait des ennemies qui paieraient cher pour venir essayer des chaussures afin qu'elle s'agenouille à leurs pieds. L'espace d'un instant, elle éprouva un soulagement déloyal en apprenant la ruine de l'entreprise.

— Ma chérie...

Mais Louisa passa devant elle avec raideur, lui ferma la porte au nez et bloqua sa porte avec sa coiffeuse. *Je vais les braver*, pensa-t-elle. *J'ouvrirai ma boutique, quoi qu'ils disent.* Mais elle savait, alors même qu'elle faisait ces promesses, qu'elle ne les tiendrait pas. Cette contradiction lui donna l'envie de casser quelque chose. Elle ouvrit brusquement son armoire et en sortit tous les cadeaux que sa mère lui avait rapportés de New York. Elle allait y planter ses ciseaux quand elle trouva une idée de vengeance plus ostentatoire. Elle sonna Hilde.

Louisa Vermeulen-Sickerts n'appelait pas souvent Hilde Wilken, sauf pour la gronder. Quand celle-ci vit le tas de vêtements par terre et la fureur de la jeune fille, elle fondit en larmes.

— Ce n'est pas le moment de pleurer.

Louisa tenait à agir avant que sa colère retombe, de peur que le courage ne vienne à lui manquer. Elle ramassa les robes.

— Elles sont pour vous.

— Pardon... ?

— Je vous les donne, insista Louisa, en tâchant de prendre une voix chaleureuse. (Elle n'aimait pas beaucoup Hilde, dont la timidité et le manque d'initiative l'agaçaient. Elle aurait préféré offrir ses vêtements à Agneta, qui l'avait aidée à élaborer des coiffures mémorables.) J'aimerais que vous les preniez, ajouta-t-elle, d'une voix qui se fit impérieuse.

— Oui, mademoiselle...

Là, Hilde cessa de pleurer.

— Vous avez été une bonne et fidèle servante, c'est votre récompense, dit Louisa en souriant. Venez, cherchons des chaussures pour aller avec.

*

Egbert avait rêvé, comme son précepteur, de vaincre les forces qui l'oppressaient avant que ses parents ne reviennent de New York. Les voir soudain rentrer faillit le démonter, mais leur angoisse le stimula. L'enfant avait l'habitude d'être le raté d'une famille où tous réussissaient. Pour la première fois, il sembla que les autres avaient eux aussi des problèmes, et ça le fortifia – tout comme voir Piet Barol provoquer les Créatures de l'Ombre, qui avaient répliqué en défendant au garçon de lui parler. Ce fut le premier commandement que l'enfant transgressa. Le second fut leur punition pour sa trahison, qu'il refusa d'exécuter.

Il se faisait maintenant un point d'honneur de prendre deux bains chauds par jour, et plus il en prenait, plus sa détermination se renforçait. Mais il n'osa pas franchir le pas décisif, et quand la maisonnée retrouva sa confiance, il commença à craindre que ses ennemis n'en fassent autant. Piet Barol, après tout, était un étranger et un adulte. Peut-être pourrait-il, *lui*, défier impunément les décrets des Créatures de l'Ombre...

Un matin, après s'être rongé dans l'obscurité de sa chambre, il décida d'agir. Il sortit de son lit. Sans y revenir six fois. Ni s'habiller et se déshabiller à plusieurs reprises. Il jeta de l'eau sur son visage, se vêtit et se mordit les lèvres jusqu'au sang. Puis il gagna la porte et l'ouvrit. Dévalant l'escalier, il arriva dans le hall à l'instant même où l'horloge sonnait cinq heures. La lumière tamisée des lampes près de la porte d'entrée l'encouragea. Il hésita, mais il savait qu'il échouerait s'il atermoyait. Alors, comme un évadé trompant la vigilance d'un gardien, il traversa le hall et la salle à manger en courant, puis il ouvrit la porte dérobée.

Le carrelage du vestibule de sa tante s'étendait devant lui, menaçant. Il alluma une lampe. Il avait passé des centaines d'heures à louvoyer entre ses embûches. Là, il se rappela l'humiliation de ces trajets, le courage serein de son précepteur et l'impuissance de ses maîtres face à son audace.

Alors il retint son souffle et s'élança.

*

Hilde Wilken savait qu'elle n'était pas dans les bonnes grâces de Louisa Vermeulen-Sickerts et ne se fia donc pas aux raisons que celle-ci lui donna. Sa première pensée, en recevant des cadeaux de Mademoiselle, fut qu'elle devait les faire disparaître avant que la jeune fille ne change d'avis. Mais où garder des tenues aussi belles ? Elles mettraient à rude épreuve l'honnêteté de l'amie la plus fidèle et Hilde n'en avait pas à Amsterdam. Un après-midi de congé par quinzaine ne lui laissait guère le temps de se lier. Finalement, elle décida de placer sa confiance dans la consigne de la Gare centrale.

Le matin où Egbert tenta de s'évader, Hilde se leva elle-même à l'aurore. Pendant qu'il s'habillait, elle plia les vêtements de Louisa et serra le tout dans un sac. Elle n'avait pas la force de porter une malle ni de quoi louer une calèche. Après avoir mis la table du petit déjeuner de Maarten et allumé les feux dans la salle à manger, son bureau et le salon, elle dit à M. Blok que Mme De Leeuw lui avait donné une course à faire et à la gouvernante, l'inverse. Puis, pour échapper aux regards indiscrets des domestiques, elle quitta la maison par la grande porte.

Hilde n'avait pas l'habitude des bonnes fortunes soudaines. Elle courut jusqu'à la gare, prise de la crainte superstitieuse qu'un esprit ou un homme lui arrache son sac. Mais rien ne se passa. Une fois à la consigne, elle loua un casier et y déposa son butin. Si Mme Vermeulen-Sickerts lui demandait de rendre les affaires de sa fille, elle pourrait alors dire qu'elle les avait vendues. Elle revint vers le Herengracht. La brume se levait au-dessus des canaux, dont le froid étouffait la puanteur.

Tu t'es peut-être trouvé un mari, Agneta Hemels, se dit-elle, *mais tu n'as pas pu avoir ça.*

*

Egbert arriva dans la salle de classe. Des sifflements violents montaient d'entre les ombres. Mais l'enfant les fit taire en allumant les lumières et gagna le piano. Sur le pupitre se trouvait l'édition de Chopin que Piet lui avait offerte, ouverte à la quatrième ballade, comme une invitation.

Egbert s'assit sur le tabouret, déterminé à la jouer quoi qu'il arrive. Le vieux piano de sa tante avait connu des maîtres moins pénibles que lui et, quand il attaqua les premières mesures, les cordes de l'instrument frémirent de reconnaissance et de joie. Il n'avait encore jamais entendu cette ballade, mais ses prémices le rassurèrent et l'attirèrent hors des dédales où il s'était si longtemps égaré dans les pièces de Bach. La mélodie se prêtait à l'aventure et quand elle s'éclipsa pour mieux revenir, aussi finement brodée que les vêtements de Louisa, il dut chercher dans la masse des notes pour la retrouver.

Une fois qu'il l'eut saisie, il ne la lâcha pas. Ses doigts accéléraient, ralentissaient, portés par la musique. Loin d'obéir à une discipline trop stricte, il commença à prendre plaisir à son talent. En avançant dans le morceau, il fut ébahi par ce qu'il pouvait faire – car ses mains et ses pieds créaient un son d'une sublime beauté.

Au terme de la ballade, il comprit pour la première fois qu'il y a de la valeur même dans les grandes douleurs. Il se leva, s'approcha du tiroir qui abritait la clé de la maison de sa tante et la prit. Puis il tira de son sac la chevalière de son grand-père et rassembla ses partitions de Bach. Sans hésiter, il traversa le hall et sortit dans la rue.

*

Hilde Wilken avait vécu tellement de choses étranges depuis la veille que la vue de l'enfant jetant une bague en or et des partitions du haut de l'Utretchtses-traat lui parut presque anodine. D'abord, elle ne comprit pas ce qui se passait. Quand elle s'en rendit compte, elle s'approcha en hâte. Egbert se tenait sur le pont, le visage brillant au soleil. Peut-être était-ce un spectre ? Elle se signa et se glissa plus près.

— Bonjour, Hilde.

— Bonjour, monsieur Egbert....

La servante était trop surprise pour faire la révérence. Pour la première fois, elle n'eut pas peur de ce petit garçon.

— Belle matinée, n'est-ce pas ?

— En effet...

Hilde ne put s'en empêcher : elle se pencha pour le toucher.

— Je suis tout à fait réel, je vous assure.

La chaleur de sa peau le confirma.

*

Hilde courut dans le salon sans frapper et prit la parole sans s'incliner.

— Oh, Madame ! Monsieur Egbert est dehors !

— Que voulez-vous dire ?

— Je lui ai parlé.

— Vous en êtes sûre ?

— Certaine !

— Appelez mon mari !

Jacobina voulut chercher une cape, puis elle se ravisa et dévala l'escalier.

Maarten était dans son bureau. Il avait pris depuis peu l'habitude de passer chaque matin trois heures en prières. En entendant tinter sa sonnette, il se leva avec peine. Le trouble de Hilde l'agaça, mais quand il l'écouta, il sentit que la preuve de son salut était enfin venue. Finalement, il comprit la raison de ses récentes souffrances. En le forçant à abdiquer toute vanité, Dieu l'avait préparé à un don plus grand que le regain de la richesse : la fierté d'avoir un fils comme les autres.

Il fonça dans l'escalier et sortit dans la rue.

Piet cherchait mollement son élève depuis une petite heure, et ce fut Didier qui lui apprit la prodigieuse nouvelle. Déjà, toute la maison savait... Et ainsi, quand l'enfant tourna le coin du Herengracht, les neuf personnes qui avaient été témoins de ses années d'échec étaient là pour fêter son triomphe.

M. Blok lança la première acclamation, que M. la Chaume reprit à pleins poumons. Maarten Vermeulen-Sickerts se précipita. Il n'avait pas couru depuis de nombreuses années, et heureusement son fils n'était pas loin. Il l'atteignit peu après sa femme, l'enleva dans ses bras et l'étreignit. Puis il fondit en larmes, se moquant éperdument du regard des passants.

Egbert revint chez lui en souriant timidement, mais dans le fond, il avait l'impression d'être un héros. Il dévora, affamé, un énorme petit déjeuner. Quand il eut fini, il fut pris d'une délicieuse lourdeur, bien différente de l'épuisement qui avait succédé à ses périples à travers le hall de sa tante. La tête contre l'épaule de son père, il sombra dans un profond sommeil à la table de la salle à manger.

— Laissez-le dormir aussi longtemps qu'il veut, dit Piet avec l'autorité d'un prophète. Quand il se réveillera, il sera guéri.

*

Egbert dormit vingt-quatre heures d'affilée. À son réveil, son père l'emmena en ville pour lui acheter la moitié d'une boutique de jouets. Ils revinrent de cette expédition d'excellente humeur et dégustèrent un succulent repas. En se levant de table, Maarten passa dans son bureau et fit venir Piet Barol.

— Entrez! s'écria-t-il en se levant d'un bond pour l'embrasser. (Il n'avait pas été aussi enthousiaste depuis la naissance de son fils.) Vous avez réussi ce que je commençais à considérer comme impossible. Comment avez-vous fait?

— Le mérite n'en revient qu'à mon élève, monsieur.

— Ne soyez pas si modeste. Asseyez-vous et racontez-moi tout.

Piet prit une chaise, mais il avait déjà décidé de ne pas trahir la confiance de l'enfant.

— Sa guérison ne demandait que de la patience, de la compassion et... (Pris d'une inspiration soudaine, il ajouta :) Et des prières. (Il inclina la tête.) Elle a bénéficié de l'intervention du Tout-Puissant.

C'était exactement ce qu'il fallait dire. Dans un tiroir de son bureau, Maarten avait placé une large récompense, mais la piété de Piet Barol réclamait une plus belle reconnaissance. Il jeta un regard à la ronde et ses yeux tombèrent sur la statuette du funambule. Il hésita. C'était le joyau de sa collection d'argenterie et sa valeur avait doublé depuis qu'il l'avait acquise, sans parler de la chance qu'elle lui avait apportée pendant vingt ans.

— Mon cher ami... (Il la glissa dans la main de Piet.) Vous m'avez rendu mon fils. J'aimerais que vous acceptiez ceci... et cela. (Il ouvrit le tiroir et en sortit une grosse enveloppe.) Écoutez, si vous désirez travailler pour moi à un poste plus noble, mieux rémunéré que votre charge actuelle, vous n'avez qu'un mot à dire.

Piet s'était attendu à une prime. Il n'avait pas imaginé qu'elle se doublerait d'une proposition de changer de vie. Il regarda l'argent et la figurine. C'était un passeport pour la liberté, le capital qui lui permettrait de faire son chemin... Ce qu'il était venu chercher à Amsterdam... Un emploi chez Maarten l'amènerait à poursuivre l'existence à laquelle il avait déjà goûté – et il restait la question de Jacobina... Il lui sembla que l'occasion se présentait de sortir honorablement de la vie des Vermeulen-Sickerts... Il était prêt à la saisir.

— Je vous remercie de ce don et de votre confiance, Monsieur, finit-il par dire. Mais pour l'instant, je suis très heureux d'être le précepteur d'Egbert. Après, je souhaiterais être mon propre maître.

Maarten lui donna une tape dans le dos.

— Si c'est votre réponse, je n'insisterai pas. Les meilleurs s'établissent à leur compte. Quand le moment viendra, vous partirez faire fortune dans le monde.

— C'est bien mon intention.

— Et elle est admirable. Gardez toujours ce funambule à vos côtés. Il vous protégera.

— Je le conserverai précieusement.

*

Le lendemain était un samedi. Piet prêta une cravate Hermès à Didier, qui possédait déjà un bon costume, et parvint à faire entrer ses grands pieds dans une ancienne paire de chaussures de Maarten. N'étant pas superstitieux, Piet ne comptait pas garder la miniature que lui avait donnée son maître, mais il savait qu'il lui faudrait de l'astuce – et un complice rusé – pour la faire estimer à sa juste valeur.

Ils quittèrent la maison vêtus comme des jeunes gens de bonne famille afin d'en imposer dans les trois grandes boutiques d'argenterie de la ville. Piet, qui avait vu beaucoup d'étudiants de Leyde liquider leurs affaires, savait qu'il ne devait pas passer pour un homme aux abois. Il ignorait totalement ce que valait la miniature et décida de ne pas se laisser tenter par les propositions des deux premiers marchands, si alléchantes soient-elles. Ce qui lui permit de plastronner avec conviction devant le troisième.

Se présentant comme le cousin de Didier, il dit que son ami n'avait que faire de la figurine, reçue en cadeau de son père. Le marchand lui promit une discrétion totale.

— J'attendrai, naturellement, un certain laps de temps avant de la proposer à mes clients, dit ce monsieur, auquel Piet finit par la vendre. Et je ne la mettrai pas en vitrine. Il ne faudrait surtout pas froisser votre oncle.

— Non, bien sûr, fit Didier en fronçant les sourcils. Car mon père, je le crains, en serait mécontent...

— Et il est inquiétant quand il est mécontent, ajouta Piet.

Le marchand sourit. Il avait acheté la miniature un assez bon prix, ce qui n'était pas du tout dans ses habitudes, mais il aurait pu en offrir davantage. Il dénigra donc son acquisition pour faire croire aux jeunes gens qu'ils avaient fait une bonne affaire.

— Vous pouvez être tranquilles, mes bons messieurs. Cette miniature a beau être charmante et finie à la main, elle a été faite au moule. Il en existe d'autres... Même si le hasard voulait que votre père la voie, glissa-t-il à Didier, il ne pourrait pas la reconnaître.

Les jeunes gens quittèrent la boutique, bras dessus bras dessous. Didier était ravi de l'effronterie de Piet et fier de marcher à ses côtés. De plus, il se flattait de n'être pas jaloux de sa chance, car il l'aimait assez pour s'en réjouir.

— Que feras-tu de tout cet argent ?

— J'irai à New York sur un bateau splendide. Et pas dans l'entrepont...

Jouer les nantis lui avait donné des ailes, il s'imaginait déjà un brillant avenir. Il n'avait pas l'intention de dormir à la dure, parmi la foule des émigrants.

Le prenant par l'épaule pour lui montrer qu'il n'était pas contrarié par sa bonne fortune, Didier ébouriffa les cheveux de son ami.

— Pourquoi quitter la Hollande ? On a tout pour être heureux ici.

— Il n'y a rien d'audacieux à rester au pays et je rêve d'aventure. Si tu m'accompagnes pour acheter mon billet, on pourra fêter ça par un bon dîner bien arrosé. C'est moi qui régale.

Didier avait renoncé depuis longtemps à l'espoir d'une soirée d'ivresse avec Piet. Voir soudain s'accomplir ce rêve lui donna l'impression que c'était son jour de chance à lui aussi.

— C'est le moins que tu puisses faire, sacré veinard! dit-il d'un ton bourru, en feignant de le pousser dans le caniveau.

*

Ils allèrent aux bureaux des Lignes de la Loire, un bâtiment raffiné sur le Damrak. Quand ils passèrent sous les deux L entrelacés au fronton de la porte, le gardien s'inclina si bas que Piet n'osa pas s'approcher du guichet de la troisième classe. Son hésitation confirma la première impression du portier qui, pressant une sonnette discrète, fit venir un agent déférent. L'employé, Karel Huysman, escorta Piet et Didier dans un bureau privé.

— Puis-je vous demander votre destination, messieurs? dit-il en s'asseyant sous une toile représentant le navire l'*Eugénie*.

Ce tableau rappela à Piet l'ami suffisant de Constance, qui ne voulait voyager que sur ce bateau.

— Je penche pour New York, dit-il d'une voix languide, en reprenant le rôle qu'il avait servi aux marchands d'argenterie. Je partirai seul, mais j'exige de faire la traversée sur l'*Eugénie*.

Il prenait grand plaisir à affecter les préjugés d'un aristocrate. Il décida de bluffer aussi longtemps que cela l'amuserait et d'acheter son billet ailleurs.

Le visage de l'agent s'assombrit.

— Un choix très judicieux, à mon avis... Mais l'*Eugénie* est complet en première classe pour les quatre prochaines années. Néanmoins...

— Je tiens à voyager sur ce navire.

M. Huysman hocha la tête.

— Comme je vous comprends... Seulement, beaucoup d'Américains réservent leur suite préférée à chaque traversée, pour pouvoir la garder à leur disposition en permanence. C'est leur droit, naturellement, mais fort incommode pour les autres... (Il baissa les yeux sur un registre.) Hélas, la classe touriste est aussi pleine jusqu'à la mi-1909.

— Peu importe, dit Piet en se levant. On m'a dit que le *Mauretania* de la Cunard était très confortable...

Là, il avait piqué la combativité de M. Huysman.

— Certes, mais vous vous rendrez compte que les bateaux de cette compagnie sont très en dessous des nôtres... Je ne me pardonnerais pas que vous fassiez une traversée incommode. Peut-être puis-je vous suggérer une autre solution ? dit-il, sentant chez son client le goût de l'aventure. Ferez-vous un voyage d'affaires ou d'agrément ?

— D'agrément, bien sûr.

— J'ai une couchette en classe touriste. Juste une, dans une cabine pour deux. Départ, le 10 janvier.

— Mon cousin ne voyage qu'en première classe, fit Didier, se levant à son tour.

— Je n'en doute pas... (M. Huysman sourit.) Toutefois, sur l'*Eugénie*, la classe touriste est bien supérieure aux premières classes des autres navires. De plus, cette traversée sera un événement que vous pourrez raconter à vos petits-enfants : l'inauguration de notre ligne en Afrique du Sud, ajouta-t-il en baissant la voix. Une escale est prévue à Sainte-Hélène. Peu de gens peuvent se vanter de l'avoir jamais vue... Un bal y sera donné au profit des orphelins. On en parlera pendant des années mais, malheureusement,

tous les billets sont déjà vendus depuis longtemps.
(Il sourit.) Pourriez-vous envisager d'aller à Cape
Town? C'est une ville riche de plaisirs et d'occasions
pour un esprit entreprenant.

— Mon cousin ne..., répéta Didier.

— Je dois également préciser, poursuivit M. Huysman, que bien que la traversée dure dix-sept jours,
elle coûte à peine plus que le voyage à New York. (Il
désigna un chiffre sur une liste qu'il fit glisser vers
Piet.) Un très bon compromis entre la qualité et le
prix...

*

La somme était si astronomique que Piet se sentit
grisé à l'idée de la verser, car il en était capable pour
la première fois de sa vie. Ses vagues projets de
voyage à New York miroitèrent un instant... et s'évanouirent très vite. Il était sûr de réussir où qu'il aille.
De plus, l'Afrique était bon marché et la vie ne pouvait qu'être agréable dans un pays regorgeant de
main-d'œuvre indigène. Cingler vers son avenir sur
un bateau aussi luxueux que l'*Eugénie* lui parut extrêmement bien choisi. Avec ses économies et la somme
que lui avait donnée Maarten, il pourrait s'offrir un
aller simple et avoir encore suffisamment d'argent
pour entamer sa nouvelle vie. Pas autant qu'il l'avait
escompté, mais la guerre des Boers était terminée et
le calme à présent rétabli dans ce pays. Là-bas, des
hommes avaient des fortunes en or et en diamants.
Il était sûr de pouvoir s'arroger une partie de ces
trésors.

Voyant briller les yeux de son client, M. Huysman poussa son avantage.

— Chaque cabine de la classe touriste a l'eau chaude, douce et salée, glissa-t-il, et des robinets plaqués argent. La cuisine est de l'ordre de celle des meilleurs restaurants parisiens.

— Puis-je parler en privé à mon cousin? intervint Didier.

— Bien sûr, monsieur.

Dès que l'agent se fut retiré, Didier souffla :

— Tu vas y mettre presque tout ce que tu as...

— Cape Town sera moins cher que New York. Je n'ai pas besoin de grand-chose.

— Mais d'un peu quand même. Tu as eu un coup de chance. Ce n'est pas la même chose qu'être riche.

Mais Piet se voyait déjà sur le pont, choyé par les stewards...

— J'aurai assez pour m'en sortir les premiers mois. Et surtout, pour notre dîner de ce soir. Là-bas, je trouverai bien un moyen de prospérer. Imagine, dix-sept jours de traversée! Qui sait qui je rencontrerai...

— Ne sois pas ridicule...

Mais ça ne fit que renforcer sa résolution. Avec le plaisir de pouvoir crâner devant un ami, il rappela l'agent, paya la cabine sur-le-champ et sortit au crépuscule, conscient d'avoir fait un pari avec la fortune, et sûr de le gagner.

*

Ils allèrent au Karseboom, une taverne fréquentée par une foule bruyante. Quand il se fraya un passage vers le bar, Didier saisit l'occasion de se coller à Piet, joue contre joue, pour mieux se faire entendre. Cette intimité, ajoutée à la fierté d'être le premier à connaître ses projets, rendit la perspective de son départ moins déchirante.

— Quand vas-tu le dire à ton père ? cria-t-il quand leurs bières arrivèrent.

— À Noël. Ça ne lui fera ni chaud ni froid.

— Tu ne vas pas lui manquer ?

— Il n'est pas sentimental.

— Mes parents seraient malades si je partais à l'autre bout du monde.

Piet songea au chaleureux M. Loubat et, pour la première fois de la journée, une pointe de tristesse entacha son triomphe.

— Mon père n'est pas comme ça. Allons jouer au billard, dit-il pour chasser cette idée.

Ce jeu était pris au sérieux au Karseboom. Piet et Didier s'imposèrent rapidement à l'une des nombreuses tables, une place qu'on ne tarda pas à leur disputer. Mais leur défense commune était si brillante que les clients firent cercle autour d'eux. Didier jouait avec indifférence, mais la présence de Piet, stimulé par deux ou trois verres, leur portait chance. Les femmes prenaient parti pour les deux beaux «cousins», leurs bravos les poussant à accepter des paris toujours plus gros, qu'ils gagnaient comme s'ils affirmaient un droit naturel. À onze heures, ils s'interrompirent pour souper, riches de pièces par poignées et d'une flasque en étain donnée par un perdant désargenté. Ils invitèrent à dîner deux des spectatrices les plus hardies. Ces dames leur firent comprendre, en mangeant du bœuf et des huîtres, qu'elles étaient prêtes à baisser considérablement leurs prix pour le plaisir de les divertir toute la nuit.

Celle qui flattait la cuisse de Didier s'appelait Greetje.

— Deux valent mieux qu'une, et quatre mieux que deux..., souffla-t-elle, en frôlant son oreille de ses lèvres.

Elle venait de subir une série de quinquagénaires puants et ne voulait pas laisser passer l'occasion de s'offrir aux deux jeunes gens. Ni sa collègue Klara qui, au même instant, glissait un doigt sous la ceinture de Piet.

L'idée de se retrouver nu, abandonné dans les bras de ces femmes avec son ami, poussa Didier à faire quelques calculs... Excepté sa Chartreuse, il ne s'autorisait pas beaucoup de luxes. Sa part des gains lui servirait à de nombreux usages, mais il n'aurait jamais une occasion pareille. Il songea aux détails pratiques.

— Vous avez une chambre?

— À deux pas d'ici.

— Je vais en parler à mon camarade.

Mais Piet refusa. Il avait une sainte horreur des maladies vénériennes, depuis qu'il avait vu les pustules de certaines de ses relations universitaires, et il pouvait imaginer que beaucoup hommes l'avaient précédé dans le lit de Klara, en payant quelquefois de façon douteuse pour cet honneur. Quand la fille agrippa vulgairement la chair tendre de ses fesses, il fut pris d'un désir soudain pour la chaste et noble Jacobina.

Ils n'avaient plus eu de contacts depuis le jour où il avait porté son élève dans la rue. Tous les deux avaient reculé devant l'indécence de cette idée. Mais à présent, il avait guéri son fils. En honorant la dette de sa conscience envers Maarten, il avait montré à sa maîtresse qu'elle n'avait pas de raison de le punir. Il était un peu choqué que Didier ait envie de s'ébattre avec des femmes vénales, et lui dit sévèrement qu'un homme comme lui n'avait pas à payer pour son plaisir.

Didier se consola en prenant cela pour un compliment. Ils rentrèrent dans l'air froid de la nuit, se tenant par l'épaule, chancelant sous l'effet de l'alcool. Didier, qui dépassait son ami d'une tête, n'était pas très à l'aise, mais ni l'un ni l'autre ne lâcha prise. Quand ils tournèrent le coin du Leidesgracht, Piet s'arrêta. Les étoiles scintillaient dans le ciel et les maisons se reflétaient dans les eaux du canal. Il n'y avait personne alentour.

— Je regrette de laisser tout cela, dit-il d'un air songeur. Et de te quitter aussi, bien sûr.

Que se passerait-il si je l'embrassais là? se demanda Didier. Mais il n'osa pas. Piet n'avait jamais montré de penchant pour les garçons, et pourtant... *Il a son bras posé sur moi, en pleine nuit, dans un cadre romantique...* Didier avait couché avec des hommes rencontrés dans des circonstances bien plus frustes. Pour tâter le terrain, il dit, s'affaissant contre lui :

— Je suis si soûl que je peux à peine tenir debout.

Il savait que quelques pas plus loin, le pont enjambait un petit quai situé à l'abri des regards indiscrets. C'était un endroit où il allait seul ; il ne renfermait pas de souvenirs illicites.

— On peut s'asseoir là, quelque part...

Il chancela, attirant son ami derrière lui.

207

Ils empruntèrent les marches glissantes et s'assirent sur la veste de Didier, en laissant pendre leurs jambes au-dessus du canal. Leurs genoux se cognèrent, mais la descente avait mis fin à leur étreinte. Piet ouvrit la flasque en étain qu'ils avaient gagnée, qui contenait un assez bon cognac. Quand ils se la passèrent en évoquant leurs exploits chez les marchands, leurs doigts se touchèrent. Ils se félicitèrent, trouvant que c'était merveilleux d'être adulte. Didier observait le profil de Piet, pour mieux le fixer dans sa mémoire.

— Je parie que ces poules nous regrettent, dit-il. Comment va ta dame mariée ?

— Partie en voyage.

— Elle doit te manquer...

— À un point inimaginable.

Ils se turent, chacun plongé dans des pensées lascives. Didier rompit le silence :

— Combien d'épouses as-tu séduites ?

— C'est la deuxième.

— Qui était la première ?

En entendant l'histoire de la mezzo-soprano, Didier feignit de n'être pas impressionné et conta à son tour des anecdotes – de plus en plus lubriques –, en inversant toujours le sexe de ses conquêtes. Ainsi s'instaura entre eux une ambiance de franchise paillarde. Didier adopta un langage plus cru et caressa l'idée d'entraîner Piet dans une lutte amicale, ce qui lui permettrait à nouveau de le toucher.

— Je devrais te fouetter pour me laisser à la merci de Blok, grogna-t-il, préparant le terrain pour une provocation.

Mais Piet s'était levé et ne l'entendit pas. Il recula

dans les ombres du pont. Didier hésita, mais un sixième sens lui souffla de ne pas le suivre. Le silence dura si longtemps qu'il se mit à douter, mais le bruit d'un jet d'urine lui confirma que ce n'était pas une invitation. Lorsque Piet revint, il était plus pâle.

— Tu regrettes le cognac ?

— Un peu...

Didier réfléchit. Il serait plus facile de l'empoigner par jeu en rentrant le long du canal, mais ici, le clair de lune offrirait aussi des occasions. Il opta pour la délicatesse.

— Tu vas être malade si tu te lèves trop vite. Reste un peu.

Piet obéit. À voir la manière dont il s'assit, il était bien plus soûl que Didier, lequel reprit courage. Nina Barol avait aimé jouer avec les cheveux de son fils. Quand Didier y passa les doigts – calmement, sans nervosité –, Piet ne résista pas. Il n'avait rien contre les démonstrations d'affection. Bien des fois, il avait passé des moments allongé dans les bras d'un autre garçon, profitant souvent des penchants de certains camarades qui ne demandaient qu'à soulager ses premiers émois. Mais ce soir, ses pensées étaient loin de tout ça. Pendant que Didier caressait ses boucles brunes, il s'imagina Jacobina vêtue d'un fin jupon et il lui tarda d'être au matin. Finalement, il se leva, repoussant la main de son ami.

— Viens. J'ai sommeil...

Ils rentrèrent côte à côte, sans se toucher. Didier fit entrer Piet dans la cuisine et, quand il eut fermé la porte à clé, il se baissa pour lui dénouer ses lacets. Il le poussa contre le fourneau puis, en levant ses pieds, retira ses chaussures.

— Elles vont crisser sur le carrelage. (Il murmura à son oreille :) Si on réveille la sorcière, elle nous changera en pierre.

— Faut... pas la réveiller...

— Bien sûr que non.

— J'voudrais...

— Un peu d'aide pour te mettre au lit.

— Non... Du gâteau aux pommes. Celui de la sorcière...

Didier lui prit la main et le tira vers l'escalier.

— Monte avant de casser quoi que ce soit. Je vais t'en apporter.

*

Lorsque Blok se prépara pour la nuit dans les combles de la maison, il sut d'instinct que les jeunes gens étaient sortis ensemble. Cette idée vint rôder à la lisière de sa conscience, en formant une boule d'amertume. Ce n'était pas la première fois qu'il était tenu à l'écart. Pendant qu'il se brossait les dents, il redevint l'enfant qu'il avait été jadis, forcé par ses camarades à jouer seul dans les bois. Les cinquante ans qui s'étaient écoulés depuis n'avaient pas rendu cette douleur plus supportable – ils l'avaient juste durcie et changée en rage.

Il entra dans sa chambre et referma la porte, en résistant à un désir violent. Inexprimé, inassouvi, dont il se repentait sincèrement – mais capable de l'emporter sur sa raison. Il hésita avant d'ôter sa robe de chambre. Il était sûr que les garçons ne rentreraient pas avant des heures. Une voix diabolique lui souffla de profiter de leur absence : peut-être cette occasion ne se reproduirait-elle pas avant des mois. Mais il ne bougea pas, en proie à l'éternel conflit entre la vertu et le désir. Il finit par céder, sortit dans le couloir et ouvrit la porte de Didier.

Il se rappelait très bien la première fois qu'il avait aperçu le jeune homme : Didier servait des pâtisseries à la terrasse de l'hôtel Amstel, légèrement incliné vers les clients, son pantalon épousant la courbe de son cul parfait. Blok l'avait affecté aussitôt au service de la maison et il l'avait formé lui-même. Depuis lors, il avait vu deux fois ses fesses drapées dans une serviette. Un jour, en se glissant jusqu'à sa porte, en frappant et ouvrant aussitôt, il l'avait surpris dans le plus simple appareil. Il entra dans la chambre du jeune homme et enfouit son nez dans son oreiller. Le linge avait beau être régulièrement changé, c'était indéniablement *sa* taie. C'était là que reposait sa joue... et il y trouva un fin cheveu blond.

Blok le mit dans sa poche et commença à se toucher. L'espace d'un instant, il redevint jeune, vigoureux, en train de faire la noce avec les deux garçons. Cette vision l'enhardit. Il reposa l'oreiller et fouilla dans le sac de linge sale, là où les odeurs étaient plus fortes et moins convenables. Puis il passa dans la chambre de Piet, mais découvrit avec irritation que ses draps étaient propres et ne gardaient aucune trace de lui. Son sac de linge était vide. Tout ce que Blok avait, c'était le souvenir du jour où il avait sommé Piet d'aller dans le bureau de leur maître et du soir où, en faisant irruption dans sa chambre, il l'avait trouvé à demi nu.

Il rapporta ces images dans son lit, ouvrant la boîte de Pandore où il renfermait d'autres trésors coupables : des visions fugitives d'un pied ou d'un bras galbé... le renflement d'un muscle juvénile sous une chemise amidonnée... Il commença à transpirer en activant sa main et à craindre la fin alors qu'elle approchait. Elle fut annoncée par une giclée de liquide poisseux et aussitôt, le dégoût habituel l'envahit. Son excitation refroidit, pétrifiée par la honte. Il songea aux interdits de saint Paul et du Lévitique – ils le hantaient et il faisait de son mieux pour les observer, mais chaque fois il échouait. Il avait l'habitude d'avoir horreur de lui mais ce soir-là, son dégoût, se mêlant à la douleur de l'abandon, se coagula en un bloc de haine.

Il resta allongé dans le noir, comme il l'avait fait de nombreux soirs en écoutant les jeunes gens rire dans la salle de bains. Avec une cruauté délibérée, il commença à se torturer en les imaginant, peut-être avec des femmes, sûrement ivres et heureux... Ces visions étaient si réelles que lorsqu'il entendit craquer une lame de parquet, il crut aussi avoir rêvé ce bruit. Mais non. Piet montait l'escalier. Mais où était Didier ? Blok chercha son mouchoir dans les ténèbres, sécha ses doigts gluants et alluma la lumière. Les tourments de la soirée exigeaient de s'exprimer, et leur seul exutoire était la vengeance. Il était sûr que Didier commettait un acte répréhensible – avec un peu de chance, une faute si grave que le châtiment serait sans appel. Blok ne lui devait rien. S'il ne pouvait pas le posséder, il ne le protégerait pas.

Quand il se fut lavé les mains, il se coiffa avec soin, remit de l'ordre dans sa tenue et descendit l'escalier. Il surprit Didier dans la cuisine, volant deux tranches de gâteau aux pommes, et il le renvoya séance tenante.

— Vous pouvez rester cette nuit parce qu'il est déjà tard, dit-il avec une froideur magistrale. Mais je ne tolère pas le vol. Soyez parti avant midi.

Dès que le jeune homme eut gravi l'escalier en trébuchant, s'étant vu refuser ses excuses, Blok s'assit à la table de la cuisine, dévora les deux tranches et se sentit mieux.

*

Didier alla droit à la chambre de Piet, trop excité pour se soucier beaucoup de son avenir. Piet était allongé sur son lit, bouche ouverte, profondément endormi. Sa chemise et son pantalon gisaient sur le sol. La lumière de la lune éclairait son profil, ombrant les reliefs de son corps puissant. Il ronflait légèrement, s'agitant dans ses rêves. Une forte envie de l'embrasser s'empara de Didier, mais là encore, il résista.

Il s'assit sur le lit, soudain très las. Piet marmonna dans son sommeil et se tourna sur le côté, les jambes repliées. Didier prit cela pour une invitation, comme si Piet sentait à moitié sa présence et lui faisait de la place. Il ôta sa chemise et s'étendit près de lui, appuyant son épaule contre son dos nu. Il perçut la chaleur de son corps et l'odeur de cigare dans ses cheveux, découvrit le bouton sur sa nuque – l'imperfection qui le rendait parfait. Sur ce, bien que l'aube commençât à pointer, il sombra dans un sommeil profond et régulier.

*

La sonnerie de la cloche, appelant la maisonnée à partir au temple, s'infiltra dans les rêves de Piet comme un fracas de cymbales. Comme il ne buvait pas souvent, il n'avait pas l'habitude des lendemains d'ivresse. Il était assoiffé, mais il n'eut pas la force d'aller chercher de l'eau. Il ouvrit les yeux. Impossible d'aller à l'office... Il les referma, mais entendit frapper et sa porte s'ouvrit.

— Courage, mon pote ! lança Didier, qui s'était levé tôt pour prendre un dernier bain et préparer sa malle. Désormais, tu auras mon eau chaude à toi tout seul. Je viens juste te dire au revoir.

— Au revoir ?

— Blok m'a surpris cette nuit à faucher du gâteau. Je dois m'en aller avant que tout le monde soit rentré du temple.

Piet se redressa.

— Répète... moins vite.

Didier s'exécuta. Une fois qu'il eut compris ce qui s'était passé, Piet s'écroula sur les oreillers.

— Mme Vermeulen-Sickerts me fait confiance. Je vais arranger ça.

— Tu as un sacré toupet...

— C'est juste un bout de gâteau. Elle le comprendra.

— Elle ne peut pas revenir sur un ordre de son majordome. Ça ne marche pas comme ça.

Piet se leva et passa son pantalon.

— Je vais m'en occuper. Ne t'inquiète pas.

— En fait, je n'ai pas très envie d'être ici après ton départ. Seul dans les griffes de Blok. Obtiens-moi une recommandation si tu as tellement d'influence...

— Ça, ça sera facile. (Mais Piet n'avait pas la conscience tranquille, estimant que Didier ne devait pas être le seul à payer pour le gâteau volé.) Tu es sûr de ne pas vouloir rester ?

— Pas si tu t'en vas.

— Très bien.

Il passa devant lui, marcha jusqu'au bureau et ouvrit la boîte en fer qu'il y avait placée. Là, il prit dix billets dans la petite liasse qui lui restait.

— J'ai toujours gagné plus que toi, mais je ne le mérite pas. Prends ta part et tous nos gains d'hier.

— Je ne peux pas.

— Bien sûr que si.

— Non.

Piet feignit de ranger l'argent, mais au dernier moment, il prit les bras de Didier, les plaqua derrière son dos, et glissa les billets de force dans la poche de son pantalon.

— Et voilà. Bonne chance. Je suis sûr qu'on se reverra.

*

Piet dormit encore quatre heures et, quand il reprit progressivement conscience, Jacobina lui apparut, lointaine, mais accessible. Il se réveilla dans l'idée qu'il ne devait pas traîner et se tira du lit. Tandis qu'il s'habillait, il arriva presque à se convaincre que Maarten lui *devait* toute licence de faire jouir sa femme.

Il avait sauvé son fils, après tout.

Le silence dominical régnait dans la maison. Il gagna le salon privé de Jacobina et la trouva dans son fauteuil, près de la fenêtre donnant sur le canal. Sur ses genoux reposait un livre, ouvert à la même page depuis une demi-heure.

— Bonjour, monsieur Barol, dit-elle avec froideur.

— Bonjour, Mevrouw.

— Vous avez manqué l'office.

— J'étais un peu souffrant. J'ai fait mes dévotions en privé.

— Je pense que vous allez mieux, à présent ?

— Oui, je vous remercie. Je suis venu vous parler de Didier Loubat.

Jacobina se raidit.

— Pas de clémence pour les voleurs. Je n'aurais jamais cru cela de lui.

— C'est moi qui lui ai demandé de prendre ce gâteau. J'ignorais que c'était interdit.

— Vous l'avez réveillé en pleine nuit pour ça ?

— Non, Mevrouw. Nous rentrions d'une sortie ensemble.

Les frères aînés de Jacobina avaient été jadis de joyeux buveurs et elle les avait souvent entendus se défendre devant leurs parents. Elle appréciait que les garçons se tiennent les coudes.

— Pourquoi n'est-il pas venu l'expliquer lui-même ?

— Il ne voulait pas vous placer dans la position gênante d'avoir à contester un ordre de M. Blok.

— Je vois...

— C'est un garçon intègre. Je viens vous demander de lui donner les références qu'il mérite.

Jacobina ne voulut pas satisfaire trop facilement sa requête.

— Je vais consulter mon mari. C'est lui qui, là-dessus, aura le dernier mot.

216

— Merci, Mevrouw.

— Autre chose ?

— Je voudrais vous donner mon congé.

— Puis-je vous demander pourquoi ?

— À présent que M. Egbert est rétabli, il doit aller à l'école. Il n'aura plus besoin d'un précepteur après Noël.

— Bien au contraire, monsieur Barol. Votre aide lui sera précieuse pour rattraper le temps perdu.

— Il est très en avance sur ses pairs dans tout ce que je pourrais lui apprendre.

— Et s'il rechute ?

— Cela n'arrivera pas. Mais soyez ferme avec lui si jamais il perd pied.

Jacobina, qui n'avait pas l'habitude de supplier les domestiques, ne chercha pas à le retenir. Mais elle s'était imaginé qu'elle aurait le temps d'apaiser sa conscience pour pouvoir jouir à nouveau de sa présence. Savoir que cela ne serait pas la rendit acerbe.

— N'avez-vous pas été heureux chez nous, monsieur Barol ?

— J'ai été honoré de servir votre famille... (Piet hésita.) Et surtout vous. Je n'ai jamais eu d'emploi plus gratifiant.

— Vous avez fait du bon travail.

— Peut-être pourrais-je vous rendre un petit service avant mon départ ?

Jacobina sonna.

— Demain après-midi à trois heures, dit-elle d'un ton détaché. J'ai quelques lettres que vous pourrez m'aider à écrire.

— Avec plaisir.

217

Lorsque Piet s'inclina et sortit, Jacobina ordonna à Hilde de lui apporter son chocolat, critiqua la composition du plateau et le choix de la porcelaine, et lui jeta que si elle ne lui donnait pas mieux satisfaction, elle devrait se séparer d'elle.

Sur quoi, elle se rassit et écrivit d'excellentes références à Didier Loubat.

*

Près de vingt-quatre heures séparèrent cette brève conversation du rendez-vous qu'avait fixé Jacobina. Piet passa ces heures sur des charbons ardents. Didier n'était plus là pour l'aider à tuer le temps et ces longues semaines sans toucher une femme rendaient l'attente insupportable. L'incertitude s'accrut le lendemain matin, lorsque son maître proposa une visite à Willemshoven, afin qu'Egbert voie pour la première fois son domaine. L'enfant accepta, tout excité. Constance se montra également enthousiaste, mais Jacobina déclara qu'elle avait trop à faire pour aller folâtrer à la campagne. Elle portait sa robe vert pomme et baissa les yeux sur son assiette quand Piet déclina la proposition à son tour, sous prétexte que ce devait être une sortie en famille. Louisa refusa elle aussi, parce qu'elle en voulait à son père et tenait à le lui faire bien comprendre.

— Nous passerons une nuit à l'auberge du village et rentrerons demain, annonça joyeusement Maarten.

— N'hésitez pas à en passer deux si cela vous chante..., répondit sa femme.

Pendant une grande partie de la journée de la veille, et toute la matinée, elle avait été longtemps partagée entre son inclination et sa conscience. Elle avait finalement décidé de maintenir son rendez-vous avec Piet Barol. Restait à savoir ce qu'elle lui demanderait.

La petite troupe partit après le déjeuner. En agitant la main pour lui dire au revoir, Jacobina parvint à un compromis qu'elle trouva acceptable et gravit l'escalier jusqu'à la chambre de sa tante, craintive, mais exaltée. Elle *verrait* Piet Barol nu – mais ce serait leur dernière entrevue. Jamais plus elle ne commettrait une telle vilenie, ni avec lui ni avec un autre.

Il frappa dix minutes plus tard, ayant eu le bon goût de revêtir le même costume qu'il avait eu sur lui à leur première rencontre. Il ne portait rien qui ait appartenu à son époux.

— Bonjour, monsieur Barol.

— Bonjour, Mevrouw Vermeulen-Sickerts.

Au pied du lit se trouvait un tapis rond, qui avait servi de décor à certains rêves débridés auxquels Jacobina voulait maintenant donner réalité.

— Placez-vous, s'il vous plaît, au centre de ce cercle et ôtez votre veste, dit-elle.

Piet obéit.

— Et votre gilet.

À nouveau, il s'exécuta.

— Votre cravate, je vous prie.

Elle lui parlait exactement sur le même ton dont elle avait usé ce matin-là envers Hilde, pour lui rappeler comment ranger ses robes.

— Votre chemise.

Là, il comprit ses intentions. Il y avait longtemps qu'il voulait lui montrer son corps, mais ses mains tremblèrent quand elles défirent ses boutons.

— Vous pouvez la laisser tomber à vos pieds.

Il le fit.

— À présent, vos chaussures et vos chaussettes.

Il s'inclina devant elle et se déchaussa.

— Votre pantalon, enchaîna Jacobina.

Il l'enleva aussi. Il put voir son reflet dans la psyché à l'angle de la pièce : son corps pâle et musclé, les poils noirs frisottant sur sa poitrine, se resserrant sur son estomac et s'épaississant au niveau de ses sous-vêtements, qui cachaient difficilement leur contenu. Il était fier de son pénis, qui avait déjà éveillé des commentaires admiratifs. Et la voix sèche, indifférente, avec laquelle Jacobina dit «Vous pouvez ôter votre caleçon» combla les dernières exigences de son ego.

Il obéit. Le spectacle de son corps nu dépassa largement les espérances de Jacobina. Elle s'était imaginé bien des fois cette scène, mais n'avait jamais continué au-delà de son apogée. Voyant que Piet était prêt à satisfaire de nouveaux désirs, elle fut prise de l'envie de le toucher. Cela n'entrait pas dans le marché qu'elle avait passé avec sa conscience, mais après être allée aussi loin, elle ne put résister. *Je ne le referai jamais*, se dit-elle, et elle décida d'agir à son gré.

Mais où devait-elle le toucher? Par où commencer?

Elle fit deux fois le tour du tapis, détaillant son anatomie. Elle opta pour ses omoplates et les caressa. Il en eut la chair de poule. Elle tourna à nouveau autour de lui. Il sentait son pénis vibrer au rythme de son pouls. Elle posa une main au creux de ses reins, l'autre au milieu de son torse, sur le coussin de boucles noires entre ses pectoraux. Son corps était merveilleusement solide et chaud. Elle l'enlaça par le cou et se pencha en arrière, contemplant ses tendons qui se crispaient pour supporter son poids. Piet frissonna, mais il n'avait pas froid. Quand elle eut palpé ses cuisses, ses mollets et la ferme rondeur de ses avant-bras, l'idée de manier son pénis commença à la fasciner. Elle se plaça en face de Piet. Son membre pointait droit vers elle, jaillissant d'un buisson de poils. Elle y posa l'index, ce qui causa un spasme violent. Il sourit. Alors, elle regarda son visage, et l'excitation du jeune homme l'enhardit. Elle saisit son sexe et le pressa.

*

Ce geste envoya une instruction dans le cerveau de Piet qu'aucun effort de la pensée ne pouvait maîtriser. Brusquement, ses paupières se fermèrent. Ses genoux se dérobèrent. Ses glandes, n'en pouvant plus, lâchèrent leur contenu avec autorité. Mais l'hébétude de l'orgasme ne dura pas longtemps. Quand il ouvrit les yeux, il trouva le devant de la robe de sa maîtresse copieusement maculé. Il était consterné d'avoir perdu son sang-froid comme un collégien. Un instant, il eut envie de pleurer.

— Pardonnez-moi, Mevrouw...

Jacobina était tout aussi horrifiée, mais en même temps, d'autres émotions l'agitaient. La débâcle de Piet lui inspira une tendresse inopinée. Elle ne pouvait lui en vouloir de trouver sa présence trop excitante. Elle n'avait pas non plus l'intention de le quitter avant d'avoir elle-même obtenu le soulagement que le corps de Piet avait soudainement réclamé. Sa robe était perdue, mais la présence de ce divin jeune homme, si délectablement intimidé, l'emporta sur la honte. Un génie audacieux se posa sur son épaule. Cédant à ce qu'il lui soufflait, elle tourna le dos à Piet et dit :

— Dégrafez mes boutons, monsieur Barol.

Piet remit son caleçon et il s'exécuta. Les boutons de Jacobina étaient minuscules et couverts d'une soie glissante – au nombre de vingt-sept, entre son cou et sa tournure, et ses grandes mains les manipulèrent avec maladresse. Il ne savait à quoi s'attendre. Il n'imaginait certes pas que Jacobina, après avoir ôté sa robe, lui ordonnerait de délacer son corset, de baisser son jupon et, seulement vêtue de ses bas de soie, gagnerait la méridienne et s'y allongerait dans la position qu'elle avait si souvent prise tout habillée. Mais elle fit tout cela. Il la suivit docilement et s'agenouilla à ses pieds.

Cet après-midi-là, il n'y eut pas de démangeaisons importunes. Jacobina ne put réprimer un feulement de plaisir. Elle se redressa sur les coudes, pour mieux le contempler.

— Je ne vous ai pas demandé de vous rhabiller.

— Non, Mevrouw.

Il ôta son caleçon, révélant un redressement énergique dont la rapidité était plus que flatteuse. Jacobina arqua le dos et poussa son sexe vers son visage, rapprochant des deux mains la tête bouclée de Piet.

La sensation fut électrisante. Son pénis se raidit. Il avait souvent rêvé de posséder cette femme hautaine, encore belle, et sentit que c'était un jour de licence sans précédent. Il la regarda, elle aussi... ni l'un ni l'autre ne détourna les yeux. Il se redressa, approcha son visage du sien. Il lut de la hardiesse dans ses prunelles, ce qui le décida. Il écarta les jambes de sa maîtresse, se leva, puis il plongea son sexe en elle.

Il était bien plus gros que celui de Maarten.
Jacobina poussa un cri. Quelle impudence ! Mais
elle avait trop souvent imaginé ce geste pour résister
sincèrement au dernier moment. La pièce commença
à tanguer. Piet se ruait en elle sans ménagement.
C'était prodigieux, mais il tremblait si fort qu'elle
craignit qu'il ne perde à nouveau le contrôle de lui-
même.

— *Lentement*, monsieur Barol.

Piet obtempéra. Quand il trouva son rythme et le
garda, Jacobina ferma les yeux. Jamais de sa vie elle
n'avait connu une telle sensation, et plus la jouissance
se prolongeait, plus elle s'enrichissait. Le plaisir était
si dévorant qu'il abolit toute idée de péché. Elle flotta
vers le ciel jusqu'à ce qu'elle pût voir les muscles du
dos de Piet, son corps qu'il chevauchait, la méridienne, la chambre, la demeure et la ville, les champs
autour de la maison de son enfance, les veines bleues
des seins de sa nourrice et la naissance de ses enfants.
En s'élevant ainsi au-dessus de sa vie, elle se sentit
libre – d'autant plus que son fils l'était maintenant
aussi, qu'elle n'avait plus à s'en vouloir de ses souffrances, et que le jeune homme qui l'avait sauvée la
portait vers cette sereine annihilation du moi.

Impulsivement, elle l'embrassa.

Là, plus rien ne compta. Ils se perdirent l'un dans
l'autre, s'empoignant, s'élançant et s'embrassant. Un
délire effréné s'empara d'eux, qui les souleva, les
caressa et les aiguillonna. L'orgasme de Jacobina
déferla par vagues, la projetant dans la tempête, pour
mieux la rattraper sur une brise légère. Bien plus tard,
elle sentit le jaillissement de la semence de Piet, les
soubresauts d'agonie qui agitaient son corps, préfigu-

223

rant sa mort en cet instant de vie intense. Ils se cramponnèrent l'un à l'autre, deux créatures humaines, nues dans un parfait état d'innocence – inconscientes de leur nudité et de tout le reste.

*

Puis ce fut fini. Avec la dissipation du plaisir revinrent les dangers de la réalité. Jacobina fut la première à reprendre ses esprits, en repoussant le corps de Piet.

Il se leva aussitôt et s'habilla.

Alors, Jacobina se vit dans la psyché, nue et en nage. Elle ne chercha pas à s'examiner. Accablée par les aspects pratiques de la situation, elle se leva et rassembla son linge en désordre. Comment faire pour regagner sa chambre ? Sa robe n'était pas mettable. Elle voulut demander à Piet d'aller en chercher une propre, mais si on le surprenait à fouiller son armoire ? Chez elle, elle ne pouvait se fier à personne.

Se détournant de lui, elle ouvrit la penderie de sa tante et choisit une robe d'après-midi mauve. Elle était passée de mode et bien trop grande pour elle, mais dotée d'une ceinture et devrait faire l'affaire. Elle fourra sa robe tachée dans un tiroir et mit celle de sa tante.

— Mes boutons, s'il vous plaît, monsieur Barol, dit-elle en lui tournant le dos.

Pendant qu'il les fixait, elle retrouva son sang-froid. Elle ne s'était pas regardée dans le miroir, craignant d'y déceler des signes de vieillissement. Mais ils n'avaient pas semblé compter pour son jeune esclave, ce qui les lui rend encore plus négligeables. Quand il eut fini, elle se recoiffa et gagna la porte.

— Merci, dit-elle, puis elle descendit l'escalier d'un pas raide, sans jeter un regard derrière elle.

*

Après le départ de Jacobina, Piet s'écroula dans un fauteuil et ferma les yeux. Quelle journée! La vie l'avait comblé. Il était venu chez les Vermeulen-Sickerts bien décidé à vivre dans l'opulence – et avait réussi. Il avait espéré gagner assez d'argent pour prendre un nouveau départ. Ce désir-là aussi, en moins d'un an, il l'avait accompli. Il avait guéri le petit garçon qu'on lui avait confié et même porté sa mère au sommet de l'orgasme. Dans le tiroir de sa commode se trouvait un billet pour une traversée à bord du plus luxueux bateau du monde, et une belle somme d'argent. En songeant à tout cela, il se sentit paisiblement et pleinement content de lui.

Il sommeilla quelques minutes, puis fit bouffer les coussins de la méridienne et jeta un coup d'œil au miroir pour voir s'il était présentable. Rassuré sur sa mise, il sortit de la chambre. Ayant fermé la porte, il plaça la clé dans son vase et descendit au rez-de-chaussée.

Louisa était dans l'entrée du 605, Herengracht.

— Avez-vous vu ma mère?

— Pas depuis le déjeuner.

— Elle arpente la maison dans une vieille robe affreuse.

Piet sourit.

— Vous devriez peut-être l'aider à s'habiller...

— Cela dépasse mes compétences.

— Vous avez un goût exquis.

Mais elle n'écouta pas ce joli compliment et demanda soudain :

— Quelle est cette odeur de fleurs fanées ?

Piet se mordit la langue.

— Je n'en ai aucune idée, répondit-il, puis il monta pour se laver.

*

En apprenant le départ imminent de Piet Barol, Maarten fut enchanté par l'énergie du jeune homme. Il se dit que sa femme pourrait lui en vouloir de lui avoir donné les moyens de partir si vite – mais elle se montra, début décembre, d'une patience d'ange. Jacobina était aussi prévenante, tendre et amusante que pendant leur première année de mariage. C'était merveilleux... À l'approche de Noël, Maarten se sentit profondément paisible. Ses hôtels de Londres et Francfort avaient rouvert triomphalement et la suite présidentielle du Plaza était réservée jusqu'en juin 1908. Ses dettes restaient lourdes, mais il était à nouveau capable de les acquitter sans souci. À présent que Dieu était clairement de son côté, il ne doutait pas de son aptitude à rembourser le capital dans les délais prescrits.

L'étonnante guérison de son fils lui donnait l'impression d'être comme Abraham : un homme soumis à rude épreuve, mais amplement récompensé. La joie de montrer à Egbert les propriétés qui seraient un jour les siennes lui donnait le vertige. Être doté d'une femme attentionnée, de deux filles charmantes,

d'une collection inaltérée et d'un chef aussi doué que
M. la Chaume, contribuait aussi à son bonheur. Il
avait conscience que Louisa était fâchée contre lui,
mais ne répondait pas à ses provocations. À chaque
affront ou marque de froideur, il répondait avec
humour – le meilleur remède, pensait-il, contre les
caprices de sa fille. Il se mortifiait tous les matins en
priant à genoux pendant trois heures, et se relevait
avec la calme assurance de compter parmi les élus.
Pour la première fois de sa vie, il était sûr de son salut.
Piet était épanoui, lui aussi. Egbert sortait si souvent avec son père qu'il avait beaucoup de temps
libre. L'arrivée de trois bonnes de l'Amstel en renfort
pour Noël lui permit de demander des choses pour
lesquelles il n'aurait jamais dérangé Agneta Hemels.
Leur acceptation de son autorité lui montra combien
il avait appris des Vermeulen-Sickerts, ce qui tendit
à le rendre sentimental. Il termina ses dessins des
meubles les plus exquis et les montra à Maarten. Il
chanta pour ses invités, patina avec ses filles et leurs
amis sur le lac du Vondelpark, et prit plaisir à l'attachement enthousiaste d'Egbert. Il le promena dans la
maison avec une affection croissante, lui apprenant
à apprécier les trésors qui lui reviendraient dans
l'avenir.

Par un accord tacite, ni lui ni Jacobina ne firent
allusion à leurs incartades, et ne tentèrent jamais de
les réitérer. Ils étaient rassasiés l'un de l'autre et ne
voulaient pas courir le risque que la répétition nuise
aux perfections de leur dernière étreinte.

*

Le départ de Piet fut fixé au 20 décembre. Il passerait les vacances avec son père à Leyde et embarquerait en janvier pour Cape Town. À sa grande satisfaction, Maarten proposa un dîner d'adieu et Constance se plongea dans son organisation. Cet après-midi-là, Piet, assis sur le palier du premier étage, dessinait les statues sous le dôme quand Louisa Vermeulen-Sickerts vint s'asseoir près de lui.

— Il devrait y en avoir quatre, bien sûr, observat-elle.

— Quatre quoi ?

— Statues. Pâris est là, au centre, mais il n'y a que deux déesses au lieu de trois. Le mythe dit qu'Aphrodite, Athéna *et* Héra se sont disputé la pomme d'or.

— Une concurrence fatale...

Louisa ne bougeait pas. De nature nerveuse, elle avait tendance à jouer avec ses doigts.

— Il l'a donnée à Aphrodite, parce qu'elle lui avait promis l'amour d'Hélène de Troie. Il aurait mieux fait de prendre les richesses que lui offrait Héra, ou bien la sagesse d'Athéna.

— Je ne vous savais pas aussi versée dans les humanités.

— Il y a beaucoup de choses que vous ignorez à mon sujet, monsieur Barol. (Louisa s'était promis de le regarder dans les yeux mais, le moment venu, elle n'en eut pas la force.) Nous perdrons aussi notre Pâris à votre départ.

— Moi ?

— Bien sûr. Le seul jeune homme dans une maison de femmes. (Elle sourit.) Ça cadre parfaitement, n'estce pas ? Constance est la plus jolie. Aphrodite, si vous voulez... Moi, je suis la plus sage, comme Athéna.

— Et Hilde est Héra, la reine des dieux ?

— Pas Hilde. Maman.

— C'est absurde...

Elle rit, et il vit qu'elle n'avait aucune idée de la vérité qu'elle avait été bien près de découvrir.

— Il est clair qu'elle a de l'affection pour vous. Tout le monde en a. Mais c'est Athéna qui aidait les héros. Ne l'oubliez pas.

Depuis sa discussion avec son père, Louisa Vermeulen-Sickerts avait longtemps cherché un moyen de quitter sa famille sans la détruire. Elle aimait trop ses parents pour le faire d'une manière qui pût les humilier ou les blesser. Elle ne pouvait pas se sauver, s'enfuir avec un homme pour l'épouser, ni supporter l'idée de s'unir pour la vie avec un des jeunes gens qu'elle croisait dans les bals de la bonne société. De plus, elle savait que pour s'émanciper, il lui faudrait quitter Amsterdam.

Elle avait mis un certain temps à comprendre que la solution à son problème était juste devant elle. Elle ne détestait pas Piet Barol. Elle le trouvait sans scrupules, mais admirait sa duplicité plus qu'elle ne l'avait dit à Constance. C'était un homme capable d'infléchir le cours des choses et le fait qu'ils n'étaient pas amoureux l'un de l'autre devait être un atout. Elle avait trop l'expérience des aventures chaotiques de sa sœur pour croire à la longévité de l'amour. Il serait plus sage de se fier au sens de l'intérêt qui, chez Piet, ne la décevrait jamais.

Elle lui prit la main.

— Laissez-moi vous accompagner à Cape Town.

— Quoi ?

— Épousez-moi.

Le séducteur

— Que...

— Je vous en prie... Je ne peux pas m'épanouir dans cette maison. Il faut que je m'évade.

— Qui cherchez-vous à fuir ?

— Ma famille, bien que je l'aime beaucoup. Laissez-moi venir avec vous. Je ne vous pèserai pas.

La surprise de Piet était si sincère qu'il ne put la cacher. Il ôta sa main de la sienne, craignant qu'on ne les voie.

— Ce n'est pas une proposition très romantique, je vous l'accorde, dit Louisa, consciente qu'une demande en mariage sans amour pourrait froisser un homme si vaniteux, mais elle ne pouvait mentir. Vous ne m'aimez pas, et c'est réciproque. Mais beaucoup d'unions réussissent sans cette base fragile. Nous sommes tous les deux intelligents et ambitieux, et nous nous trouvons drôles. Ensemble, nous ferions un couple brillant...

— Vous me faites un grand honneur, mais...

— Je ne peux pas m'enfuir. Cela ferait trop souffrir mes parents. Mais rester ici, vivre à jamais cette vie frivole me serait une torture. Mon père dit qu'une femme doit s'accomplir en aidant son mari dans sa carrière. Je suis capable de plus, mais c'est un bon début. (En le voyant sceptique, elle promit avec témérité :) Ça me serait égal que vous preniez une maîtresse. Je n'ai pas de goût pour les enfants, mais je vous en donnerais un si vous le souhaitiez. Vous... Je... J'ai une dot considérable. Vous pourriez la garder en totalité.

Cette dernière concession était une maladresse.

— Je ne saurais l'envisager, dit Piet avec dignité. (Puis, plus gentiment, il ajouta, voyant que cette offre lui coûtait :) C'est sans espoir, Louisa. (C'était la première fois qu'il l'appelait par son prénom.) Votre père ne le permettrait jamais. Je ne suis pas de votre milieu.

— Lui non plus, autrefois. Il vous aime beaucoup, Piet. Vous êtes le seul homme pour qui il me laisserait partir à l'autre bout du monde.

— Et Constance?

— Elle se débrouillera. Les ennuis de papa l'ont ébranlée. Elle m'a dit qu'elle voudrait être mariée à Pâques.

Il y eut un silence dans le couloir désert. Piet fronça les sourcils, pour lui faire croire qu'il réfléchissait sérieusement à son offre insensée. En vérité, elle était loin de le tenter. Il ne pourrait jamais épouser une des filles de Jacobina, même si ce devait être un mariage platonique. De plus, aucune fortune ne valait la peine de passer toute sa vie en butte au jugement muet de Louisa Vermeulen-Sickerts.

— Je vous en prie..., dit-elle humblement.

— Je ne peux pas. Ce ne serait pas bien. Vous trouverez un autre moyen de gagner votre indépendance. Je sais que vous y arriverez. Pardonnez-moi.

*

Avoir voulu se vendre était une chose. S'être vue repousser était autrement plus vexant. Louisa, qui rougissait rarement, devint écarlate. Elle se leva. Elle voulut dire à Piet quelque chose de cinglant, mais craignit que la voix ne lui manque. Alors, elle le salua et descendit dans l'entrée. Mais dehors, il neigeait et l'idée de revenir sur ses pas pour chercher une cape lui fut intolérable – de même que celle de croiser sa sœur ou ses parents.

Elle traversa la salle à manger pour passer dans la maison de sa tante. Egbert jouait du piano. Elle voulut entrer dans la bibliothèque, mais la porte était fermée à clé. Elle monta l'escalier. Les pièces de l'étage aussi étaient inaccessibles. Elle tenta d'ouvrir toutes les portes, secouant leurs poignées comme si seule la force pouvait les faire céder.

Quelqu'un vient bien nettoyer ces pièces, se dit-elle. *Il y a sûrement un moyen d'y entrer.* Elle se mit à chercher partout où l'on pouvait cacher une clé, soulevant chaque bibelot avec une irritation croissante. Finalement, elle prit le vase posé sur la tablette du radiateur et l'agita. Une clé en tomba. Elle l'essaya sur chaque porte et enfin, l'une s'ouvrit. C'était celle de la chambre de sa tante.

Louisa était un peu intimidée par sa grand-tante Agaat. Celle-ci avait beau être à des centaines de kilomètres, elle hésita avant de violer son intimité. Agaat n'aimait pas les enfants et elle n'avait pas changé d'attitude quand ses petites-nièces étaient devenues adultes. Si Louisa avait été dans son état normal, elle n'aurait pas envisagé de pénétrer chez elle sans permission. Mais aujourd'hui n'était pas un jour comme les autres. Elle franchit la porte et s'enferma dans la chambre.

Là, tous ses sentiments l'accablèrent. Elle se jeta sur la méridienne et sanglota. Elle était effrayée et furieuse. Constance allait bientôt se marier et avoir sa propre maison, tandis qu'elle resterait auprès de ses parents jusqu'à ce qu'elle accepte la main d'un jeune homme poli et parte s'installer à deux rues d'ici. Le manque d'enthousiasme de sa sœur à l'idée de gagner sa vie avait été le premier signe d'une divergence irréparable. Louisa n'avait cessé de l'aimer de tout son cœur, mais avait moins de respect pour elle. Pour la première fois, elle se sentait tout à fait seule. S'ajoutait à cela la gêne de s'être vue refuser par Piet Barol. Lui qui s'était donné tant de mal pour l'*amadouer* ! C'était vraiment cruel d'être éconduite par un homme qu'elle avait traité avec hauteur et dont la bonté lui avait toujours paru artificielle. *J'imagine qu'il est content de lui*, se dit-elle, *ce prétentieux, ce bêcheur...* Elle se jeta par terre et frappa le tapis de ses petits poings, en imitant confusément les crises de rage de son enfance. Il lui fallut une demi-heure pour évacuer sa douleur. Finalement, elle se redressa.

— Je vivrai ma vie comme je l'entends ! s'écria-t-elle.

Elle ignorait comment elle pourrait accomplir cet exploit, qu'aucune de ses amies ne semblait avoir ne fût-ce qu'envisagé. Mais elle ne faillirait pas à sa promesse. Elle sécha ses yeux, se leva... et là, son pied buta sur un objet dans les fibres du tapis.

C'était un petit bouton couvert de soie vert pomme.

*

Trois heures plus tard, Piet s'habilla d'excellente humeur. Il revêtit l'habit qu'il avait porté à l'anniversaire de Constance et refit sept fois son nœud papillon pour arriver à la perfection. La vapeur du bain lui avait rosi les joues et ses cheveux brillaient sous la gomina. Quand il ouvrit sa porte, il trouva Egbert qui l'attendait.

L'enfant tenait un petit écrin de velours. Dedans se trouvaient des boutons de manchettes en onyx et en or, qu'il venait offrir à son maître. Il avait passé tout l'après-midi à imaginer ce qu'il allait dire, mais là, son éloquence l'abandonna.

— S'il vous plaît, ne partez pas, monsieur Barol...
Il lui tendit l'écrin.

Piet l'ouvrit et lut la carte qu'il renfermait. Jacobina avait écrit : *De la part de toute la famille, pour vous souhaiter bonne chance.*

— Mon cher Egbert, dit-il en se baissant vers lui, vous êtes prêt pour mon départ. Vous avez vaincu vos ennemis pour de bon.

— Et s'ils revenaient ?

— Si jamais ils osent, il faudra les défier sur-le-champ. C'est le seul moyen de les briser. C'est vous qui l'avez découvert. Vous ne vous rappelez pas ?

— C'était nous deux ensemble.

— J'ai été honoré de collaborer avec vous. Serrez-moi la main, d'homme à homme.

L'enfant s'exécuta, avec une poigne étonnamment ferme. Il était au bord des larmes, mais parvint à les retenir. D'une petite voix brave, il dit :

— Vous voulez bien m'apprendre encore une chose avant de partir ?

— Avec plaisir. Quoi donc ?

— À patiner avec mes sœurs.

— Bien sûr. Nous irons demain, à la première heure.

*

Après avoir orchestré le renvoi de Didier, Blok se sentait mieux disposé envers les beaux jeunes gens.

— Vous êtes magnifique, dit-il en croisant Piet dans l'escalier. J'ose dire, monsieur Barol, que vous manquerez autant à l'entresol qu'au reste de la maison.

Piet serra la main du majordome.

— Ça a été un honneur de vous voir à l'œuvre, monsieur Blok. J'espère avoir moi-même un jour du personnel, et je m'efforcerai de lui imprimer l'excellence de vos principes.

Blok avait si longtemps travaillé pour un maître habitué à un service sans faille que ses qualités étaient rarement louées. Il en fut touché.

— Tout homme aurait de la chance d'avoir une place dans votre maisonnée, monsieur Barol, dit-il en s'écartant pour le laisser passer.

Piet trouva Constance devant la salle de réception, mais elle lui défendit d'y entrer.

— Vous devrez attendre un peu. Il y a une surprise pour vous à l'intérieur. On prendra l'apéritif en bas, ce soir.

La surprise était une malle de voyage Louis Vuitton, qui venait d'arriver de Paris. Que Constance ait résisté à l'envie de la garder pour elle révélait l'étendue de son affection pour lui. Ils descendirent l'escalier et passèrent dans le salon octogonal qui, garni de lauriers-roses, avait été transformé en boudoir.

Constance avait invité à dîner les deux plus charmants célibataires de son cercle et comptait profiter de la soirée pour faire une habile démonstration de ses talents d'hôtesse. Piet lui fit des compliments sur la décoration, qu'elle accusa d'un hochement de tête.

Maarten les attendait et versa lui-même le champagne.

— Tu es superbe, ma chérie! dit-il en embrassant sa fille. Vous ne trouverez pas une telle beauté dans les colonies, monsieur Barol.

— J'en suis certain, Monsieur.

Jacobina fit son entrée, dans une robe de soie améthyste. Délaissant les soins de Hilde, elle avait fait appel à un coiffeur professionnel, dont les talents l'avaient mise de très bonne humeur. Elle était contente d'être à son avantage pour le départ de Piet – contente, aussi, qu'il s'en aille enfin. Il n'y aurait plus de précepteurs, plus de rendez-vous dans la maison voisine, plus d'émois illégitimes quand elle dormait avec Maarten, le corps encore frémissant des caresses d'un autre. Elle embrassa le jeune homme sur la joue et lui dit combien tous regrettaient de le voir partir.

Il était sept heures cinq. Les invités allaient venir dans moins d'une demi-heure.

— Mais où diable est Louisa? lança Maarten en regardant sa montre. Constance, va la chercher.

— Elle doit être en train de s'habiller, papa.

— Eh bien, dis-lui de se dépêcher.

La jeune fille s'en alla et, quand elle revint, Piet s'aperçut qu'elle était contrariée.

— Elle est souffrante, papa. Elle nous demande de l'excuser. Elle vous transmet ses compliments, monsieur Barol.

— Souffrante? Ce matin, elle était en pleine forme.

Maarten avait bu deux flûtes de champagne, et l'absence de Louisa entama la gaieté qu'elles avaient libérée.

— Il vaudrait mieux la laisser tranquille...

— Sottises... Ramène-la.

Elle est gênée de se retrouver en ma présence, songea Piet. L'idée n'était pas entièrement désagréable. Il pensa à toutes les méchancetés qu'elle avait dites sur son compte, au jour où elle avait tenté de le désarçonner sur le cheval de sa mère... Avoir refusé de l'épouser, et avec gentillesse, était splendide.

— Monsieur, je vous en prie... Si elle n'est pas bien...

— Conciliant comme toujours, monsieur Barol. Mais je ne tolérerai pas les bouderies. Constance, ordonne-lui de descendre.

Cette fois, elle s'absenta plus longtemps, et Maarten but une autre flûte de champagne. À nouveau, elle revint sans Louisa.

— Vraiment, papa, elle a de la fièvre... Elle devrait prendre un bol de soupe et aller se coucher...

— Elle était *parfaitement* bien ce matin. N'est-ce pas, ma chérie ? Je crois, monsieur Barol, dit-il sans attendre la réponse de sa femme, que ma fille m'en veut et choisit d'afficher son dépit en cette belle soirée. Je ne le tolérerai pas.

Il gagna le pied de l'escalier et hurla son nom.

Louisa arriva quelques minutes plus tard, vêtue d'une robe de moine en cachemire, au capuchon rabattu sur sa tête.

— Qu'est-ce que c'est que ça ?

— Que quoi ?

— Nos invités vont arriver d'un moment à l'autre. Ce n'est pas une tenue pour les recevoir.

— Tu ne m'as pas demandé de m'habiller. Tu as juste crié mon nom si fort que j'ai cru que tu avais une attaque.

Il y avait longtemps que personne ne s'était montré aussi insolent envers Maarten Vermeulen-Sickerts. Cela le mit en rage.

— Monte te changer tout de suite.

Louisa brûlait de désobéir à son père, mais une éducation ferme et scrupuleuse l'en empêcha.

La voyant hésiter, Piet ne put résister à l'envie d'être magnanime.

— Monsieur, ne soyez pas sévère à cause de moi. Si Mlle Vermeulen-Sickerts désire...

— Très bien, papa, coupa Louisa, pour ne pas lui devoir quoi que ce soit.

Elle tourna les talons et quitta la pièce, en se méprisant avec colère.

Sur ce, on sonna à la porte et les premiers invités furent annoncés. Parmi eux, au grand soulagement de Constance, se trouvait son amie Myrthe Janssen (bientôt Van Sigelen), sur qui on pouvait toujours compter pour vous dérider. Bientôt, des rires et des éclats de voix résonnèrent dans la pièce, et la famille retrouva sa spontanéité.

Louisa redescendit, le visage fermé, et on passa à table. Sur une nappe damassée trônait la porcelaine de Sèvres qu'avait choisie Maarten. Piet était assis juste en face de Van Sigelen. Cela l'amusa de voir que ce jeune égoïste ne pouvait concevoir qu'on puisse se donner tant de peine pour un domestique. Il n'en apprécia que mieux le saumon sauce Valois, cuit dans un beurre de homard et présenté sur un lit de coquilles d'huîtres. Quand on servit le pigeon à la bordelaise, il mentionna en passant qu'il allait bientôt s'embarquer sur l'*Eugénie*.

— Je me suis souvenu de vos vives recommandations...

— Je suppose que même l'entrepont y est plus confortable que sur les autres navires.

Myrthe baissa les yeux sur son assiette. Son fiancé commençait déjà à lui déplaire, sa méchanceté lui donnant quelques inquiétudes pour l'avenir.

— Aller à New York est si palpitant! dit-elle d'un ton léger.

— En fait, je vais à Cape Town, mademoiselle. Le bateau y fait un voyage exceptionnel.

— Mais je sais tout cela! (Myrthe lança son fameux rire joyeux.) Les parents de Frederik en seront aussi, n'est-ce pas, mon chéri?

— Je crois qu'ils ont été invités. Albert Verignan, qui possède la ligne, est un ami intime. Mais mon père ne peut quitter si longtemps Amsterdam.

— Oh, monsieur Barol, comme vous allez vous amuser! On m'a dit qu'il y aurait un bal costumé à Sainte-Hélène.

— Seulement pour les passagers de première classe..., dit Van Sigelen en tapotant son verre, qu'un valet s'inclina pour remplir.

— Mes moyens ne vont pas jusque-là. (Piet sourit.) Mais j'ai eu la chance d'avoir la dernière couchette en classe touriste.

Lisant l'avertissement dans les yeux de Myrthe, Frederik s'abstint de lui demander comment il avait pu se l'offrir.

— Je suis sûr qu'elle vaudra chaque sou que vous l'avez payée.

— Si ce n'est pas le cas, je vous le reprocherai.

*

En se levant de table après le dernier plat, Constance murmura :

— Rejoins-nous vite, papa...

C'est ainsi qu'après une première tournée de porto, tous les hommes se pressèrent à l'étage. Là, dans le grand salon, Piet se vit offrir sa malle. Il fit un discours de remerciement plein d'esprit, auquel Maarten répondit :

— Une dernière chanson au piano, monsieur Barol ?

— Quelque chose d'amusant ! lança un des jeunes gens, qui s'était glissé sur le divan près de Constance.

— Un chant d'adieu, suggéra Myrthe Janssen.

Piet s'inclina.

— Alors, celui de Figaro à Chérubin, dans *Le Mariage*.

Il l'attaqua gaiement. Tout le monde connaissait l'air et beaucoup battirent la mesure.

«Tu n'iras plus, papillon amoureux, flâner nuit et jour, autour des belles dont tu troubles le repos...»

Ces paroles lui allaient à merveille, lui qui avait conquis Jacobina, résisté à Constance et reçu de Louisa une demande en mariage.

Sa prestation lui valut des applaudissements nourris et de nombreux rappels. Il refusa avec modestie, mais se laissa finalement convaincre.

— Il y a eu un immense succès à Rome voilà quelques années. Si vous voulez une scène d'adieu, je n'en connais pas de plus émouvante. Un homme, dans sa cellule, attend d'être exécuté et voici la lettre qu'il écrit à sa maîtresse, une beauté éblouissante nommée Tosca.

Il joua quelques notes avec un sentiment d'invincibilité et, aussitôt, l'atmosphère changea. L'assistance fut saisie d'un chagrin noble et magnifique. «Ô doux baisers, ô langoureuses caresses...», chanta Piet. L'espace d'un instant, dans la pièce bondée, ses yeux croisèrent ceux de Jacobina et ils se dirent adieu.

*

Louisa les vit. Elle cilla – puis regarda une nouvelle fois. À présent, Piet se concentrait sur le piano et sa mère se tournait vers une amie, comme si rien ne s'était passé... La jeune fille prit la tasse de café que lui tendait Hilde et tenta de s'absorber dans ses propres problèmes. Mais soudain, certains faits s'associèrent dans son esprit : une robe étrange, une odeur âcre, un bouton vert tombé sur un tapis...

Elle ne dit rien lorsque les invités prirent peu à peu congé, mais ne se joignit pas à ses parents, à sa sœur et à Piet qui les raccompagnaient au rez-de-chaussée. Dès qu'elle fut seule, elle courut au dressing de sa mère et ouvrit ses placards. Jusqu'alors, le petit bouton vert avait été le cadet de ses soucis – mais ce soir, elle avait compris de quelle robe il venait. Si elle était intacte, elle saurait qu'elle s'était trompée.

Mais la robe vert pomme n'était pas dans la penderie. Ni dans le panier à linge ou les vêtements à repriser. Ayant, comme les couturiers, le don des inventaires, Louisa passa en revue toutes les tenues

qu'avait portées sa mère les deux semaines passées.
Tout était là, lavé ou près de l'être, mais pas la robe
verte qu'elle avait mise le jour où son père avait
conduit Egbert à Willemshoven. Louisa se mordit les
lèvres. C'était sûrement celui où elle avait vu sa mère
dans une affreuse robe mauve. Celle-là *était bien*
dans la penderie. Elle l'en sortit. Le vêtement n'était
pas du tout à la taille de Jacobina. En humant les dentelles du col, Louisa sentit l'odeur caractéristique de
grand-tante Agaat. Pourquoi sa mère avait-elle mis
une des robes de sa tante ? Et pourquoi avait-elle
abîmé la sienne dans la chambre de la vieille dame ?

Louisa Vermeulen-Sickerts ne pouvait reconnaître
l'odeur des ébats amoureux. Une fois, pourtant, elle
y avait été confrontée... Elle se rappela alors les
effluves étranges qui émanaient de Piet ce jour-là
dans l'entrée. Elle commença à comprendre également d'autres choses : pourquoi il n'avait pas été renvoyé pour avoir humilié sa famille en portant Egbert
dans la rue sous les yeux des passants... Pourquoi on
lui avait permis de se conduire avec une liberté totale,
comme aucun précepteur avant lui...

En rentrant dans le grand salon, Piet, Constance et
ses parents trouvèrent Louisa livide, debout auprès du
feu. Ils étaient ravis de la soirée. La pâleur de sa fille
inspira des remords à Maarten. Et si elle avait vraiment la fièvre ? Il allait sonner pour qu'on lui apporte
un chocolat chaud quand elle dit :

— Où est ta robe verte, maman ? Celle à la petite
traîne ?

Jacobina s'était longtemps demandé comment se
débarrasser de quinze mètres de laine, ce qui n'était
pas un mince problème dans une maison remplie de

domestiques. Elle avait renoncé à brûler la robe dans la cheminée de sa tante et dans sa propre chambre, par crainte de l'odeur. Elle avait envisagé de la jeter dans le canal, mais si elle flottait ? À la fin, elle s'était glissée la nuit dans la cuisine, pour la fourrer dans la chaudière. Tout cela lui vint à l'esprit pendant que sa fille parlait.

— Dans mon placard, je suppose.

— Non, elle n'y est pas. J'ai vérifié.

— Pourquoi as-tu fait ça ?

— À cause de la manière dont tu regardais M. Barol quand il chantait cet air sur les doux baisers...

— Quelle idée, ma chérie !

— J'ai trouvé un bouton de cette robe dans la chambre de tante Agaat cet après-midi. Qu'as-tu donc fait là-bas ?

— Personne n'y met les pieds, et tu le sais très bien.

— Pourtant, quelqu'un y a été, dans une robe à présent introuvable, dit posément Louisa. Tu l'avais mise le jour où papa a emmené Constance et Egbert à la campagne. Tu es allée chez tante Agaat, vêtue de cette robe, après le déjeuner. Pourquoi es-tu revenue en portant une des siennes ? Et pourquoi M. Barol te suivait-il, en sentant comme... comme... s'il avait fait beaucoup d'exercice ?

Ce dernier détail sonnait juste.

— Louisa ! s'exclama Maarten Vermeulen-Sickerts, mais il regardait Piet.

Il s'attendait à le voir indigné, mais la peur se peignait sur le visage du jeune homme.

— Où est-elle, maman ?

— Je ne sais où se trouve chacun de mes vêtements.

— Tu l'as détruite? A-t-elle été déchirée ou abî-
mée?

Là, Constance se mit en colère.

— Tais-toi donc, Louisa. Tu es ivre?

— Non, Constance. Je suis bouleversée.

— Mais pourquoi?

— Parce que M. Barol a séduit notre mère.

*

Maarten prit les choses en main.

— Allons nous coucher, ma chère, dit-il en offrant
son bras à sa femme. Louisa, tu as trop bu. Demain
matin, tu auras affaire à moi. Toutes mes excuses,
monsieur Barol.

Mais il quitta la pièce sans lui serrer la main.

Jacobina le suivit. Elle savait qu'elle aurait dû protester, mais il est difficile de contester une vérité fermement énoncée par quelqu'un qui vous connaît bien.
Elle monta l'escalier derrière son mari et son silence
confirma à Maarten ce que les yeux de Piet venaient
de lui apprendre. Tous les deux firent semblant d'être
calmes. Jacobina sonna Hilde et ôta ses épingles à
cheveux. Maarten passa dans son dressing et se déshabilla.

Il avait huit ans de plus que sa femme – et un corps
râblé et solide. Il n'accordait pas beaucoup d'attention à son physique et son combat contre la vanité
avait laissé des traces. Ses jambes étaient verdâtres, à
présent presque glabres. Il se tourna pour se voir de
profil. Il était bedonnant. Il songea aux merveilleux

costumes que Jacobina lui avait achetés naguère, et qu'il ne remettrait jamais – des costumes qui pendaient aujourd'hui dans l'armoire de Piet Barol. Il s'assit sur un tabouret, ébahi par la révélation de sa fille, s'attendant à verser dans un accès de rage. Bizarrement, une tout autre émotion l'envahit. À sa grande surprise, et d'abord malgré lui, il commença à voir les choses du point de vue de sa femme... Il n'avait jamais envisagé que son abstinence puisse peser à Jacobina. À présent, il comprenait que ç'avait été inévitable. N'était-elle pas humaine? Elle avait apprécié l'aspect charnel de l'amour dans leurs premières années de mariage. Et si ça lui manquait? Et si Piet l'avait courtisée avec obstination, comme lui-même autrefois, en lui rappelant les attentions qu'il ne lui prodiguait plus? Il passa sa chemise de nuit et sonna. Quand M. Barol arriva, il lui dit quelques mots à voix basse, puis entra dans sa chambre.

Jacobina était déjà couchée. Il y avait vingt-huit ans qu'ils partageaient leur lit et le moment où il l'y rejoignait était souvent pour lui le plus heureux de la journée. Il ne le lui avait jamais dit. Quand il réitéra ce geste familier, avoir dormi à ses côtés pendant dix ans sans jamais l'enlacer ne lui parut plus admirable. C'était un homme intelligent, qui aimait profondément sa femme. Tout à coup, il comprit à quel point cette heure du coucher avait été, durant toutes ces années, blessante pour elle : cette longue série de jours qui s'étaient sempiternellement achevés par un chaste baiser. Il se rappela le soir, bien des années plus tôt, où elle lui avait exprimé son désir – et la manière dont il s'était refusé à elle, fier de sa retenue. Quelle tristesse il avait dû lui causer!

Il se tourna vers elle. Jacobina avait la tête sur l'oreiller, les yeux fermés. Elle avait usé de nombreux moyens pour lui signifier subtilement sa peine. Il le comprit alors et céda au remords. Avoir placé son salut avant le bonheur de celle qu'il avait fait vœu de chérir était abominable. Il se pencha vers elle. Elle sentit sa présence. Elle ne pouvait imaginer ce qu'il allait faire. Elle était partagée entre l'excuse et l'accusation. Que *Louisa* ait su ! Sa fille si intelligente, si réservée... La petite qu'elle avait aidée jadis à vêtir ses poupées. Cela la consternait. Il n'allait quand même pas la frapper ? Enfant, elle avait été plusieurs fois giflée par la gouvernante maussade qui avait succédé à Riejke Vedder. Son corps se crispa. Mais, à sa grande stupeur, suivie par un élan d'amour longtemps réfréné, il ne la frappa pas.

Il l'embrassa dans le cou et lui dit :

— Pardonne-moi...

*

Pour la première fois depuis la naissance de leur fils, Maarten Vermeulen-Sickerts fit courir sa main sous la chemise de nuit de sa femme. Il enfouit son visage dans ses cheveux et la respira. Il connaissait bien son odeur, douce, complexe et rassurante sous son parfum de luxe. Cette dernière l'excita. Il se pressa contre elle et ses doigts remontèrent lentement sur sa cuisse. Il la chatouilla et elle s'écarta.

— *Embrasse-moi là*, murmura-t-elle.

Laborieusement, il changea de place, repoussa sa chemise de nuit jusqu'à la taille et obéit.

Maarten n'avait jamais été aussi assuré au lit que dans les affaires. N'ayant pas assez d'expérience pour se faire confiance, il était un amant inquiet et sommaire. Heureusement, Jacobina n'était plus aussi timide que lui. Elle lui suggéra ce qu'il devait faire et se déplaça jusqu'à ce que sa langue trouve le bon endroit. Il lui fut reconnaissant de le guider. C'était la première fois qu'on lui disait des mots défendus... et son imagination s'enflamma. L'effet de ses caresses sur sa femme l'enhardit. Chaque fois qu'il arrivait au bord de la jouissance, elle s'écartait et le calmait, affirmant son autorité avec adresse.

Jacobina s'était attendue à bien des choses de la part de Maarten, mais pas au repentir. Qu'il admette le rôle qu'il avait joué dans sa faute ranima tout son amour pour lui, car cela témoignait d'un attachement plus profond que ceux prescrits par les serments religieux et toutes les lois humaines. L'idée de parfaire avec lui les leçons qu'elle avait enseignées à Piet Barol, nuit après nuit jusqu'à la fin de leur vie, balaya sa peur de l'avenir. Elle ôta la chemise de nuit de son mari, puis la sienne. Le corps de Maarten n'était pas aussi ferme que celui de Piet, ni sa peau aussi douce – mais c'était *son* corps, *sa* peau, et pour cette seule raison, elle les aimait.

Pendant que Piet remplissait sa malle au grenier, sous les yeux du majordome qui l'empêchait de prendre la moindre chose ayant appartenu à son maître, Maarten Vermeulen-Sickerts se plaça au-dessus de sa femme. Quand elle s'ouvrit à lui, il arriva au bord de la jouissance, mais il se domina. Il commença à s'enfoncer en elle, tendrement, mais avec assurance. Jacobina ouvrit les yeux et sourit.

Si Dieu existe, pensa Maarten, *Il est ici.*

Ils firent l'amour pendant des heures. Ils se caressèrent, s'embrassèrent et explorèrent leurs corps autrefois si intimes dans l'émerveillement de la redécouverte. Ils n'entendirent pas Piet descendre sa malle dans l'escalier ni traverser pour la dernière fois le hall d'entrée. Alors qu'il marchait vers la gare avec sa queue-de-pie, sa malle, ses boutons de manchettes en or et en onyx, les vêtements qu'il portait à son arrivée et deux carnets couverts de dessins méticuleux, ils se perdirent l'un dans l'autre, se pardonnèrent et, tel un phénix renaissant d'un feu lascif, leur amour rejaillit, épuré et régénéré.

Piet était assis depuis trois heures sur le sol froid de la gare, attendant le premier train pour Leyde, quand ils mirent fin à leurs ébats. L'aube pointait. Couchée, joue contre joue, dans les bras de son mari, Jacobina dit :

— Et Louisa?

— Nous irons ce matin voir la couturière, pour lui commander une robe semblable à la première. Nous dirons que l'original est chez les lavandières à la campagne. Quand la neuve sera prête, tu la porteras comme si rien ne s'était passé. Chaque fois que tu le feras, je le verrai comme une proposition de t'offrir à moi.

— Mais je suis à toi, dit-elle en l'embrassant. Je l'ai toujours été. Je suis contente qu'il doive s'en aller.

— Ma chérie, dit Maarten, ce jeune coquin est déjà parti.

L'*Eugénie*

À son arrivée à Leyde, Piet, qui n'espérait pas trouver de réconfort auprès de son père, ne lui confia ni ses fautes ni leur divulgation humiliante. Pendant onze mois, il n'avait guère pensé à lui sinon pour se réjouir d'avoir quitté la maison paternelle. Cette idée lui revint quand ils se serrèrent la main dans le salon rempli de meubles jadis choisis par sa mère, à présent cruellement redisposés. C'était la pièce où avait enseigné Nina, et le cœur de son territoire. Pendant les sept années qui avaient suivi sa mort, son esprit s'en était peu à peu échappé. Aujourd'hui, même s'il y avait toujours les chaises gracieuses et les lampes délicates, il ne restait d'elle que son portrait, accroché au-dessus du piano.

Piet ressemblait trop à ce tableau pour n'être pas reçu avec méfiance par la femme couverte de pellicules qui avait été pendant des années la gouvernante de son père, avant de devenir, il y a peu, sa fiancée. Herman annonça leurs noces prochaines au petit déjeuner, alors que Piet considérait les doigts gercés de Marga sur le service à thé de sa mère. Il leur souhaitait bien du plaisir. Il doutait de jamais revoir son père après s'être embarqué sur l'*Eugénie* et il se sentit mieux à l'idée qu'elle s'occuperait de lui.

En vérité, Marga prenait soin d'Herman avec une passion jalouse et elle se réjouit d'apprendre que son futur beau-fils ne resterait pas longtemps. Son fiancé ne levait pas le petit doigt dans la maison. Elle cuisinait, frottait, astiquait et balayait, et tenait les grands livres où, jadis, Piet avait lui-même dressé les comptes de la perfidie estudiantine. N'ayant pas un physique avenant, elle avait dû réprimer la moitié de sa vie tout l'amour qu'elle pouvait offrir. Piet trouva détestable de la voir le déverser sur son père, qui l'acceptait sans commentaire.

Il les embrassa l'un et l'autre, puis il prit sur le poêle une bouilloire fumante, à laquelle il ajouta de l'eau glacée tirée du puits dans l'arrière-cour. Le baquet en fer-blanc qui servait de baignoire aux Barol se trouvait à sa place coutumière, derrière la porte de la cuisine. Il le porta à l'étage. Comme la cuve n'était pas assez grande pour qu'il puisse s'y tremper entièrement, il se lava aussi vite que possible. Il en avait perdu l'habitude et il avait mis trop d'eau froide.

L'inconfort de ce procédé lui rappela cruellement la gêne de ses jeunes années et son besoin de s'en affranchir. Il se sécha, s'habilla et passa dans la chambre qui avait été celle de ses parents. Nina, qui restait souvent au lit tard dans la matinée, en avait rapporté le matelas de Paris. C'était là qu'elle lui avait inculqué des idées qui étaient totalement contraires à la stricte morale de son père. C'était là aussi qu'elle avait soigné ses maladies d'enfant et lui avait chanté des arias de Mozart et Bizet – les seuls compositeurs, disait-elle, qui comprenaient les femmes.

Nina Michaud avait décidé d'épouser Herman Barol au terme d'une liaison éprouvante, s'imaginant qu'elle pourrait apporter une compagnie distrayante à cet homme constant et dévoué. Sa réserve néerlandaise contrastait merveilleusement avec la séduction brillante des libertins qui l'avaient courtisée à Paris, une ville dont elle avait quitté avec soulagement les plaisirs hasardeux. Il lui avait fallu des mois pour comprendre qu'Herman n'était en rien l'homme qu'elle avait cru aimer, et des années pour accepter qu'elle ne pourrait pas le changer. La désillusion, quand elle vint, fut brutale. Mais elle s'efforça de ne pas le critiquer devant leur fils, ne s'autorisant que les piques les plus discrètes. Ce fut lorsque Piet se mit à l'imiter à l'âge de huit ans pour la faire rire qu'elle comprit qu'il était trop tard. L'enfant avait saisi à la perfection le pas lourd de son père, qu'il copiait quand il marchait vers le pot de chambre. Vu que son mari se soulageait deux ou trois fois par nuit, avec une abondance propre à réveiller un mort, Nina trouvait cette imitation d'une drôlerie étourdissante. Comme lorsque Piet singeait ses ronflements, ses grognements dans son sommeil, et ses sermons austères aux étudiants dévoyés.

Nina avait fait tout son possible pour former son fils à la vie qu'elle avait aperçue, mais qu'elle avait perdue. Avoir échoué si lamentablement dans sa première sortie dans le grand monde donna à Piet d'autant plus honte qu'elle avait fait de nombreux sacrifices pour lui. Il se tint en tremblant dans la chambre de sa mère, dans l'espoir de pouvoir lui faire des aveux et lui demander conseil. Mais là aussi, son esprit s'était évanoui.

*

Noël et la Saint-Sylvestre passèrent très vite. Comme Piet avait été privé de ses beaux habits, il voulut reconstituer sa garde-robe dans les échoppes des prêteurs sur gages. Mais avec les étrennes, seuls les plus démunis n'avaient pu dégager leurs meilleurs costumes et il ne trouva que deux chemises, tachées sous les aisselles.

Plus son départ approchait, plus son dégoût de lui-même augmentait. Il songeait avec étonnement à sa duplicité à Amsterdam, commençant à se détester d'avoir offensé une famille qui ne lui avait témoigné que de la bonté. Egbert pesait horriblement sur sa conscience. Il avait attiré l'enfant dans l'univers des sentiments humains et était devenu son premier ami. L'avoir quitté sans même lui dire au revoir était infâme. Par deux fois, il tenta de lui écrire et renonça seulement parce qu'il ne put rien trouver à dire.

Piet ignorait que le plaisir manifeste que Jacobina donnait à Maarten avait convaincu jusqu'à sa fille cadette qu'elle s'était trompée sur son compte. Il ne savait pas non plus que voir sa mère dans la copie de la robe verte, quatre jours après son départ, avait poussé Louisa à fondre en larmes et à lui avouer sa haine de Piet et les vraies raisons de celle-ci. Elle avait imploré son pardon.

Cette scène fut éprouvante pour Jacobina mais, confrontée à la nécessité, elle n'hésita pas à jouer les hypocrites. Elle fut très sévère envers sa fille, lui

reprochant vertement d'avoir bu en public. Toutefois,
elle acheva :

— N'en parlons plus. Je te pardonne, ma chérie.

Ce disant, elle regarda son mari, et l'amour qu'elle
lut dans ses yeux lui permit de se pardonner aussi.

Aucun des Vermeulen-Sickerts n'oublierait jamais
Piet Barol, mais dès qu'il les quitta, son souvenir
s'espaça dans leur mémoire. C'était lui qui ne pouvait
se libérer d'eux. Leurs ombres le poursuivirent dans
ses rêves, et trois jours après le Nouvel An, sa mère
les rejoignit dans un cauchemar terrible. Il avait tout
partagé avec elle, sauf ses aventures amoureuses. Là,
son fantôme outragé les connaissait et lui dit combien
il l'avait déçue.

Il se réveilla, horrifié. Pris d'une envie de se punir,
il lança son poing contre le mur – dans un élan,
presque de toutes ses forces. La douleur fut étourdissante... mais elle lui fit comprendre qu'il n'avait pas
vraiment voulu se briser la main. Il eut alors l'idée
d'une expiation plus profonde : abdiquer son passé
pour repartir à zéro. Doucement, il dégagea du mur la
pierre branlante derrière laquelle il avait caché ses
trésors d'enfant. Tout ce qui restait dans cette cavité
était un passeport français au nom de «Pierre Barol»,
que Nina lui avait obtenu un jour à Paris et dont son
père ne savait rien. Avec le sentiment de troquer un
nom souillé contre une nouvelle identité, il le glissa
dans sa malle et descendit l'escalier.

*

Le 16 janvier, Piet prit le wagon-lit pour Paris et
arriva par un matin maussade, à l'heure où les lampes

de cuivre brillaient encore sous la vaste verrière de la gare du Nord. Sa malle avait été conçue pour des gens qui pouvaient se permettre les services d'un porteur. En la traînant à travers la foule des élégants au col amidonné, il commença à la détester.

Le train qui assurait la correspondance avec le bateau du Havre partait le lendemain. N'ayant pas réussi à faire ses adieux à sa mère dans la maison nettoyée à fond par Marga Folker, Piet était arrivé avec un jour d'avance malgré le prix des hôtels parisiens. Nina l'avait emmené une fois à Paris neuf ans auparavant, quand il avait quinze ans et elle trente-cinq – soi-disant pour rendre visite à une tante et assister à l'enterrement d'une autre. En fait, Nina avait espéré quitter son mari et s'échapper avec son fils en France. Il lui avait fallu des années pour trouver le courage de former ce projet et d'en accomplir la première étape. Mais tante Maude avait mis vingt minutes à le réduire à néant en estimant – elle en était certaine – qu'Herman la poursuivrait pour lui prendre l'enfant et le lui arracher à jamais.

Finalement, Nina n'avait pas osé. À la place, elle avait dépensé seize ans d'économies en cinq jours d'hédonisme, avant de rentrer à Leyde dans un esprit rebelle. Elle était descendue avec Piet dans une pension modeste de la rue des Martyrs, en dessous du dôme de marbre éblouissant du Sacré-Cœur. Nina avait choisi Montmartre pour que son fils puisse voir les dangers de la vie de bohème, et imaginer les horreurs de la Commune en contemplant la basilique bâtie pour les expier. Ils étaient allés aux obsèques de tante Henriette et avaient passé une journée en visites

Le séducteur

de famille. À part ça, ils étaient entièrement seuls, ne songeant qu'à eux-mêmes comme des amoureux.

Nina avait choisi trois restaurants. Le premier était une arrière-salle garnie de bancs en bois et de caisses de homards, livrés de Normandie par le frère du patron. Là, elle apprit à Piet comment boire du chablis en déjeunant de fruits de mer avec une jolie femme (elle-même, coiffée d'un adorable chapeau neuf), sans s'étourdir ni se rendre malade. Le deuxième, elle le choisit pour son lapin, qui était l'esprit même d'un repas campagnard. Le dernier était un établissement plus chic proche du Palais-Royal, où ils savourèrent des timbales de sole fourrées aux truffes.

Ce repas coûta si cher qu'il ne leur resta rien pour l'opéra. Ils traversèrent le Louvre et flânèrent dans les pâles allées des Tuileries, en fredonnant les grands duos de Gounod, Bizet et Halévy. La soirée se prêtait aux compositeurs français, disait Nina. En atteignant la place de la Concorde, ils hésitèrent à l'entrée des Champs-Élysées. Il leur restait deux francs et Nina savait exactement où les dépenser. Elle remonta la rue de la Paix avec son fils, passant devant une parfumerie abritant des senteurs si fortes qu'elles embaumaient au travers des flacons de cristal et des grandes portes closes.

— Tu dois affronter le monde en égal, dit-elle en tirant Piet vers le perron du Ritz, avant de le gravir en lui prenant le bras.

Le portier ne leur posa pas de questions. Ils burent un café au bar et contemplèrent la foule des élégantes. Au bout d'un certain temps, un monsieur à la moustache frisée les invita à une matinée.

— Il me prend pour une demi-mondaine, souffla Nina après avoir décliné son offre. C'est parce qu'il m'a vue faire durer mon café.

— C'est quoi, une demi-mondaine, maman?

— Viens, je vais te montrer.

Ils musardèrent jusqu'à la place de l'opéra et s'arrêtèrent près du perron à l'heure où s'y massait le public du Palais-Garnier. De manière très précise, Nina désigna les grandes courtisanes et les détails subtils, mais éloquents, qui les distinguaient des femmes mariées.

Neuf ans plus tard, Piet passa la soirée à errer dans la Ville lumière, plongé dans les souvenirs de sa mère. À elle, il aurait pu confier les méfaits qu'il avait commis à Amsterdam. Son absence l'obligeait à supporter tout le poids de ses regrets et ils étaient si lourds que le lendemain, il ne devisa avec personne dans le train et se cacha derrière un journal, en proie à un profond sentiment de solitude.

*

Il se réjouit brièvement à la vue de l'*Eugénie*. On ne pouvait se sentir complètement abattu devant ce navire. Le bateau avait une coque noire et une superstructure d'un blanc éblouissant, repeinte pour les tropiques. Une bande écarlate la ceignait, juste au-dessus de la ligne de flottaison. Le paquebot avait cinq cheminées noires bardées de raies couleur vermeil, et sur l'ancre brillaient les L entrelacés des Lignes de la Loire dans une coquille dorée.

Très haut, au-dessus de Piet, par une passerelle privée, les passagers de première classe accédaient au navire. Il put entendre la musique éclatante de leur orchestre. À sa gauche, les longues files qui patientaient pour l'entrepont et la troisième classe semblaient tellement heureuses qu'il ne put se sentir supérieur à elles. Il songea à la somme qu'il avait dépensée pour son billet et s'efforça d'être optimiste. Mais le hall de la classe touriste, au tapis orné de tourbillons criards, l'atterra. De même que la conduite des stewards. Quand l'un d'eux le mena à ses quartiers avec condescendance, les plaisirs auxquels il avait renoncé à Amsterdam lui revinrent douloureusement en mémoire.

— Votre cabine, Monsieur...

Le steward ouvrit la porte, lui tendit un reçu et emporta sa malle.

Dans les bureaux des Lignes de la Loire, Piet n'avait pas songé à demander des précisions sur son emplacement. Là, il vit qu'il s'était montré imprudent. Sa cabine n'avait pas de hublot et il y faisait très chaud. Conçue à l'origine pour les clients de troisième classe, elle avait été aménagée en classe touriste pour répondre au surplus des demandes. Mais son confort superficiel – table de toilette en acajou, linge monogrammé, copie d'un Fragonard – ne pouvait masquer sa proximité avec les moteurs. Chaque fois qu'ils démarraient, elle était violemment secouée.

Piet s'assit sur sa couchette, affligé. Un quart d'heure plus tard, la porte s'ouvrit, livrant passage à un jeune homme trapu, aux joues rouges et aux cheveux blonds lissés en arrière, qui tempêtait avec l'accent anglais.

— Ça n'ira pas. On m'avait promis... Oui, je compte me plaindre au commissaire de bord !

Il serra énergiquement la main de Piet.

— Percy Shabrill. Très honoré. Excusez-moi...

Il repartit pester dans le couloir. Piet espéra que ce garçon bruyant trouverait une autre couchette – mais non. Il revint au moment où sonnaient les cloches de départ, encore plus cramoisi.

— Maudits Français... (Il se jeta sur la deuxième couchette.) Ils nous ont donné la pire cabine de ce fichu bateau. J'espère que vous ne ronflez pas, vieux. Je n'apprécie pas les ronfleurs.

— Moi non plus.

Ensemble, ils montèrent sur le pont-promenade, pour voir le navire quitter le port et prendre la mer. Le vent et les moteurs étouffèrent le quatuor à cordes, mais la voix de Percy portait bien au-dessus du vacarme.

— L'Europe n'est pas près de me revoir. Je n'y reviendrai pas tant qu'on n'aura pas créé de ligne de montgolfières. Je ne suis pas un fanatique de l'océan.

Il partait en Afrique du Sud pour rejoindre son frère à Johannesburg. La foi qu'il plaçait en son avenir fit mesurer à Piet combien il avait perdu confiance en lui depuis le jour où il avait vendu la miniature de Maarten. Peut-être aurait-il dû la garder. Percy se pencha à son oreille.

— Vous voulez savoir comment je vais m'enrichir...

Piet ne lui avait nullement posé une telle question.

— Qu'est-ce qui ne va pas en Afrique ? Dites-le-moi. Il y fait une chaleur terrible et il y a bien trop de nègres qui restent à ne rien faire. Or, je sais comment y remédier. Un de mes copains, un type très malin, a eu une idée sur la réfrigération. Je lui ai acheté ses droits. On peut faire fortune avec ça.

Quand ils revinrent dans leur cabine, il s'étendit longuement sur le sujet.

— On construit un cube en grillage et puis un autre, plus grand, tout autour. On remplit l'intervalle avec du charbon. Par une pompe actionnée par un nègre, on verse de l'eau pendant une demi-heure sur la houille. Lorsque l'eau s'évapore, l'espace dans le plus petit cube se rafraîchit. Assez pour conserver presque toutes les denrées.

Sur quoi, il crayonna cette invention pour Piet. Il n'était pas doué pour le dessin et bientôt, le papier se couvrit de gribouillis et de flèches. Les yeux de Percy brillaient avec la conviction d'un converti.

— Vous voyez ?

Piet acquiesça avec obligeance.

— Ça ne ratera pas, impossible..., déclara Percy.

Ce fut un soulagement pour Piet qu'il concentre tout son intérêt sur lui-même. Deux heures plus tard, quand ils allèrent dîner, il parlait toujours. Leur table, comme leur cabine, était petite et mal située, juste derrière les portes battantes. Les deux autres passagers avec qui ils devaient la partager étaient une Anglaise, Miss Prince, qui partait enseigner dans une école de missionnaires, et une veuve allemande que son deuil récent paraissait avoir rendue très allègre. Les convives bavardèrent en anglais, la seule langue connue par les deux Britanniques. Piet le parlait couramment, et Frau Stettin moins, si bien que le poids de la conversation retomba largement sur lui.

Miss Prince aurait pu lui remonter le moral par un regard malicieux pour le mettre à l'aise, mais en fait, elle semblait très impressionnée par Percy Shabrill.

Piet, assis contre le mur, avait vue sur toute la salle à manger. La pièce n'avait pas, comme en troisième classe, de parquet dénudé. Elle jouissait de tapis et de lumières électriques, mais elle était miteuse, encombrée et, pour quelque raison architecturale, son toit était supporté par de nombreux piliers, ce qui la faisait paraître étroite et étouffante. Les autres passagers étaient vêtus avec la prétention étudiée de la nouvelle classe moyenne. Ils avaient l'air ravis de tout, comme Piet l'aurait peut-être été s'il n'avait jamais rencontré les Vermeulen-Sickerts et ne s'était pas habitué à leur mode de vie.

Mais hélas, si – ce qui le priva de la candeur nécessaire pour goûter les charmes de la médiocrité.

*

D'autres inconvénients ne tardèrent pas à se faire jour. Piet brûlait d'être seul, mais c'était impossible pour un homme logé en cabine double sur l'*Eugénie*. Percy était de constitution fragile et passait une grande partie de la journée au lit. Les quatre cents passagers qui remplissaient la classe touriste envahissaient les salons en permanence – tout comme les ponts, sauf par très mauvais temps. De plus, une convention tacite permettait à chacun de lier conversation à tout moment.

Parmi les nouvelles relations de Piet, Frau Stettin était la moins insupportable, parce qu'elle était naturelle, sincère et toujours d'humeur loquace. Le ton joyeux de ses propos sans queue ni tête le distrayait agréablement des reproches dont il s'accablait – de sorte qu'il s'efforçait de lui demander des nouvelles de ses petits-enfants et de se rappeler leur nom et leur âge, retrouvant quelque peu son ancienne prévenance. Miss Prince, elle, était de nature fantasque. Seule une enfance disciplinée, dans un presbytère du Warwickshire, lui avait permis d'offrir au monde l'apparence d'une femme banale et pondérée. Cette façade ayant été érigée avec art, elle ne disait rien qui puisse retenir l'intérêt de Pict et les repas pris à ses côtés lui semblaient très longs. Il passa même un après-midi à faire mine d'approuver poliment les manuels qu'elle comptait employer pour enseigner l'anglais aux enfants autochtones. Il apparut qu'elle les avait écrits avec son père, qui les avait fait publier à ses frais.

— On aimerait tant aider les Cafres à se rendre *utiles*. En leur for intérieur, c'est ce qu'ils veulent eux-mêmes, dit-elle en ouvrant un chapitre intitulé «Formules pour la maison», qui contenait des expressions comme : *Madame est souffrante* ou *Puis-je vous guider jusqu'au salon?*

— Un Cafre aurait bien du mal à se débrouiller sans de telles notions, observa-t-il, en pensant qu'il était très injuste que cette femme jouisse de la liberté qui était refusée à Louisa Vermeulen-Sickerts.

Miss Prince ne détecta rien d'ironique dans le ton de Piet et continua à jacasser, inspirée par le thème du perfectionnement des indigènes. Tandis qu'il l'écoutait parler des serviteurs difficiles de ses relations coloniales, pour démontrer l'importance d'inculquer à leurs enfants une meilleure conduite, il chercha dans la pièce une âme compatissante. Mais il ne trouva que des visages frais et radieux.

La conviction volubile de Percy Shabrill, même quand il souffrait du mal de mer, sapa ses dernières réserves d'optimisme. Traverser le monde en ignorant totalement ce qu'il ferait sous les tropiques lui semblait à présent une folie, et cela le tourmentait quand il jouait au bridge avec Frau Stettin ou écoutait les théories de Miss Prince sur l'éducation. Il avait beau s'être juré de ne pas dépenser d'argent à bord, cette restriction était difficile à observer. Seule la nourriture était comprise dans le prix de la traversée. Ainsi, quand un steward arriva avec un plateau de cognacs après le dîner, il fut gênant de refuser. Il accepta d'en prendre et, quand les autres s'exclamèrent sur son excellence, il n'osa pas leur dire qu'il était exécrable.

Le troisième jour du voyage, une violente tempête éclata. L'effet qu'elle eut sur Percy fut brièvement réconfortant. Piet prit plaisir à le voir abattu et pour une fois, après le déjeuner, la salle de lecture était vide. Mais le jour suivant, alors qu'ils traversaient la baie de Biscaye, les eaux se calmèrent et les foules, à nouveau, affluèrent. Il se leva tôt, réveillé par les vibrations de sa cabine. Le bateau prenait de la vitesse et, à chaque nœud, les secousses se faisaient plus brutales. Une étagère, mal fixée à son équerre, cliquetait, et lui portait sur les nerfs.

Il s'habilla et monta déjeuner, suivi par son grincheux compagnon de cabine. Les œufs au plat étaient trop cuits. Quand il se battit avec les siens, il remarqua que Percy et Miss Prince s'étaient pris d'un grand intérêt l'un pour l'autre, et leur flirt maladroit l'irrita autant que le jaune caoutchouteux. Piet passa la matinée à jouer au piquet et à perdre sans discontinuer. Puis il regagna sa cabine. Fort heureusement, elle était vide. Il s'allongea sur sa couchette et ferma les yeux.

Piet n'avait pas pleuré depuis son enfance mais quand, dix minutes plus tard, Percy le rejoignit, il craignit un instant de fondre en larmes. Percy lui parla de Miss Prince ardemment à voix basse, l'air prêt à se confier jusqu'à l'heure du déjeuner. Piet trouva un prétexte pour monter sur le pont, où il longea les rangées de chaises longues, les joueurs de palets et les couples de flâneurs. À l'arrière se trouvait un treillis hérissé de pointes, qui séparait la classe touriste de l'espace dévolu à la première classe. Il le gagna et se pencha au-dessus du bastingage, en fixant sombrement la mer. Il avait un air si tragique qu'une petite fille lui demanda hardiment s'il allait bien.

— Merci, répondit-il. J'ai seulement les yeux piqués par le vent.

Ce fut alors qu'il entendit son nom.

*

À l'image d'un désir exaucé par une fée, Didier était apparu à un mètre de lui. Vêtu d'une queue-de-pie avec, au revers de sa veste, l'insigne de la compagnie, il se tenait de l'autre côté du treillis. Il avait les cheveux plus courts qu'à Amsterdam et semblait plus âgé et plus chic.

— Ne montre pas que tu me connais, dit-il en tirant un chiffon de sa poche pour lustrer la rambarde. Tu as l'air terriblement triste.

— Je suis d'humeur chagrine.

— La vie à bord n'est pas assez raffinée pour toi ?

Piet se tourna vers la mer, comme s'il n'avait pas conscience de sa présence.

— Elle est affreuse à tous égards. J'aurais dû voyager dans l'entrepont, pour ne pas dépenser autant.

— Là-dessus, je peux te faire changer d'avis, fit Didier en rangeant le chiffon dans sa poche. L'entrepont n'est jamais visible depuis la première classe et n'a pas de promenade en plein air. Si tu y avais été, je ne t'aurais pas trouvé. En fait, je me suis gelé à force de te chercher, dit-il en feignant d'avoir du mal à plier une chaise longue. Maintenant, écoute-moi bien. La salle de lecture de la classe touriste sera déserte pendant le déjeuner. Si tu en sors dans vingt minutes par la porte de service, tu déboucheras dans un couloir fermé par une grille. Je t'attendrai là-bas. Retourne dans ta cabine mettre une plus belle cravate.

— Et si on se fait prendre ?

— On te débarquera au prochain port. Moi, on me renverra. Il y a pire qu'échouer tous les deux à Madère. Crois-moi, la première classe sera beaucoup plus à ton goût.

Piet secoua la tête, les yeux toujours tournés vers la mer.

— Par ma faute, tu as déjà perdu un poste. Ouvre la grille et disparais. Je la franchirai peu après. Comme ça, si les choses tournent mal, je serai le seul à finir à Madère.

Ce n'était pas du tout ce que voulait Didier. Mais la discussion avait déjà trop duré.

— D'accord. Dès que tu l'auras passée, ferme-la en la faisant glisser derrière toi, mais n'enclenche pas

le loquet. Puis descends le couloir, ouvre la porte
et monte le grand escalier. Je serai en haut, dans le
jardin d'hiver. Il est assez tranquille jusqu'à quatre
heures.

*

Une demi-heure plus tard, ayant changé de chemise
et d'humeur plus joyeuse, Piet se faufila dans le couloir désert et, arrivé au fond, poussa la grille ouverte.
Il allait franchir la porte garnie de feutre qui donnait
sur la première classe quand un steward, l'ouvrant au
même instant, s'enquit :
— Puis-je vous aider, monsieur ?
Conscient que tout signe de nervosité le trahirait,
Piet s'imagina Constance Vermeulen-Sickerts l'attendant à l'étage. Ce qui l'aida à dire, avec un naturel
convaincant :
— J'explorais le navire. Auriez-vous une idée de
ses dimensions ?
Maurice Moureaux avait passé douze ans à travailler sur des paquebots et ne s'en laissait pas conter.
Il n'était pas rare que certains passagers tentent de
s'introduire en première classe, ne fût-ce que pour
voler un cendrier et pouvoir s'en vanter. Il prenait un
plaisir personnel à voir ces lascars (c'étaient toujours
des hommes) jetés hors du navire à l'escale suivante.
Il repérait les intrus avec un flair infaillible et se fia
entièrement à son instinct face à ce gentleman rencontré dans un couloir de service.
— Il jauge près de vingt-quatre mille tonneaux,
monsieur, répondit-il, en feignant l'enthousiasme avec
un art consommé. Il mesure sept cent treize pieds de

long et soixante-quinze de large. Notre effectif de deux mille vingt-six passagers est au complet dans les quatre classes.

— Aimez-vous y travailler ?

— C'est un privilège.

En fait, les cabines d'équipage vibraient insupportablement et Maurice Moureaux avait préféré de loin son navire précédent. Toutefois, en contemplant Piet Barol, il se dit que cette traversée pourrait avoir quelques compensations...

Lisant dans son regard, Piet n'en fut nullement gêné, ce qui enhardit le steward.

— Les couloirs du bateau s'étendent sur cinq kilomètres et le bruit, sous les ponts des passagers, donne une bonne idée de la puissance des moteurs. Aimeriez-vous voir les quartiers du personnel, monsieur ?

C'était ainsi – de façon subtile, mais tout à fait claire – que les employés proposaient à un cercle choisi de passagers une gamme de services absents des dépliants. Tous les stewards de première classe étaient séduisants et Maurice ne faisait pas exception à la règle. Âgé de trente-cinq ans, il était juvénile, élancé et doté d'un visage aux traits bien dessinés qu'il pouvait animer d'un sourire éclatant. Ce qu'il fit à présent, cette occasion de plaisir s'étant présentée si naturellement.

Piet, qui avait saisi tout cela, sourit avec un regret poli.

— Une autre fois, peut-être... Mais je dois rejoindre un ami dans le jardin d'hiver.

— Bien sûr, Monsieur..., dit Maurice en s'inclinant. Permettez-moi de vous y conduire...

*

Didier était heureux que ses retrouvailles avec Piet aient lieu dans une clairière calmement bercée par la mer. Il aimait les piliers blancs et froids du jardin d'hiver, les massifs de verdure disposés de manière à offrir la plus grande discrétion. Des cages dorées pendaient du plafond, abritant des colombes immaculées, dont le roucoulement protégeait l'intimité des conversations.

Contrairement à Piet, Didier n'avait pas l'habitude de prendre son destin en main. Pendant quelques jours après avoir quitté le 605, Herengracht, il avait tenté de se résigner à l'idée de ne plus jamais le revoir. En vain. Aussi avait-il conçu ce projet audacieux d'un rendez-vous en plein océan. Mais il n'était pas préparé à l'euphorie que cette première réussite provoqua.

Le service, en première classe, étant d'une qualité très supérieure à celui de la classe touriste, Maurice Moureaux ne s'étonna pas que le steward affecté au jardin d'hiver accueille Piet Barol avec un large sourire. Il prit congé de lui avec chaleur, se demandant qui aurait ce jeune homme. Il était bien connu que chacun «trouvait chaussure à son pied» sur un paquebot des Lignes de la Loire.

Didier conduisit Piet à une table d'angle, lui tira une chaise, déplia une serviette et la plaça sur ses genoux. En parlant à voix basse comme un serveur chevronné que seul son auditeur peut entendre, il souffla :

— Le sevruga et ses blinis vous feraient-il plaisir, monsieur Barol ? Ici, tout est offert gracieusement...

Piet acquiesça d'un hochement de tête. Didier lui apporta le caviar sur un plateau d'argent, dans une coupe en cristal sur un lit de glace pilée et, à mesure que les petits œufs éclataient sous ses dents, le désespoir qui avait menacé de le submerger battit en retraite.

— Comment diable es-tu là ?

— C'est un travail comme les autres. La seule différence, c'est qu'on ne se réveille jamais au même endroit. (Didier avait préparé cette explication et la donna nonchalamment.) J'ignore quel sort tu as jeté sur Mevrouw Vermeulen-Sickerts, mais ses références ont fait merveille. Moi qui croyais qu'elle ne m'appréciait pas...

— De toute évidence, si.

— Ils étaient tristes quand tu es parti ?

Juste à ce moment-là, un passager fit signe à Didier, qui s'empressa auprès de lui. Quand il fut revenu, Piet avait songé à tout lui dire, mais s'était finalement ravisé.

— Ils ont donné un dîner en mon honneur et m'ont offert une malle. Un vrai cauchemar, parce que je n'ai pas les moyens de payer des porteurs, mais j'étais très touché.

— Tu as dû entamer ton pécule ?

— Un peu trop.

— Eh bien ici, tu pourras épargner. Les passagers ne règlent que l'alcool, je glisserai tout ce que tu voudras sur la note d'un autre. (Il inclina la tête.) Permettez-moi d'aller vous chercher la carte des vins, monsieur Barol.

270

En contemplant cette liste de trésors, le jeune homme retrouva sa bonne humeur. À présent, la pièce se remplissait et Didier était hélé plus souvent. Piet coula quelques regards discrets autour de lui en dégustant un excellent chablis. Sur le plafond au-dessus de sa tête, trois jolies nymphes se couvraient de caresses. Sur le mur opposé, encadrée par deux piliers, une toile représentait une scène de bacchanale.

— Le bateau n'a pas peur du nu, observa-t-il quand Didier s'approcha à nouveau.

— Non. Les passagers non plus.

— Ils sont plus licencieux que les clients de l'Amstel ?

— Beaucoup plus. Ils n'ont rien à faire sur un navire, à part flirter et tramer des intrigues.

La reprise naturelle, immédiate, de leur relation enjouée calma la nervosité de Didier. Il alla chercher un soufflé au canard, puis se vanta des rencontres qu'il avait faites à bord, en ayant quelque honte à déguiser la vérité : il raconta une série de conquêtes féminines, mais en fait, c'étaient des hommes qui lui avaient témoigné de l'admiration sur l'*Eugénie*. Il avait accepté certaines propositions. Ces aventures n'avaient rien de vénal, mais bien qu'il s'y soit volontairement prêté, après le premier rendez-vous, il n'avait jamais cherché à renouer : il avait déjà donné son cœur.

— C'est ma troisième traversée, mais déjà, je ne compte plus, déclara-t-il. Les gens font ce qu'ils veulent au milieu de la mer.

— Ces femmes t'invitent dans leur cabine ?

— Pendant que leurs maris vont nager ou se faire masser. Mais le bateau est plein de coins et de recoins. Il a été conçu pour le libertinage.

— Veinard...

Didier sourit.

— Je vais te chercher une glace, mais après, tu devras partir. Je t'ai mis à la table de M. Verignan, il ne va pas tarder...

*

Jay Gruneberger avait passé une demi-heure très plaisante à regarder les beaux jeunes gens, l'un blond et l'autre brun, qui flirtaient de l'autre côté de la salle – très plaisante, bien qu'en voyant leur fraîcheur éclatante, il commençât à sentir son âge. À quarante-deux ans, il était pourtant encore bien conservé, avec ses épaules et ses bras musclés même si son pantalon, jadis son préféré, le serrait cruellement. Son visage était presque laid, avec de grosses lèvres sensuelles et un nez en bec d'aigle. Jamais plus il n'aurait la minceur insouciante de la jeunesse. En feignant d'être plongé dans ses pensées, il observait attentivement les deux garçons.

Quand le brun se leva, Jay l'imita pour voir où il allait. Il fut surpris de voir que le blond le guidait. Auraient-ils convenu d'un rendez-vous ? Il était clair qu'ils étaient liés par une certaine intimité. Il atteignit la porte sans les suivre de trop près, curieux d'en savoir plus, mais un accueil exubérant l'empêcha de sortir.

Albert Verignan, le président fondateur des Lignes de la Loire, était un homme influent des deux côtés de l'Atlantique : un intrigant, qui arrivait à ses fins avec une fourberie qui déplaisait à Jay, lequel était en tout, sauf dans sa vie sexuelle, aussi franc et direct que les bonnes manières le permettent. Ils se saluèrent avec force démonstrations d'amitié. Jetant un coup d'œil plein de regret à Piet qui s'éloignait, Jay se laissa retenir dans un de ces tête-à-tête que son hôte affectionnait.

Verignan le flatta avec adresse, louant le costume de Jay et le génie de son épouse.

— Je n'ai jamais connu personne qui ait tant l'œil pour le spectacle, pour la beauté et le détail que Rose! s'exclama-t-il, même s'il pensait en réalité qu'il était le seul à posséder de tels talents. Elle a magnifiquement présidé le comité... Remarquez, elle peut encore me ruiner! (Il baissa les yeux modestement, comme toujours avant d'aborder le sujet de sa grande générosité.) Elle a exigé de faire dynamiter un terre-plein de cent mètres. On a bouleversé le calendrier de la compagnie et ajouté une nouvelle ligne vers l'Afrique du Sud. Vraiment, je devrais être furieux. Mais comment lui résister?

— Vous avez bien fait de ne pas essayer...

Verignan partit d'un rire bon enfant. Il savait que Jay ne l'aimait pas et il était résolu à changer cela. Lui-même n'était encore qu'un jeune homme quand les Prussiens, en 1871, avaient envahi la France et il avait assisté à la fin du Second Empire sur le champ de bataille, à Sedan. Les ravages causés par l'avancée ennemie lui avaient inspiré une forte haine des Allemands, que des décennies de rivalité avec leurs compagnies maritimes avaient largement renforcée. Il approuvait l'Entente cordiale avec la Grande-Bretagne, mais il avait beau tenir Clemenceau pour un bon patriote, il ne pouvait lui pardonner ses tentatives pour imposer l'impôt sur le revenu et la journée de huit heures. Verignan avait perdu l'espoir que la démocratie, avec ses débats et ses compromis, puisse se mesurer à la puissance du Kaiser. Il avait fait fortune en suivant son instinct et là, son instinct lui disait que si on ne réfrénait pas l'Allemagne, elle mènerait la France à sa perte.

L'heure grave réclamait un héros. Et tout héros a un Pygmalion.

Verignan avait déjà choisi son homme, un jeune député ambitieux du nom de Colignard. Il devait être élu démocratiquement et prendre le pouvoir quand il aurait le contrôle de l'armée, comme l'avaient fait les deux Napoléon. Verignan doutait fort que la France puisse affronter seule la menace de l'Allemagne, quel que soit l'homme à sa tête. Elle allait devoir former une alliance avec la Grande-Bretagne, la Russie, la Pologne, et peut-être même les États-Unis, pour faire échec aux ambitions du Kaiser. Créer une telle entente était exactement le genre de défi qu'adorait Verignan. Connaissant les charmes du prestige, il avait conçu cette croisière pour présenter les élites de ces nations dans un cadre des plus favorables au scellement d'une amitié – un cadre qui, en outre, leur rappellerait le rôle inestimable de la France dans le monde. Il voulait que tous les journaux illustrés de la terre se fassent l'écho du bal qu'il allait y donner.

L'événement aurait lieu à Sainte-Hélène, pour suggérer une réconciliation franco-anglaise symbolique près d'un siècle après la bataille de Waterloo. L'isolement de l'île ajoutait à l'attrait de la traversée. L'idée de montrer à cinq cents personnes croyant avoir tout vu une chose qu'elles n'avaient encore jamais contemplée piquait son sens de la publicité. Tout comme la trouvaille de les faire passer miraculeusement des profondeurs de l'hiver à une nuit d'été parfumée. Comme il payait lui-même les centaines de serveurs, les flots de champagne, le feu d'artifice, l'orchestre, et le dynamitage d'une grotte où le bal se tiendrait si le temps s'y prêtait, les vastes fonds qu'il avait collectés pourraient être directement alloués à des enfants nécessiteux dans chaque pays de cette alliance imaginaire.

Ces projets miroitaient dans l'air quand il s'extasia sur le plaisir d'être entouré d'amis sur un navire, et Jay songea avec mélancolie aux jeunes gens que son arrivée l'avait empêché de suivre. Le brun, surtout, lui plaisait.

En le voyant distrait, Verignan se rappela avoir entendu dire que Jay était vulnérable à certaines formes de chantage. Lui-même préférait arriver à ses fins par le charme, mais il n'hésiterait pas à recourir, au besoin, à des stratégies plus secrètes, car Jay avait de l'influence dans des milieux dont l'appui était essentiel. *Tout ce qu'il faudra pour la paix en Europe...*, se dit-il.

Colignard arriva pour être présenté. Avec sa mâchoire carrée, son profil de médaille, sa séduction discrète, il était fait pour les affiches. Jay dut prendre le thé avec lui et il passa l'après-midi à arpenter le navire à la recherche du beau brun qu'il avait raté.

Mais il s'était volatilisé.

*

Pendant les cinq jours qui suivirent, l'amour croissant de Didier pour Piet se mua en passion. Ils se retrouvaient tous les matins et jamais on ne leur demandait d'explications. Parfois, ils passaient six ou sept heures ensemble avant que Piet ne rentre en classe touriste, plus longtemps qu'ils ne l'avaient jamais fait à Amsterdam, et le plaisir que Piet prenait à sa compagnie rendait Didier follement heureux. C'était un jeune steward, affecté à la demande. Les délices de la terre s'offraient à tout moment aux passagers de première classe, et partout où il menait son bien-aimé, il le comblait d'attentions.

— Tu ne parles jamais de tes parents, fit-il observer le sixième jour de la traversée pendant que Piet, vautré sur un divan du fumoir, sirotait un vieux cognac.

Le temps était couvert, la mer un peu houleuse et la pièce douillette avec son feu accueillant était presque vide. Au-dessus de la cheminée trônait une copie du portrait de l'impératrice Eugénie par Winterhalter, au décolleté bien plus plongeant que dans l'original.

— Les Vermeulen-Sickerts nous absorbaient tellement que ça ne m'est jamais venu à l'esprit.

— Ton père va te manquer ?

Piet contempla son cognac.

— Je ne crois pas...

— Vraiment ?

— Ce n'est pas un homme très agréable.

— Il boit ?

— Mon Dieu, non... Il n'a pas ce genre de bassesses. En fait, il n'approuve pas la délectation, quelle qu'elle soit. Ma mère disait qu'il lui manquait le goût du plaisir.

Didier adorait ses parents, qui lui rendaient son affection. Que Piet n'ait plus de mère, et soit doté d'un père qui ne le prenait jamais dans ses bras, lui inspirait un amour tendre et protecteur. Les Loubat avaient l'habitude qu'il invite de beaux amis chez eux pendant ses congés. Ils les traitaient avec une grande gentillesse et les logeaient dans sa chambre sans sourciller. Tout en conduisant Piet des salles Renaissance aux boudoirs Louis XVI, suivant son programme de travail qui le menait du salon au fumoir, puis au café sous la véranda, il acquit la certitude que sa mère aimerait Piet comme son fils et il s'imagina lui parler de son ami sans honte.

La mer était le thème de la décoration du navire, et les architectes n'avaient pas manqué une occasion de le souligner. Pendant que Didier vaquait à son service, Piet, assis dans un fauteuil, se complaisait dans les brumes de l'ivresse, à compter le nombre de coquilles dorées et de L entrelacés. C'était une forme agréable de narcotique. Il arrivait qu'une cheminée en arbore une vingtaine. Sur les panneaux d'une double porte du salon, il en vit quatre-vingts. Critiquer les ornements surchargés lui donnait l'impression d'être raffiné et, de même, il se flattait de blâmer les têtières brodées, les dorures ostentatoires, les chapeaux tape-à-l'œil de certaines passagères. Mais l'effet était indéniablement saisissant, et cette splendeur l'aidait à estomper ses souvenirs d'Amsterdam.

Les deux jeunes gens étaient si absorbés par eux-mêmes et par leur amitié qu'aucun ne remarqua la présence régulière d'un passager bien bâti d'une quarantaine d'années, à la barbe soignée et au nez busqué. Jay Gruneberger se demanda si le beau brun avait le mal de mer, car il ne se montrait jamais aux repas – mais non, il mangeait avec grand plaisir chaque fois qu'il le voyait. Il ne put trouver aucune explication à ses fréquentes absences. Ni au fait que le blond et lui apparaissaient toujours et uniquement ensemble. Tout en les observant, il remarqua la manière dont le steward regardait son ami. Plus d'une fois, il fut tenté de se mêler à leurs conversations et de se présenter, mais il était trop connu et heureux en ménage pour nouer le contact avant de pouvoir s'assurer de leur discrétion.

*

Le neuvième jour du voyage, Didier fut affecté au poste de maître-nageur dans la piscine intérieure de la première classe. Il avait mis un costume de bain sur la note d'un autre passager pour le donner à Piet – qui était resplendissant dans cette tenue. La piscine était un des chefs-d'œuvre du navire, ornée des motifs stylisés dont Napoléon avait lancé la mode après la campagne d'Égypte – aussi grandiose et mystérieuse qu'une tombe de pharaon.

Voir Piet en maillot de bain rappela à Didier qu'il devait agir vite. Il ne leur restait plus que huit jours dans cette parenthèse suspendue en pleine mer. L'approche du rivage menaçait tout. C'était une journée calme. Des cordes avaient été fixées au plafond pour les plongeurs et les gymnastes. Piet se donna en spectacle, grimpant une main après l'autre, les muscles de son dos se tordant comme des serpents, jouant avec sa corde avant de piquer du nez.

Sa performance lui valut des applaudissements. Il prit un bain de vapeur au hammam avant de se tremper dans un bassin glacé. Au moment où il rentra dans les vestiaires, il avait des picotements dans tout le corps. Sa peau était électrisée, une plaisante raideur engourdissait ses membres... et soudain, il se rendit compte qu'il n'avait plus eu de contacts physiques depuis son dernier après-midi avec Jacobina. En se tournant vers l'urinoir, il se demanda comment il pourrait satisfaire cet appétit-là. Il venait d'ôter son peignoir pour se soulager lorsque Didier entra.

Ce dernier gagna un casier et se déshabilla très vite, sachant qu'il serait renvoyé si on le surprenait dans les vestiaires des passagers. Mais l'envie d'être nu près de son ami était impérieuse, balayant tous les risques. Jetant un regard autour de lui, Piet vit Didier, le dos tourné, qui se changeait. Il se retourna vers le mur, mais du coin de l'œil, il put voir le corps légèrement musclé qu'il connaissait si bien. Cela lui rappela leur première discussion, le vague instinct qui lui avait dit qu'il pourrait le persuader d'apaiser certaines frustrations...

Ce jour-là, Piet avait reculé et depuis, il n'y avait plus pensé. Il n'avait jamais associé une telle chose avec l'affection profonde. Là, pour la première fois, il comprit que s'il osait, cela était possible. Didier ne bougeait plus. Se sentant observé, Piet regarda son sexe, qui s'était raidi dans sa main. Il était effrayé – car il ne voulait pas d'aventure amoureuse et devinait que Didier l'approcherait seulement par amour. Il était trop gêné pour uriner. Il attendit, en essayant de se calmer, puis une porte s'ouvrit.

Un homme de belle taille, à la barbe bien coupée et au nez arqué, entra. Voyant cette intrusion, Didier se ressaisit, prit son costume de bain et passa dans le vestiaire des stewards. Le barbu gagna le lavabo pour se laver les mains. Après son départ, Piet s'enferma dans un box des toilettes et se contenta énergiquement.

*

Ce soir-là, à côté d'un chariot à desserts en vermeil, Didier repensa aux événements de l'après-midi. Il se trouvait dans une haute salle, un théâtre miniature où l'or rivalisait avec le turquoise et le velours rouge. À la place habituelle des loges et des fauteuils étaient dressées des tables éclairées par de faibles bougies électriques. Un opéra entier était donné à chaque traversée, en général l'avant-veille de l'arrivée. Lors de cette croisière, la représentation était prévue le soir suivant, pour éviter qu'elle n'aille concurrencer le bal de Sainte-Hélène.

Didier était chargé de servir des tranches de gâteau fines comme des gaufrettes sans déranger le public ni les interprètes. Ce soir-là, les danseurs faisaient un tel bruit que cela ne demandait pas de concentration. Une dame d'un certain âge lui fit signe et il la servit, plongé dans ses pensées. Les passagers des suites avaient droit aux places les plus proches de la scène. Le couple de la *Henri de Navarre* n'aimait pas la musique et leur table était vide quasiment chaque soir. Si Piet venait après dîner et qu'elle restait inoccupée, il serait tranquille jusqu'à la fin de la soirée.

Didier lui fit part de son plan le lendemain matin en lui servant un thé sous la véranda.

— Mets la queue-de-pie que les Vermeulen-Sickerts t'ont donnée et tes boutons de manchettes en onyx.

— Mais s'ils viennent à leur table ?

— Le dîner est servi avant le début de l'opéra. S'ils ne sont pas là pour ça, ils ne viendront pas. Je t'ouvrirai la grille à dix heures.

*

Quand Piet regagna sa cabine, il y trouva Percy Shabrill.

— Là, j'ai dix-neuf commandes et il reste cinq jours. Je dois dire que ce bateau est bien fréquenté...

Il s'appliquait à inscrire des chiffres dans un grand livre. Les absences prolongées de Piet avaient commencé à le dérouter et il le soupçonnait d'avoir des entrées qui ne lui étaient pas accessibles. Cela le rendait plus fanfaron, et sa formidable conviction se mit à entamer l'humeur de Piet.

Quand il lui déclara avoir déjà suffisamment de contrats pour payer la moitié de sa traversée, Piet fut contraint d'admettre qu'il avait employé son temps de manière moins fructueuse. Il était amusant de se prélasser toute la journée dans une pièce somptueuse, en causant avec un ami et en savourant des mets raffinés qu'il ne pourrait jamais s'offrir lui-même, mais l'énergie de Percy l'humilia.

— Et vous, qu'allez-vous faire en Afrique du Sud ? lança le jeune Anglais.

C'était sa première question personnelle et Piet ne put y répondre.

— Je verrai sur place.

— Vous êtes bigrement sûr de vous... Vous voulez dire que vous n'avez pas de projets concrets ? Pas de relations ? dit Percy avec un petit rire, secrètement dérouté. Vous êtes un fou beaucoup plus brave que moi.

Il retourna à ses écritures, mais le mot « fou » plana dans l'air humide de leur cabine et Piet dut s'avouer qu'il lui allait parfaitement. Il s'allongea sur sa couchette et fit semblant de lire. Voir Percy s'affairer d'un air résolu le déprima encore plus. Le dédale de l'autocritique, qu'il avait évité depuis plusieurs jours, s'ouvrit devant lui. En voyant Percy s'habiller en silence, il prétexta un mal de mer pour ne pas paraître au repas. La cloche du dîner sonna. Enfin, il se retrouva seul – mais quand l'Anglais partit, ses démons intérieurs se déchaînèrent, changeant la pièce étouffante en un petit enfer.

À neuf heures, il sortit l'habit qu'il avait porté à l'anniversaire de Constance Vermeulen-Sickerts et les boutons de manchette que lui avait donnés Egbert quelques heures avant la catastrophe finale. Il se lava et les passa sans enthousiasme. Une fois habillé, le contraste entre son apparence et son humeur le perturba. Face à lui, dans le miroir, se trouvait un jeune homme éclatant de santé, apparemment favorisé par la nature et la fortune. Son visage rayonnant ne révélait en rien son dégoût de lui-même et ses vêtements ne suggéraient pas qu'il n'avait plus les moyens de les garder : il devrait les mettre en gage dès son arrivée à Cape Town.

Il monta dans la salle de lecture. Elle était vide, comme le couloir de service. Quand il franchit la grille menant en première classe, il fut frappé par le silence total. Il s'était habitué, malgré lui, aux vibrations de sa cabine. Leur disparition soudaine fit l'effet d'un miracle. Il se tenait dans un couloir tapissé de brocart, orné de vagues et de coquillages. Il le suivit, ses semelles de cuir glissant sur les tapis, et quand il passa devant le fumoir, un steward s'inclina et dit :

— L'opéra va commencer, monsieur, au cas où vous ne voudriez pas le manquer.

Il ouvrit la porte du hall où se dressait le grand escalier.

— Vous prendrez l'ascenseur ou vous monterez à pied ?

— À pied, merci.

L'escalier était flanqué par des piliers de marbre. Au plafond, des tritons musclés poursuivaient des nymphes au corps à peine voilé. La balustrade était ornée de bas-reliefs en or, figurant l'emblème de la compagnie. Le bateau était vide, et l'absence de bavardages rehaussait sa splendeur. Piet s'arrêta sur le deuxième palier sous la grande horloge dorée. Quand elle sonna dix heures, il monta au dernier étage et trouva son ami qui l'attendait, rouge, mais grave. Didier hocha la tête et le mena sous un dôme d'or et de turquoise à une table près de la scène.

*

Le chef d'orchestre de l'*Eugénie* aimait surprendre son public. À peine la dernière assiette débarrassée, pendant que le théâtre bruissait encore de paroles et de rires, il leva sa baguette et la salle fut plongée dans l'obscurité. Piet n'avait jamais vu *Carmen*, mais il connaissait sa musique dès l'attaque sémillante de l'ouverture. Une vague de gaieté envahit l'assistance. Habitué aux orchestres provinciaux perçus du poulailler, Piet ignorait que des musiciens puissent produire un son aussi riche et subtil que celui de l'orchestre de l'*Eugénie*.

Des hommes de belle allure, en uniforme, surgirent sur la scène. Verignan engageait des chanteurs célèbres pour les grands rôles, mais les stewards dotés d'une formation musicale composaient le chœur du bateau. Piet en reconnut certains. Une jeune femme apparut en robe bleue, des nattes sombres sur les épaules. Il ne voyait pas son visage car les soldats se pressaient autour d'elle, lascifs et impudents. Ils la frôlaient et tiraient sur sa robe. Pendant un moment, on sentit le danger rôder sous la musique allègre.

« Que cherchez-vous, la belle ?

— Moi ? »

Sa voix était exceptionnelle. Quand la foule s'écarta, Piet vit qu'elle avait à peu près son âge, un visage finement ciselé et des yeux espiègles. Elle cherchait, annonça-t-elle, un brigadier du nom de Don José.

Stacey Meadows avait coutume d'adresser directement cette réplique à l'un des messieurs les plus proches de la scène. La jeune femme refusait les privautés, mais ne répugnait pas à accepter des témoignages d'ardeur et des colifichets monnayables de la part des riches passagers. Croiser le regard hardi, enchanté de Piet Barol distingua cette soirée de toutes les autres où elle avait chanté le rôle de Micaëla, une paysanne trop innocente pour l'intéresser, envoyée par la mère d'un officier apporter à son fils un message, de l'argent et un baiser. Quand les soldats l'incitèrent à rester avec eux, elle leur résista avec une indignation éblouissante. Ils se firent menaçants. Un chanteur se pressa contre son corps, dépassant les limites qu'elle avait imposées aux répétitions, et elle se dégagea énergiquement en lançant un *si* bémol éclatant.

Piet était médusé. En la voyant s'enfuir de la scène, le vague désir qui avait monté en lui pendant des jours explosa. Enlacer une *jeune* femme! Pratiquer avec une fille de son âge tout ce qu'il avait appris avec Jacobina! Cette idée l'enflamma. Il eut soudain bien plus conscience de la beauté de la salle – de la présence de la foule élégante, ensorcelée par la musique dans ce théâtre magnifique. Comme il était merveilleux d'être là...

Il connaissait la partition de l'opéra à la perfection. L'entendre jouer par des musiciens de renom fut une révélation. Une foule d'enfants apparut, sous un tonnerre d'applaudissements – c'était si excentrique, si typique de Verignan d'amener des bambins au bout du monde pour quelques scènes lyriques. Puis les cigarières arrivèrent d'un pas nonchalant, court vêtues, les bras, les jambes et le cou luisants. Un groupe de jeunes mâles les poursuivait, comme beaucoup d'hommes de l'assistance le feraient après le tomber de rideau. L'entrée de Carmen fut accueillie par des acclamations bruyantes. Germaine Lorette approchait de la cinquantaine et elle avait un corps trapu et un grand nez. Mais sa voix était onduleuse, d'une puissance étonnante, et sa prestance était si arrogante que voir de beaux jeunes gens implorer son amour n'avait rien de risible.

Piet avait accompagné beaucoup de cantatrices amateurs qui s'étaient essayées dans «L'amour est un oiseau rebelle». Mais l'insolence de la mezzo-soprano le fascina. Ôtant une fleur de son corsage, elle la jeta à Pierre Lauriac, le ténor qui interprétait Don José. Il avait vingt ans de moins qu'elle et l'admirait avec ferveur. La promesse d'une nuit d'amour emplit la salle, irradiant du regard brûlant de Carmen, rappelant au public le souvenir des jambes lisses et luisantes des cigarières, de leurs bouches délicieusement fardées qui chantaient la fumée parfumée des cigares et les transports des amants.

La règle tacite voulant qu'en mer toutes les libertés soient permises semblait acquise pour tous les spectateurs, hormis les moralistes les plus stricts, et une superbe lascivité s'empara du public, préservée de la vulgarité par le raffinement de la musique. Dans toute la salle obscure, des genoux se pressèrent, des mains s'étreignirent sous les tables. Même des époux mariés depuis plus de vingt ans se sourirent, charmés par le visage de l'aimé flatté par les lampes voilées.

Assis à la table du capitaine, lassé de ses éminents compagnons et soulagé de n'avoir plus à faire la conversation, Jay Gruneberger vit avec plaisir que le beau jeune homme qui ne venait jamais aux repas avait fait une exception ce soir. Il déplaça un peu sa chaise pour mieux le voir. Les lèvres de Piet étaient légèrement écartées et la lumière rose faisait briller ses joues comme celles d'un garçon de ferme. Jay chercha des yeux le steward blond et le surprit à regarder fixement son ami. Son visage avait perdu sa neutralité professionnelle. *Oh... être jeune et amoureux*, se dit Jay.

Didier n'écoutait guère la musique et ne s'intéressait pas aux personnages sur la scène. Il était envahi par une calme béatitude. Avoir suivi Piet dans cette aventure et l'avoir sauvé de la classe touriste, l'avoir amené ici pour lui faire don de cet opéra le plongeait dans l'extase. Son regard parcourait de temps en temps les tables, où nul n'avait l'audace d'interrompre la première aria de Germaine Lorette. Sinon, il n'avait d'yeux que pour Piet.

Stacey Meadows réapparut. Lors de son bref retour en coulisses, elle avait rehaussé habilement son maquillage et, quand elle s'approcha de Don José, elle s'arrêta à plus d'un mètre de là où elle aurait dû être, juste devant la table de Piet.

«C'est votre mère qui m'envoie.

— Parle-moi d'elle.»

Le duo commença, le ténor demeurant seul en scène avec la soprano. Contrairement à Germaine Lorette, Stacey Meadows ne fascinait pas son partenaire. Mais quand elle lui dit qu'elle était la fidèle messagère de sa mère, Piet détourna les yeux, bouleversé. Enfant, Nina lui avait fredonné ces paroles pour l'endormir.

«Tu lui diras que sa mère songe à lui nuit et jour, qu'elle le regrette et l'espère, chanta-t-elle, qu'elle lui pardonne et qu'elle l'attend...»

Sa voix s'éleva au-dessus du scintillement des violons quand elle promit de donner à Don José le baiser envoyé par sa mère.

Mais Piet ne la vit pas le faire.

Pierre Lauriac reprit son souffle.

«Ma mère, je la vois!»

Partager la scène avec Germaine Lorette l'avait perturbé. Il faisait trop d'efforts et la raideur dans sa gorge rendait chaque note périlleuse.

Les épaules de Piet se mirent à trembler. Petit, il avait gazouillé le rôle, mais ce n'était qu'après la mue qu'il avait pu le rendre dans toute sa beauté.

«Même de loin, ma mère me protège...»

Lauriac avait à peu près son âge et se tenait tout près de lui. Cette phrase lui rappela Nina, pâle mais frivole juste quelques heures avant sa mort, prenant à la légère ses douleurs de poitrine. Les yeux de Piet croisèrent ceux de la cantatrice, qui fut ravie que son chant ait fait pleurer ce bel inconnu. Cela ajoutait la sensibilité à ses attraits physiques. Elle se tourna vers Don José, fâchée d'avoir un partenaire défaillant à un tel moment, et lui adressa un sourire si rassurant que la voix du ténor reprit aussitôt son assise.

«Tu lui diras que son fils l'aime et la vénère...»

Les lèvres de Piet suivaient celles de Lauriac. «Et qu'il se repent aujourd'hui.»

Les profils des chanteurs miroitèrent, perdant leur netteté. Stacey Meadows se détourna de Don José pour regarder Piet... et, au fond de son deuil, il se sentit grisé à l'idée que cette femme n'était pas sa mère. En fait, c'était juste le genre de messagère qu'aurait choisi Nina. Il lui rendit son regard sans ciller, et ce fut comme si leurs cœurs se chantaient l'un à l'autre, et seulement l'un pour l'autre.

*

Didier observa cet échange et le trouva très excitant. Il était fier que l'homme qu'il aimait puisse séduire une belle cantatrice rien qu'en la contemplant fixement. Peut-être pourraient-ils la partager, comme il avait voulu le faire avec les putains d'Amsterdam. Il n'avait pas besoin que Piet renonce aux femmes – juste qu'il lui accorde les droits et la place d'un ami de cœur.

Didier pouvait mieux comprendre les larmes de son ami que la cantatrice. Piet était seul au monde, il avait perdu sa mère et comptait assez peu pour son père. Et pourtant, il n'était *pas* seul ! En le voyant tenter de se dominer, Didier sut que le moment était venu de le lui dire. Il en avait rêvé et en avait eu peur. À présent, il était sûr de lui. Dans sa poche se trouvaient les clés de la piscine, volées sur le tableau du commissaire du bord – et sous un lit de plage, il avait caché une bouteille de Chartreuse et une couverture en cachemire, empruntée à une cabine de luxe. Ils auraient la piscine jusqu'à l'aube pour eux tout seuls. Là, ils pourraient bâtir des projets sur leur avenir en Afrique du Sud et s'endormir côte à côte. Peut-être pourraient-ils donner corps aux espoirs qu'il avait eus au bord du Leidesgracht. Dans les bonnes circonstances, Didier avait convaincu beaucoup d'hommes de l'embrasser. Il attendit impatiemment l'entracte, soulagé que la coquette aux tresses ne revienne pas sur scène. Piet aurait bien le temps de l'entreprendre plus tard.

Cette soirée lui appartenait.

Le deuxième acte s'acheva sur un finale explosif : les verres en cristal se mirent à vibrer lorsque Germaine Lorette chanta les charmes de la vie errante et l'ivresse de la liberté. Pour Piet, ce fut comme une confirmation éclatante de sa décision de tirer un trait sur son passé. Il n'était pas superstitieux, mais seul le rationaliste le plus froid pouvait demeurer insensible au message de pardon maternel qui lui était ainsi adressé. Il rayonnait de bien-être. Dans ses rêves, Nina l'avait maudit. À présent, elle l'avait absous et béni.

Quand Didier arriva, avec une bouteille de champagne dans un seau à glace, il eut envie de se lever pour l'embrasser. Mais il se détourna et dit, en baissant la voix :

— Tu es le meilleur ami qu'un garçon puisse avoir.

Didier déboucha le dom-pérignon.

— Je t'ai vu faire les yeux doux à la fille en bleu. Promets-moi de ne pas la garder pour toi tout seul.

— Pour ce qui est des femmes, je ne fais jamais de promesses.

Didier versa le champagne.

— J'ai les clés de la piscine et j'arrête mon service à une heure. J'y ai caché de la Chartreuse et des gâteaux glacés. (Il crispa les épaules. «Vas-y, lance-toi.») On peut passer le reste de la nuit ensemble. Personne ne nous trouvera.

Ce disant, il tenait la bouteille au bord du verre de Piet et leurs doigts se touchèrent.

Ce contact donna tout leur sens à ses paroles. Piet avait deviné cette invitation dans le vestiaire de la piscine, et éprouvé une réaction animale qu'il n'avait pas confondue avec de l'amour. Il comprit alors que Didier avait fait le contraire. Sa joie diminua. Il avait une légère érection, provoquée non par lui, mais par l'idée d'ôter la robe moulante de Micaëla. Pendant un moment, il ne put rien trouver à dire. Il ne voulait pas blesser son ami, mais il semblait que le temps des faux-fuyants était passé.

— Nous nous connaissons trop bien pour ça, dit-il avec délicatesse.

— Bien sûr.

Didier s'inclina et se retira. Il regagna son poste près du chariot à desserts, où il s'activa en découpant une tarte aux pommes. Une vieille dame replète, observant à la lettre l'ordre de son médecin, « Mangez juste un petit peu de ce que vous aimez », le héla pour lui demander une tranche minuscule... sa huitième depuis le déjeuner. Il la servit avec déférence.

— Vous êtes souffrant ? dit la dame, bienveillante, qui avait un petit-fils de son âge.

— Je vais très bien, madame. Je vous remercie de vous en inquiéter.

Mais Didier était ravagé. Pris d'un soudain besoin de s'isoler, il quitta le théâtre, traversa les cuisines et sortit sur le pont, là où étaient stockées les bouteilles vides. En voyant un rat surgir de la cuisine, il se cacha derrière une cuve rouillée. Sa peine était si vive qu'elle l'étrangla et le plia en deux. Sur quoi avait-il fondé son assurance ? Rien. Piet était son ami. Sa gentillesse, dans une circonstance où d'autres auraient pu s'offusquer, lui confirmait son affection.

Mais l'affection n'est pas l'amour, et c'était de l'amour que Didier voulait de Piet Barol. Il espérait aussi une relation physique, mais de l'amour d'abord et avant tout. À présent, il savait qu'il n'aurait ni l'un ni l'autre. Il se sentit minable, gêné, et profondément triste. Désormais, il allait retourner à des rencontres dérobées, agréables, mais détachées. Jamais plus ça ne pourrait lui suffire.

Il sécha ses larmes. Piet ne serait jamais à lui. Mieux valait le jeter au plus vite dans les bras de quelqu'un d'autre. Il ouvrit une bouteille d'eau gazeuse et s'en aspergea les yeux. Puis il se tamponna le visage, descendit par le monte-charge et sortit juste en face de la salle de lecture. Là, il ouvrit la porte garnie de feutre et descendit le couloir jusqu'à la grille qu'il avait si souvent ouverte pour son ami. Il n'était pas mû par la vengeance, mais par la conviction qu'il valait mieux souffrir jusqu'au bout en cette nuit déjà si cruelle. Il était sûr que Piet s'en sortirait. Il arriverait à se glisser dans un lit accueillant pour éviter de se faire débarquer comme un passager clandestin, sur un rocher à des centaines de milles du caillou le plus proche. Il y avait chez Didier un certain stoïcisme. En cette heure de péril, il y fit appel pour recourir aux grands moyens.

Il ferma la grille et tira le loquet.

*

Le tomber de rideau fut sublime. Pierre Lauriac s'était fortifié en buvant trois cognacs en coulisse, qui s'allièrent dans son sang à l'euphorie d'avoir tenu jusqu'à la fin de la soirée. Germaine Lorette s'en voulut de l'avoir totalement éclipsé. Juste avant qu'il n'aille saluer, elle lui dit qu'il était le meilleur Don José avec qui elle ait jamais chanté. Elle embrassa Escamillo, qui était un vieil ami, mais ne dit rien à la petite grue qui jouait Micaëla, une fille trop douée et trop mince pour mériter un compliment. Puis, lorsqu'elle entendit les bravos reçus par sa rivale, elle remonta sur scène et mit un genou en terre avec une grâce d'enfant, en dépit de son arthrite et de ses cent kilos. Ce numéro de fragilité soudaine enchantait son public depuis une trentaine d'années. Elle resta plongée dans sa révérence, les yeux baissés, jusqu'à ce que tous les spectateurs se soient levés pour l'applaudir.

Piet fut l'un des premiers et Jay, l'apercevant, admira ses mains fines. Un steward s'approcha pour tendre à Piet un mot sur lequel il put lire : *Suivez le porteur de ce billet.*

— De la part de Mlle Meadows, monsieur. Il vaut mieux y aller avant la cohue. Puis-je vous y conduire ?

Piet chercha des yeux son ami, pour lui montrer par un sourire qu'il ne devait pas se sentir gêné. Il avait disparu. Il hésita un peu, dans l'espoir qu'il réapparaîtrait, mais il ne songea pas à refuser cette invitation.

Il se leva et suivit le steward par une petite porte.

Une cohorte d'hommes en frac entamait le même pèlerinage. Les loges des coulisses étaient officiellement interdites au public, mais on pouvait y accéder moyennant un discret pourboire, et ceux qui avaient des maîtresses dans le chœur y étaient invités chaque soir. Piet fut porté par la foule tapageuse des hommes les plus riches de la terre, ce qu'il considéra comme un excellent présage pour son avenir. Ils atteignirent une porte en fer et firent semblant de la forcer. Dans la loge, des bohémiennes et des cigarières qui se prélassaient feignirent d'être horrifiées. Mais en réalité, elles connaissaient la plupart des envahisseurs, et les nouveaux venus déployèrent tout leur charme pour gagner leurs faveurs. Après la première intrusion, la porte se rouvrit sans cesse, livrant passage à des fleurs, du champagne et des hommes empourprés.

Piet erra dans la foule en quête d'une robe bleue. Les choristes de l'*Eugénie* étaient réputées pour être aussi belles en coulisses que sur scène. Il se glissa entre elles d'un air admiratif, sans toutefois se laisser distraire.

Elle le fit attendre vingt minutes. Enfin, elle arriva, les cheveux dénoués, sous une cape de soie rose. Tous les deux furent ravis à la vue l'un de l'autre, soulagés que la musique et les lumières voilées ne les aient pas fâcheusement trompés.

Piet s'approcha et s'inclina, puis il leva les yeux et sourit.

— Dites-moi que vous parlez anglais, demanda-t-elle.

— Oui.

— *Parfait*[1]. Toutes ces discussions en français me fatiguent.

Elle s'approcha d'un portant et, l'espace d'un instant, il crut qu'elle allait se changer devant lui. D'autres filles se déshabillaient ; il tâcha de ne pas les regarder, espérant qu'elle ne verrait pas ses yeux s'égarer. Elle prit un peignoir sur un cintre et dit :

— Vous pourriez allez nous chercher à boire.

Le vin coulait à flots. Ils se postèrent près d'une bouteille de champagne délaissée par un autre passager.

— Dites-moi que vous n'êtes pas un gigolo.

— Bien sûr que non.

— C'est juste que vous êtes très chic avec vos habits neufs. L'effet est magnifique, mais il sonne faux.

Stacey Meadows se méfiait des inconnus trop parfaits, même s'ils l'attiraient. Elle avait alors vingt-six ans. Trois ans auparavant, en prenant le thé dans un

---

1. En français dans le texte. (*N.d.T.*)

hôtel de New York où elle séjournait avec sa mère, elle avait fait la connaissance d'un charmant Français. Ce vicomte, qui venait d'avoir cinquante ans, lui avait offert de lui montrer les curiosités de Manhattan. Dès le lendemain de leur rencontre, il lui avait ôté sa virginité, en la laissant grisée de mots d'amour. Il lui avait promis le mariage, en lui donnant mille bonnes raisons de taire ses intentions à ses parents, et lui avait payé un voyage à Paris et une suite au Ritz. Mais trois jours avant le départ de Stacey, il avait convolé avec l'héritière d'une compagnie de chemin de fer. Elle l'apprit peu après son arrivée en France et, prise d'une rage folle, se fit engager dans un music-hall en remerciant le ciel de lui avoir épargné d'être enceinte.

Sa voix avait déjà été vantée dans les petites salles bourgeoises de Chicago. Elle fut toute de suite appréciée à Paris, où elle trouva un professeur qui sut développer ses talents. Elle n'adressa plus la parole au vicomte et lui renvoya son argent. Quand elle commença à se faire connaître, elle se félicita d'avoir fui sa vie terne et respectable dans le Middle West. Elle écrivit à ses parents pour les rassurer sur son sort, mais ne s'excusa pas de sa fugue et ne donna son adresse qu'à son frère. Ce jour-là, elle passa une audition à l'Opéra-Comique et fut engagée dans le chœur. Moins de deux ans plus tard, elle décrochait un rôle de soliste pour une croisière sur un paquebot célèbre, avec Germaine Lorette dans le rôle-titre.

— Donc, vous êtes élégant, vous n'êtes pas vénal et vous pleurez à l'opéra dans les scènes touchantes, dit-elle à Piet. Tout ça est très louable.

— J'ai chanté naguère votre duo avec ma mère. Vous l'avez donné avec un tel talent qu'il m'a semblé qu'elle me parlait à travers votre voix.

— Vil flatteur... Je devrais vous gronder...

Çà et là dans la loge, des filles, assises sur les genoux des hommes, couinaient tandis qu'ils délaçaient leurs corsets. Troublé par la présence de Stacey après avoir passé trois heures à imaginer des scènes grisantes, Piet voulut suivre leur exemple. Il se pencha pour l'embrasser dans le cou.

Sa gifle lui coupa le souffle. La jeune femme se leva. Il valait mieux imposer une discipline dès le départ ; sinon, tout virait au chaos. Depuis que ses illusions avaient cruellement volé en éclats, elle ne supportait pas le sentimentalisme, mais l'habile initiation du vicomte lui avait laissé un goût pour les hommes bien faits à l'odeur suave. À présent qu'un tel adonis venait de croiser sa route, elle pensait qu'un peu d'attente rendrait leur première étreinte infiniment plus douce.

— Vous pouvez passer demain après le thé, pour vous faire pardonner. J'ai une heure à moi pendant qu'on me coiffe. On pourra causer tranquillement.

— Je m'efforcerai de venir.

— Je suis sûre que vous le pourrez.

Mais les loges des choristes n'étaient pas facilement accessibles depuis la classe touriste...

— Au cas où je ne viendrais pas, il faut que vous sachiez que je l'ai vraiment voulu, mais qu'on m'a retenu. Pourrai-je vous voir à Cape Town ?

— J'y resterai jusqu'au départ du navire.

— Permettez-moi alors de vous rendre visite. Puis-je savoir votre nom, mademoiselle ?

— Stacey Meadows.

— Je vous verrai sans faute, mademoiselle Meadows.

— Et moi, je ferai en sorte que vous me trouviez.

*

En observant la sortie de Piet Barol, Jay s'efforça de se dégager de sa conversation avec Mme Schermerhorn. Il avait imprudemment dit à la dame, qui était passionnée de botanique, que sa femme faisait pousser des espèces rares de bromélias dans leur propriété sur l'Hudson. Mme Schermerhorn s'était donné beaucoup de mal pour faire fleurir des *Bromelia balansae*, sans jamais y parvenir, et elle lui racontait par le menu toutes ses tentatives (qu'elle lui glissa même à l'oreille pendant l'ovation de Germaine Lorette), lorsque Piet avait disparu. Jay fit de son mieux pour s'esquiver, mais le sujet était cher au cœur de la botaniste et il mit trois longues minutes à pouvoir s'échapper.

Quand il y arriva, il ne vit pas trace de l'inconnu au profil altier. Ce qui le contraria beaucoup. L'*Eugénie* ferait escale le lendemain à Sainte-Hélène et sa femme, partie quinze jours auparavant sur un yacht de Verignan pour veiller aux derniers préparatifs, le rejoindrait à bord. Selon les critères du monde, leur couple était un ménage comblé et Jay vouait à Rose une tendresse qui ne favorisait pas les infidélités. C'était la fille des plus vieux amis de ses parents, il la connaissait depuis son enfance et il se refusait à la blesser. Ses possibilités de s'adonner à ses penchants secrets étaient donc limitées. Quand le besoin était insurmontable, il l'assouvissait à la hâte, généralement dans les toilettes des gares et d'autres lieux peu recommandables. Certains des hommes qu'il y avait rencontrés lui avaient demandé de les payer. De temps en temps, il avait succombé à cette tentation et s'était retrouvé, deux heures plus tard, au sortir d'un hôtel miteux, en se sentant contrit et souillé. Depuis quelques jours, il avait imaginé une séduction d'un genre autrement plus raffiné, dans le confort grandiose de sa suite de l'*Eugénie*. Voir la chance se présenter pour lui être aussitôt arrachée lui sembla injuste. Il gagna le palier du grand escalier, qui offrait un très bon point de vue.

À nouveau, le jeune homme avait disparu.

Les Gruneberger avaient beau passer dans la presse mondaine pour un couple «très apprécié dans le Tout-New York», Jay n'avait pas d'amis proches. À Yale, il avait confié par deux fois son attirance à un camarade, mais toujours, le dégoût de ce dernier avait brisé leur amitié. Les garçons qui s'étaient épris de lui dans son collège de Nouvelle-Angleterre étaient aujourd'hui pères de famille et, quand ils se croisaient, ils ne faisaient jamais allusion à leur ancienne complicité.

Sa fierté ne lui permettait pas de s'apitoyer sur lui-même. Il gardait sa solitude en quarantaine, dans une chambre forte verrouillée par une froide discipline. Il pouvait l'ignorer pendant des mois, mais ce soir, il la sentait filtrer hors de ses murs d'acier. Il sortit sur le pont-promenade. Il avait plu lors du dîner et les planches en teck étaient glissantes. L'air, où flottaient les parfums des tropiques, fleurait l'exotisme. La lune, presque pleine, lui lançait sur les vagues une invite orangée. C'était absurde de passer une telle nuit sans amant. Il se déroba à son charme en rentrant au salon, mais les joyeux airs de l'orchestre l'attristèrent.

Les associés avec qui il était en affaires admiraient sa capacité à infléchir le cours des choses en sa faveur. Cette qualité reposait sur l'intelligence et l'obstination. Il avait eu la certitude de pouvoir parler au jeune homme, pour savoir s'il avait quelque raison d'espérer. Mais soudain, il perdit la force de se relancer dans une vaine recherche. Résigné, il alla au salon commander un cocktail. Soit ils se rencontreraient, soit leurs chemins se sépareraient. Il laissait cela entre les mains des dieux.

*

Piet quitta, ébloui, la loge des choristes. Il n'était pas abattu par son échec à nouer dès l'abord une intimité avec Stacey Meadows. L'attente ne pourrait qu'aviver leur prochaine rencontre et il admirait sa sévérité sans réserve. Quand il descendit le couloir, il était euphorique. Un an auparavant, il n'était encore qu'un jeune commis à Leyde, dormant dans une alcôve qui empestait le renfermé. À présent, les hommes les plus puissants du monde le prenaient pour un des leurs. Il songea à Didier avec tristesse, se demandant s'il devait aller le trouver pour arranger les choses. Il préféra y renoncer. Son ami verrait de la condescendance dans sa compassion.

Piet avait le don d'apprécier l'instant présent. Il lui parut dommage de gâcher ce moment par des considérations sur le passé ou l'avenir. Il avait tout loisir d'arpenter le plus beau bateau du monde, et la tenue parfaite pour en savourer les luxes sans se faire remarquer. Qui sait quand cette situation se représenterait ? Il décida de boire la coupe du plaisir jusqu'à la dernière goutte.

Le grand escalier était noir de monde. Il n'avait pas dîné et la faim le grisait agréablement. Il descendit les marches d'un pas nonchalant, rêvant d'un bon repas, et regarda dans le fumoir où l'on servait à toute heure de goûteux sandwichs au rosbif. Mais le brouillard des cigares lui fit tourner la tête. Il sortit par une porte s'ouvrant dans le mur ouest et se retrouva dans un couloir étroit qu'il n'avait jamais vu. Ici, le marbre n'était pas orné de peintures, mais se présentait sous forme de grosses dalles qui couvraient le plafond, le sol et les murs d'une couleur crème sillonnée de veines bleues. Tout au bout se trouvait un ascenseur doré et une carte portant en relief le mot : *Grill.*

Il pressa le bouton d'un doigt ferme.

La cage arriva dans un ronronnement feutré. Elle était garnie d'un tapis moelleux et de parois de marbre. Les chaînes qui la tiraient ne semblaient pas pouvoir supporter son poids, mais la présence d'un liftier respectueux l'obligea à masquer sa nervosité.

— Il faut vous dépêcher, monsieur. On prend les dernières commandes dans un quart d'heure.

Piet entra dans l'appareil et les portes coulissèrent derrière lui. L'ascenseur s'éleva longuement, traversant trois, puis quatre ponts, chacun grouillant d'une foule de gens. Il s'arrêta au quatrième pour accueillir une joyeuse compagnie de dames parées de bijoux splendides. Piet sentit leurs regards appréciateurs et, quand l'une d'elles laissa tomber son éventail, il le ramassa ; elle le remercia en redoublant de charme. Les portes s'ouvrirent sur un hall décoré de peintures où, sur un ciel d'azur, les rayons du soleil montraient l'entrée du grill. Les personnes qui l'accompagnaient furent accueillies avec enthousiasme et conduites à leur table.

— Puis-je avoir le numéro de votre cabine, monsieur ? (Maurice Moureaux tenait une plume au-dessus d'un registre.) Il y a un supplément pour le grill. Je le mettrai sur votre note.

*

Pendant ses six derniers voyages transatlantiques, le steward avait entretenu une liaison avec un plongeur des cuisines de première classe, un Marseillais peu instruit mais doté de beaucoup d'esprit, et d'un sexe énorme. Le commissaire de bord, qui réprouvait les liaisons sur le navire, l'avait transféré sur le *Joséphine* deux jours avant le départ de l'*Eugénie*, laissant Maurice sans compagnon de plaisir. C'était un homme délicat. Depuis qu'il avait rencontré Piet dans un couloir de service, il n'avait trouvé personne d'autre à son goût. Pouvoir obtenir le numéro de sa cabine lui sembla une chance incroyable. Il répéta sa question.

— Mon numéro de cabine ?

— Ou le nom de votre suite.

Maurice lui décocha son plus beau sourire et se redressa du mieux possible : il était préoccupé par sa petite taille.

Un instant, Piet hésita, confronté à la décision d'avancer ou de battre en retraite. Il opta pour un coup d'audace.

— La *Henri de Navarre*.

— Et votre nom, monsieur?

— Van Sigelen. Frederik.

— Par ici, monsieur Van Sigelen. Vous comptez dîner seul?

Piet acquiesça d'un hochement de tête.

— C'est un plaisir de vous revoir...

Moureaux prit un menu gainé de cuir et mena Piet à une table près de la fenêtre. Dans les longs miroirs ovales scintillait une lune rousse. Le plafond était vitré et Piet n'avait jamais contemplé autant d'étoiles. C'était la pièce la plus luxueuse qui fût sur les mers, une concession privée tenue par César Ritz. Seuls des plats autrefois servis à Versailles y étaient offerts, et les prix portés sur la carte étaient les plus chers qu'il ait jamais vus.

Moureaux déplia une serviette et la plaça sur ses genoux. Une piste de danse occupait le fond de la salle, entourée par les vagues et la Voie lactée.

— Je vous envoie le sommelier, monsieur.

Piet frissonna lorsque l'adrénaline retomba. Il avait osé et – à nouveau! – il avait réussi. Il se sentait triomphalement vivant. Moureaux s'inclina et se retira. Mais quelques instants plus tard, tandis que Piet hésitait entre la caille et le turbot, il revint.

— Pardonnez-moi, monsieur Van Sigelen. Le registre indique que la suite *Henri de Navarre* est occupée par les Rossiter.

— J'ai dit *Henri de Navarre*? Je pensais *Marie-Antoinette*.

— Bien sûr...

Moureaux espérait que ce beau jeune homme avait fait cette erreur afin de l'attirer à nouveau à sa table.

Il lui demanda si son exploration du navire lui avait plu.

— C'est un bateau superbe.

— Je serais heureux de vous le faire visiter à tout moment.

— Je m'en souviendrai.

L'orchestre attaqua *La Valse des fleurs*. Ce morceau rappelait toujours à Moureaux l'éclat de sa jeunesse à Saint-Pétersbourg, où il avait été le serveur le plus admiré du restaurant favori de Tchaïkovski. Au son tourbillonnant de la clarinette, il retrouva le charme de ses vingt ans. Il salua et regagna le registre. Lorsque Piet se leva pour le suivre, son cœur s'accéléra.

Piet savait qu'il ne devait pas s'attarder pendant que Moureaux se repenchait sur la liste des passagers.

— J'ai laissé mes cigarettes dans ma cabine, dit-il nonchalamment. Je vais juste les chercher.

— Permettez-moi de vous en faire porter à votre table. Quelle marque dois-je demander?

— Je les fais rouler à la main en Angleterre. Je vais les prendre moi-même.

On pouvait déduire beaucoup de choses sur les goûts d'un homme d'après le contenu de sa garde-robe. Moureaux se réjouit d'avoir une occasion de procéder à un examen discret.

— Laissez-moi le faire pour vous...

— Je vous remercie, mais elles sont dans un coffre fermé à clé.

La gaieté de la musique enhardit le steward.

— Je peux vous accompagner, si vous voulez.

— Ce ne sera pas la peine.

— Très bien, monsieur. La cuisine va bientôt fermer. Je vais demander au chef de vous attendre. Puis-je prendre votre commande ?

— Le turbot, s'il vous plaît.

Piet gagna l'ascenseur et pressa le bouton.

Le steward prépara sa note en se demandant comment se débrouiller pour lui servir son petit déjeuner au lit.

D'humeur romantique, il chercha le nom Van Sigelen sur la liste des passagers. En vain. Il passa en revue celle des suites : *Catherine de Médicis, Henri de Navarre, Jeanne d'Arc, Louis XVI...* et *Marie-Antoinette*. Qui portait la mention : *Mme Schermerhorn. Café à servir glacé après Malte.*

— Un instant, Monsieur...

Les portes de l'ascenseur s'ouvrirent et Piet entra dans la cabine. Quand la grille se ferma, il se retourna : dans ses yeux, l'insolence se mêlait à la peur.

Soudain, Moureaux comprit.

Le choc l'assomma pendant quelques secondes. Lorsque Piet s'enfonça dans les ponts inférieurs, il ouvrit la bouche, mais aucun son n'en sortit. Lui, Moureaux, s'était fait abuser par un passager clandestin ! Cette pensée lui coupa le souffle, puis le rendit furieux. L'accueil disposait d'un téléphone intérieur. Il décrocha et murmura :

— *Alerte bleue.* Homme. Vingt-cinq ans. En habit de soirée. Cheveux bruns. Taille moyenne. (Au même instant, il sentit que cette description ne suffirait pas.) Faites passer au mess des stewards. Il vient de descendre par l'ascenseur du grill. Surveillez chacune des sorties. Je descends pour l'identifier.

Mais au moment où l'ascenseur revint prendre Maurice, Piet avait déjà traversé le fumoir, trouvé un escalier et dévalé deux ponts. Il se déplaçait facilement, avec calme. Sans attirer l'attention. En cette nuit splendide, la salle de lecture et le couloir qui y conduisait étaient vides, mais quand il marcha vers la porte garnie de feutre, un groupe d'hommes apparut. Il ralentit jusqu'à ce qu'ils soient passés, puis se glissa dans le couloir et se mit à courir.

En atteignant la grille, il mesura l'ampleur du danger auquel il avait brillamment échappé – et quand il la poussa, il était extrêmement fier de lui.

Mais le loquet était tiré.

*

Piet se jeta sur la grille de toutes ses forces. Elle ne céda pas. Il la secoua farouchement, mais la violence humaine ne peut rien contre l'acier froid. Pour la première fois, il imagina les conséquences de son escapade. On allait le débarquer sur une île à des centaines de kilomètres de la côte, sans relations et presque sans un sou. Il devait éviter ça à tout prix.

Mais qui donc l'aiderait ? Il ne pouvait pas se tourner vers Didier. L'idée de s'en remettre à la pitié de Stacey Meadows était plus séduisante. La jeune femme s'amuserait de sa situation difficile et admirerait sans doute son audace. La perspective de se cacher dans sa cabine, peut-être dans son lit, sema les graines du triomphe au milieu du désastre.

Mais d'abord, il devait la trouver.

Il revint sur ses pas par la porte garnie de feutre. Il avait prêté une plus grande attention aux hommes qui l'avaient entraîné vers la loge des artistes qu'au chemin qu'ils suivaient. Son seul espoir de s'en souvenir était de retourner à son point de départ, ce qui l'obligeait à traverser le grand foyer. Il songea au conseil de Machiavel prônant de s'affirmer contre la fortune et parcourut le couloir en direction d'un bruit pareil à celui d'une cascade.

Au pied de l'escalier, comme dans un cocktail à Paris, deux cents personnes s'amusaient de leur compagnie. Très haut au-dessus d'elles s'élevait une valse sensuelle, jouée les soirs où la mer était calme et les brises douces et chaudes. Il se mêla à la foule et s'y sentit plus à l'abri.

Au moment où il atteignit l'ascenseur principal, il avait recouvré son sang-froid. Il monta dans la cabine et, trois ponts plus haut, essaya d'ouvrir les grosses portes du théâtre. Elles étaient fermées à clé. Il suivit le couloir circulaire, pour tâcher d'atteindre le labyrinthe des entrées de service. Apparemment, il n'y avait pas d'autre accès. Les seules portes, aux boutons en forme de coquille, menaient à des salons. Il commença à se dépêcher. Il avait beau chercher, toutes les portes étaient infranchissables. Il passa d'un couloir à l'autre, les vagues striant le bleu pâle des tentures comme les barreaux d'une prison imaginaire. Il ralentit, car il était un peu en nage. Il était essentiel de paraître calme. Enfin, il trouva une porte qui donnait sur le pont et sortit dans l'air parfumé.

Bien sûr... Il devait enjamber la barrière de la classe touriste. Mais où était-elle? Il regarda par-dessus la rambarde. Au niveau inférieur se trouvait le pont-promenade de la première classe, où de nombreux flâneurs contemplaient les étoiles. Il était plus sombre que là où il se tenait, propice aux rendez-vous discrets. Piet se hâta vers la poupe, longeant les canots de sauvetage – desquels montaient, sous les couvertures, des halètements et des rires étouffés. Il traversa le pont de teck, en cherchant l'espace de la classe touriste. Quand il l'eut trouvé, il hésita à la vue de la barrière. Elle avait été clairement conçue pour empêcher les intrusions, s'élevant sur cinq mètres sans offrir aucune prise. Il n'y avait qu'un moyen de tenter un assaut : grimper sur la rambarde à l'arrière du navire et se cramponner au bord du treillis.

Piet n'était pas un lâche et, sauf quand il avait été provoqué par Louisa Vermeulen-Sickerts, il ne recherchait pas non plus le danger physique. Il avait toujours légèrement méprisé les hommes qui ne pouvaient trouver d'autre moyen de prouver leur valeur. Il regarda par-dessus le bastingage. Loin au-dessous de lui, les grosses hélices faisaient bouillonner l'eau, en laissant derrière elles une longue traînée d'écume. L'idée de se suspendre par une main au-dessus d'elles ne l'enchanta pas. Les barreaux du treillis étaient mouillés, probablement glissants. Il regarda par-dessus son épaule. Personne ne l'observait. S'il devait se lancer, c'était le moment. Mais son corps avait cessé d'atermoyer et ses tremblements répondaient : non.

Sainte-Hélène valait mieux que la mort.

Il rentra à l'intérieur. Là, il se rappela avoir été poussé au bas d'un escalier par la foule qui se pressait vers la loge des choristes. Peut-être qu'en partant du pont inférieur, il aurait une meilleure chance de se repérer. Il parvint à retrouver le chemin de l'ascenseur et descendit au palier principal, qui grouillait de fêtards.

À trois mètres, sur l'escalier à double volée, Maurice Moureaux l'attendait.

Piet dévala les marches. Deux hommes flanquaient le steward. L'un d'eux s'engouffra sur la volée d'en face pour lui couper la route sur le prochain palier. Piet fut plus rapide, mais sans se faire remarquer. Les stewards, semblait-il, ne voulaient pas non plus faire d'esclandre. Il atteignit le palier en distançant de peu son poursuivant et, un étage plus bas, il creusa son avance. Là, il songea aux pièces où il avait paressé avec Didier. À présent, aucune d'elles n'était vide. Aucune ne possédait le genre de mobilier où il pourrait grimper pour passer la nuit tranquille. Il aurait dû essayer les canots de sauvetage, mais il ne pouvait plus revenir sur ses pas. Devant lui se trouvaient les portes du salon. Il les poussa et se jeta derrière un paravent qui protégeait un groupe de fauteuils.

Un quadragénaire à la barbe soignée leva les yeux du *Gentleman's Journal.*

— Joignez-vous donc à moi, proposa-t-il. Je bois seul.

*

Jay Gruneberger croyait à la chance. Sans elle, il était impossible de réussir. Parfois, il voyait dans son fâcheux désir pour les hommes le prix à payer pour être aussi favorisé autrement par le sort. Il se trouvait extrêmement chanceux d'avoir épousé Rose, l'être le plus gentil et spirituel qu'il ait jamais connu, et il gagnait en Bourse et sur les parcours de golf. Deux ans auparavant, à son quarante-deuxième anniversaire, il avait réussi un *trou en un* devant trois cents

Le séducteur

personnes. Il avait été pris alors d'une grande euphorie. Mais ce n'était rien à côté de celle qu'il éprouvait aujourd'hui.

Piet s'assit. D'ici quelques instants, il allait être traîné hors du salon et couvert d'opprobre. Il songea à Percy, qui le verrait débarqué sur une navette. Lui et Miss Prince ne parleraient que de ça jusqu'au terme du voyage.

— Quelque chose ne va pas ?

Le barbu avait une voix aimable, grave, avec un accent américain.

— Je ne me sens pas bien.

— Vous avez le mal de mer ?

Ce fut à cet instant que Moureaux posa la main sur l'épaule de Piet, l'enserrant de ses longs doigts. Un deuxième steward prit en étau son autre bras et un troisième se plaça derrière son fauteuil. Ils étaient un peu hors d'haleine. Moureaux dit à voix basse, pour ne pas alarmer les passagères :

— Cet homme est un dangereux passager clandestin, monsieur Gruneberger...

Piet se leva. L'aventure était terminée.

Jay sourit.

— Au contraire, c'est mon secrétaire particulier. Je connais sa famille depuis trente ans.

— J'ai l'ordre de l'emmener au brick.

— Je regrette, je ne peux pas me passer de lui. Veuillez nous apporter la carte.

— Monsieur, son nom n'est pas sur la liste des passagers.

— J'ai eu besoin de lui au dernier moment et il n'y avait plus de cabines. Il dort sur le divan de mon salon.

Moureaux savait que Jay mentait et il savait aussi pourquoi. Ne rien pouvoir y faire lui fut très pénible. Les jeunes stewards se taisaient, dans l'attente de sa décision.

— Allez chercher un menu pour M. Gruneberger, Laurent, dit-il enfin. Je suis désolé de vous avoir dérangé. Excusez mon erreur, monsieur Van Sigelen.

— Ce n'est rien, dit Piet.

Les stewards s'inclinèrent et se retirèrent. Laurent revint avec une carte.

— M. Van Sigelen prendra la soupe à la tortue. Et votre meilleur sancerre.

— Tout de suite, monsieur Gruneberger.

Ils se retrouvèrent seuls. Piet était étourdi par la faim, le soulagement et le léger balancement du navire. Quand il arriva à parler, il dit :

— Je vous dois beaucoup...

— Bon, vous êtes un type honorable, après tout. Êtes-vous dangereux, comme ils le prétendent ?

Piet sentit qu'il ne gagnerait rien à mentir à son bienfaiteur inattendu.

— Je me suis introduit en première classe pour voir un ami steward, avoua-t-il. Nous travaillions ensemble dans la même maison, à Amsterdam.

— Vous l'avez tous les deux quittée pour prendre ce bateau ?

— Il a perdu sa place à cause de moi. Puis ça a été mon tour. Nous nous sommes rencontrés par hasard sur le pont.

Jay soupçonna que ces retrouvailles n'étaient pas totalement dues au hasard, mais il n'avait pas l'intention d'orienter la discussion vers un rival potentiel.

— Qu'avez-vous fait pour perdre votre emploi ?

— J'ai trop honte pour le dire.

— Alors, gardez cela pour vous, monsieur Van Sigelen. Mais d'après mon expérience, confier un poids pénible peut souvent l'alléger. Je vous promets d'être discret.

— Je m'appelle Barol, et pas Van Sigelen.

— Je suis ravi de l'apprendre. Les Van Sigelen que je connais sont odieux.

Le serveur arriva avec le vin.

— Buvez-le rapidement. Un verre vous calmera.

Piet s'exécuta et ils se serrèrent la main.

— Au moins, dites-moi comment vous avez été démasqué, Barol, reprit Jay comme s'il demandait à son club les potins du jour. Souvent, le dénouement est plus intéressant que les détails de l'aventure.

— J'ai cherché à manger au grill. J'ignorais que l'on devait donner son numéro de cabine.

— Je ne veux pas dire sur le bateau, mais à Amsterdam.

Piet hésita.

— Une personne a révélé quelque chose. Nul n'y avait pensé avant qu'elle ne le fasse.

— Qui vous concernait ?

— Moi et quelqu'un d'autre... Une dame.

— Une parente de cette personne...

Jay dit cela avec désinvolture, comme s'il avait déjà eu vent de cette histoire. Sa précision était si déroutante que Piet but un deuxième verre de sancerre. Après quoi, il dit :

— Sa mère.

— Et je présume que vous et la mère de cette dame...

— Juste une fois.

— Vous vous êtes fait prendre à la première tentative ? Comme c'est maladroit...

Jay sourit. Ça ne le dérangeait pas qu'un homme qu'il convoitait soit plutôt attiré par les femmes. En un sens, il préférait ça, car le souvenir permettait de broder à l'infini. C'était souvent mieux qu'une demi-heure décevante s'achevant par une gêne mutuelle.

Piet ne voulut pas paraître totalement incapable.

— Nous nous voyions souvent. Nous n'avons été découverts que le dernier jour.

— Je croyais que cela ne s'était produit qu'une fois.

— Nous n'avons fait qu'une fois tout ce que l'on peut faire.

— Je vois...

Jay avait une façon calme, autoritaire de poser des questions, qui portait à la confidence. Aux réunions d'actionnaires, des hommes qui avaient passé des années à peaufiner l'art du détour subtil se laissaient enjôler par son obstination polie. Piet n'avait pas eu de discussion franche depuis si longtemps que la tentation était grande. Face à la douce incitation d'un inconnu, il s'aperçut qu'il mourait d'envie de s'épancher. Il ne prononça pas le nom des Vermeulen-Sickerts et ne donna aucun détail qui permît d'établir leur identité, mais il dit à Jay tout ce qui s'était passé à Amsterdam.

Cela le soulagea énormément. Quand ils eurent fini le sancerre, ils prirent un cognac dans le salon maintenant presque désert. Piet n'avait jamais connu d'homme plus ouvert que Maarten Vermeulen-Sickerts, et pourtant, comparé à son nouveau confesseur, il lui parut aussi conservateur qu'un moine du Moyen Âge.

Comme tous les gens chic de New York, Jay Gruneberger n'était jamais sincèrement choqué. Il aiguilla prudemment Piet vers l'épicentre de son drame, l'orientant vers les détails précis de sa liaison avec la femme de son patron. Entendre raconter cette histoire par un jeune homme ému et passionné lui donna une volupté si grande, si rare et raffinée, qu'elle dépassa de loin le simple plaisir érotique. Il prêta au récit de Piet une oreille attentive, tout en se laissant bercer par ses inflexions graves, contemplant son visage à présent détendu, son cou gracieux et ses yeux bleus.

Finalement, un steward vint leur dire que le salon allait fermer.

— Vous feriez mieux de dormir sur le divan de ma suite, proposa Jay comme il aurait offert à un collègue de le raccompagner. Vous n'avez pas moyen de regagner vos quartiers avant demain matin.

— Je ne sais pas comment je pourrai jamais y retourner.

— Le steward affecté à ma cabine est de service au petit déjeuner. Je le connais depuis quinze ans. Il vous ramènera et l'on n'y verra que du feu.

— Il y aura une inspection. On me retrouvera.

— Pas maintenant que je me suis porté garant de vous. C'est un des avantages des Lignes de la Loire. On ne vous met jamais dans l'embarras.

— Alors, j'accepte avec gratitude.

Ils quittèrent le salon et descendirent un long couloir.

— Je prends cette suite parce qu'elle est très calme. L'inconvénient, c'est qu'elle n'a pas de pont privé.

Jay avait attendu dans son coin isolé du salon le plus longtemps possible, dans l'espoir que ses amis soient allés se coucher au moment où Piet accepterait son hospitalité. Il fut soulagé de ne rencontrer aucun visage connu – même s'il était prêt, au besoin, à présenter son nouvel assistant avec aplomb. Ce ne fut pas la peine. Ils s'arrêtèrent devant des doubles portes flanquées par quatre piliers. Au-dessus d'elles, sous la coquille et les L entrelacés de la compagnie, étaient gravés les mots *Cardinal de Richelieu*.

*

Les ornements de la suite avaient pour pièce maîtresse une copie du fameux portrait de Philippe de Champaigne, dont s'inspiraient les couleurs dominantes de la décoration. Le Richelieu de l'original était implacable. Le copiste de l'*Eugénie* avait reproduit les teintes roses et grises de son habit, mais adouci son expression pour l'harmoniser avec l'atmosphère du navire. Piet contempla l'entrée en voyeur discret et admiratif. Elle était merveilleusement calme, enrichie de boiseries en acajou jusqu'à hauteur de poitrine. Jay s'assit avec lui sur un divan tapissé de velours bleu et ils reprirent leur conversation. Après s'être libéré de son histoire, Piet éprouvait un intérêt sincère pour son sauveur.

Jay n'avait pas l'habitude de parler de lui, car il avait de bonnes raisons de maîtriser l'art de la discrétion. Mais leur rencontre insolite et la franche cordialité à laquelle elle avait conduit avait fait naître entre eux une confiance spontanée. Les questions que lui posa Piet furent aussi judicieuses que les siennes, et il se surprit à lui raconter son enfance à Cincinnati et sa rencontre, à l'âge de huit ans, avec sa future femme. Il avait souvent rapporté qu'ensemble, ils avaient grimpé aux arbres bien avant de s'éprendre l'un de l'autre. Ce qu'il avait rarement dit, c'était que son père et sa mère se vouaient un profond mépris et se servaient de leur fils unique comme d'une arme dans leur conflit. Il le confia à Piet, qui lui révéla à son tour beaucoup de choses sur ses parents.

— Vous auriez dû choisir New York! dit Jay avec émotion lorsque Piet évoqua ses projets d'avenir.

— C'était ma première idée. Mais j'ai décidé d'aller à Cape Town quand j'ai appris que le bateau devait venir ici. Je voulais voyager sur l'*Eugénie*.

— Si vous aviez vu New York, vous auriez changé d'avis. New York vaut cent fois cette coquille de noix.

En écoutant Jay lui décrire une ville qu'il ne connaîtrait jamais, Piet songea à Stacey Meadows, aux avantages et aux inconvénients d'être aimé par la cantatrice.

— Où est votre femme? demanda-t-il.

— À Sainte-Hélène depuis quinze jours. C'est la présidente du comité du bal, elle ne restera pas avec la délégation.

— Elle doit vous manquer.

— Énormément. Elle montera à bord demain après-midi. J'ai dû apporter sa robe de New York.

— Quel est le thème du bal?

— La gloire. Il a été choisi par un homme qui s'appelle Verignan.

— Et votre déguisement?

— Je vais vous le montrer.

Jay se leva et ouvrit la porte de sa chambre. Après le sancerre et le cognac, contempler son nouvel ami ne lui suffisait plus. Mais il n'était pas assez grisé par l'alcool, la lune et l'heure tardive pour baisser entièrement sa garde.

S'il ne me suit pas, je n'irai pas plus loin, se dit-il. Mais Piet le suivit.

Jay sortit son costume d'une armoire en palissandre. Rose le lui avait fait tailler sur mesure et chaque détail révélait l'attention qu'il aimait tant chez elle. Elle avait choisi l'uniforme d'un colonel nordiste, supervisé elle-même jusqu'à six essayages... Jay eut soudain envie de montrer à Piet combien il était beau dans cette tenue. Avec un faux air détaché, il ôta son col et son habit, puis se mit à déboutonner sa chemise.

— On mange toujours trop sur un bateau. Je ferais bien de m'assurer qu'il me va encore...

Piet se demanda s'il devait retourner dans l'antichambre ou respecter la soudaine intimité de la soirée en restant avec lui, comme il l'aurait fait avec un ami. Il trouva un compromis en s'asseyant sur une chaise au pied du lit, pour qu'ils puissent continuer à bavarder sans se faire face. Les suites de première classe à bord de l'*Eugénie* n'avaient pas de hublots, mais des fenêtres dont les vitres reflétaient la pièce. Piet tenta de détourner les yeux quand son sauveur enleva sa chemise. Il s'était souvent trouvé nu avec des garçons de son âge, mais n'avait jamais vu un homme plus âgé dévêtu, sauf son père... et Gruneberger ne ressemblait en rien à Herman.

Jay courait, boxait, jouait au tennis, et faisait des haltères tous les jours. Il avait les épaules larges, un torse à la pilosité abondante et, malgré sa corpulence naissante, il avait l'air superbe dans une pièce éclairée par des lumières douces et une lune rousse.

Jay savait qu'il y a des moments dans la vie où l'on doit prendre des risques, ou bien accepter son échec. Il n'était pas prêt à s'avouer vaincu. Il considéra Piet, se demandant comment le toucher sans lui faire peur... Il s'approcha de sa chaise, empoigna ses épaules et enfonça ses pouces doucement, mais fermement, dans les nœuds de son dos.

Piet en resta pétrifié. Il y avait à peine trois heures, il avait songé à se suspendre par une main au-dessus des moteurs, et la tension qu'il avait contractée à cette idée s'était imprimée dans ses muscles.

— Je vois un Russe épatant trois fois par semaine à New York. Je vous ferai volontiers profiter de son savoir-faire, Barol. Ou bien j'appellerai un steward pour vous faire préparer le divan dans la pièce voisine. C'est à vous de choisir...

Depuis le tout début de l'adolescence, le corps de Piet avait réclamé du plaisir et récompensé ses tentatives pour l'obtenir. Il réagit instinctivement en poussant un long soupir de soulagement.

— C'est bien ce que je pensais. Vous avez eu une journée éprouvante...

Sous le regard entendu du cardinal, qui ne fut pas déçu, Jay gagna le lit, tira la courtepointe et aménagea une place entre les oreillers pour la tête de Piet.

— Il vaut mieux vous allonger sans rien sur vous, dit-il en veillant à parler d'un ton indifférent. Je me fais toujours masser de cette façon.

Piet hésita. Puis il se leva et ôta son habit, son gilet, sa cravate et son col. Quand il déboutonna sa chemise, elle sentait la sueur et la peur – un âcre souvenir de ses aventures de la soirée... La pièce était d'une température idéale pour la nudité. Quand il se déchaussa, il se sentit envahi par une grande lassitude.

— Si vous mettez la tête entre les oreillers, vous pourrez vous étendre presque à plat. Il ne serait pas bon que je vous torde le cou.

Piet s'exécuta. Les draps sentaient la rose et étaient délicieusement doux. Jay le considéra, avec le souvenir de la première fois où il avait contemplé son dos, et se réjouit de pouvoir à présent le toucher sans crainte. Piet avait gardé son caleçon et ses chaussettes. Jay ôta ces dernières. Il avait une passion secrète pour les pieds et ceux de Piet avaient une odeur qui emplit ses narines et aviva ses sens. Il contempla son corps exactement comme l'avait fait Jacobina Vermeulen-Sickerts, en se demandant où il allait le caresser d'abord. Bien que ce ne fût nullement dans les habitudes de son masseur, il se plaça au-dessus de lui et planta ses genoux de chaque côté de son dos. Puis il appliqua les articulations de ses index sur ses cervicales.

C'était la première fois que Piet éprouvait une douleur contenant une promesse de plaisir. Elle était si vive qu'il poussa un cri étouffé.

— Expirez très lentement, dit une voix grave au-dessus de lui.

Les mains de Jay étaient puissantes et il avait si souvent confié son dos aux soins d'un masseur qu'il pétrit celui de Piet avec assurance. Son patient obéit. Des vrilles de feu lui brûlèrent la peau. Il n'avait jamais reçu les soins d'un connaisseur.

Le séducteur

Tandis que Jay lui massait le dos de bas en haut, les mains sans cesse en contact avec son corps, une communication muette, mais précise et attentive, se noua peu à peu entre les deux hommes. Le navire, pris dans la houle, ondulait au gré des vagues, comme réglé sur le souffle de Piet. Ce mouvement, ajouté aux ténèbres, au parfum des draps et à l'alchimie complexe du plaisir et de la douleur le plongea dans un état dont il ignorait auparavant l'existence.

Lorsque Jay souleva ses jambes et baissa son caleçon jusqu'à ses chevilles, Piet remarqua à peine cette audace. Sans doute n'en fut-il pas offensé. Il était bien au-delà de la décence. Jay usa de ses coudes, qu'il déposa sur les nœuds réchauffés des muscles de Piet en y faisant, lentement, peser un poids de plus en plus grand – au point que Piet se sentit presque écrasé et, tout à la fois, comme projeté par-delà les douleurs de son corps. Celles-ci se mirent à se dissiper, s'écoulant de ses bras à ses doigts, de ses jambes à ses orteils, avant de s'évanouir complètement, comme si elles n'avaient jamais existé.

Quand les coudes de Jay atteignirent ses fesses, ils repérèrent l'endroit exact où s'étaient accumulées toutes ses tensions vertébrales. Puis, lorsqu'ils s'y pressèrent, implacables, le sexe de Piet s'enfonça lui aussi dans le matelas ferme et un plaisir érotique commença à se former dans l'obscurité qui l'enveloppait. Les coudes de Jay s'écartèrent, immédiatement remplacés par des doigts qui agrippèrent ses jambes, ses mollets et ses chevilles... et là – chose qui donna à Piet la chair de poule – une langue chaude, râpeuse, vint lécher la plante de ses pieds.

Cela n'altéra pas l'état de semi-conscience où il était plongé. Jay agissait avec une telle confiance qu'il ne résista pas, d'autant que la situation présente – en pleine mer, très loin de son pays, au milieu de la nuit – ne se reproduirait jamais. Il ne dit rien lorsque Jay embrassa ses mollets, sa barbe faisant courir des frissons sur sa peau. Et lorsque sa langue atteignit ses bourses, il laissa échapper un murmure d'extase.

D'autres garçons avaient joué avec son sexe ou l'avaient quelquefois sucé, mais ils ne l'avaient jamais touché à cet endroit. Et les femmes qu'il avait séduites étaient trop bien élevées pour ça.

Juste au moment où la jouissance parut indépassable, Jay écarta ses fesses et lui donna un coup de langue sur l'anus. Cette hardiesse galvanisa Piet. Il ouvrit les yeux, confronté aux ténèbres embaumées par un parfum de rose. Il tenta de parler, mais les mots lui manquèrent. La langue de Jay se fit plus insistante, et l'électricité qui passait entre eux, jusqu'alors transmise par ses doigts et ses coudes, s'enflamma encore. Piet songea à tout ce qu'il avait fait pour Jacobina, sans rien demander en retour. Il en était récompensé, après tout.

Ô combien. Lorsque la lune rousse s'enfonça dans la mer et que le soleil éteignit les étoiles, la langue de Jay parcourut les dernières zones inexplorées du corps de Piet. Les deux hommes, à la fois seuls et intimement liés, tous leurs sens en éveil, planèrent dans un état de ravissement qu'ils n'avaient encore jamais éprouvé.

L'aube se levait lorsque Piet ne put plus tenir et jouit avec une violence qui fut extrêmement gratifiante pour Jay. Il essuya Piet avec une serviette, ravi de son succès. Puis il ôta son uniforme et s'allongea près de lui.

Ils s'endormirent sans échanger un mot.

*

Le steward de la cabine de Jay, qui notait les consignes de la centaine d'habitués qui le réclamaient à chaque traversée, savait qu'il ne devait pas lui apporter son petit déjeuner avant qu'il ait sonné. Jay fut réveillé par la chaleur du soleil et, pendant un moment, ses exploits planèrent dans sa conscience comme un rêve merveilleux. Il ouvrit les yeux. À ses côtés, profondément endormi en chien de fusil, se trouvait Piet Barol.

Jay se leva et passa une robe de chambre. Le bruit dérangea son compagnon, qui s'étira de tout son long, bâilla bruyamment et se réveilla.

L'estomac de Jay se serra. Il ne pouvait supporter l'idée de trahir tout ce qu'ils avaient partagé par une séparation gênée.

— Vous avez bien dormi ?

Il y eut un silence. Puis tous les deux sourirent et leur incertitude s'évapora. Jay tendit un peignoir au jeune homme et lui fit couler un bain. Piet s'y plongea pendant que son hôte commandait le petit déjeuner et, quand il en sortit, il trouva un costume de lin qui l'attendait près d'une table dressée pour deux personnes. Il était plus grand que Jay et le pantalon était trop large, mais avec une ceinture et un sweater, il eut tout à fait l'air d'un passager de première classe en tenue chic décontractée.

— On vous ramènera discrètement à votre cabine avant le déjeuner, dit Jay en allumant un cigare. Quels sont vos projets de vie, Barol ? Avez-vous des relations à Cape Town ?

— Hélas, non.

— Alors, qu'allez-vous faire ?

— Cette question me pèse.

— Quels sont vos talents ?

— Le dessin. Cela ne mène pas loin.

— Ça dépend si vous êtes doué, estima Jay en regardant les mains du jeune homme. (Il voulait les voir à l'œuvre avant qu'ils se séparent.) Dessinez-moi quelque chose.

— Qu'est-ce qui vous ferait plaisir ?

— Un souvenir de notre soirée.

Piet réfléchit un instant, prit une feuille sur le bureau et, en moins de dix minutes, croqua le lit en acajou avec ses draps froissés et un second portrait du prélat matois qui le dominait. Il signa le croquis et le donna à son hôte.

— Vous devriez vivre de votre art.

— Je ne gagnerais pas grand-chose.

— Alors, faites-vous commerçant. Il n'y a pas beaucoup de gens qui peuvent s'exprimer aussi bien en mots et en images. Quels objets voudriez-vous fabriquer, ou faire fabriquer, que d'autres aimeraient acheter ?

— Des meubles, peut-être...

— Alors, c'est réglé. Si vous vous y prenez bien, vous pouvez faire fortune. Le décorateur de ma femme est riche, je vous l'assure. Je vais vous expliquer comment vous faire un nom.

Le séducteur

*

Quand Piet revint dans sa cabine, Percy était allongé sur sa couchette, tiraillé entre la curiosité et la rancune. Le ressentiment l'emporta. Il s'abstint de demander à Piet où il était allé, de peur que ça lui donne l'occasion de se targuer d'une aventure enviable. Il préféra lui dire, avec une indifférence étudiée, qu'il avait décroché trois nouvelles commandes pour son système de réfrigération.

— Nous serons en vue de Sainte-Hélène à l'heure du thé, ajouta-t-il. Miss Prince m'a dit que, pendant la guerre d'Afrique du Sud, l'île avait une prison remplie de sales Boers.

— Et maintenant, on va y donner une réception...

— Pas pour nous. Le port est trop petit pour l'*Eugénie*, semble-t-il. J'en ai vraiment assez de ce foutu bateau. (Il bâilla.) La première classe va être la seule à débarquer. Ce sera un beau spectacle si la mer n'est pas trop agitée.

— Réveillez-moi pour que je puisse le voir.

Là-dessus, Piet se tourna vers le mur et ferma les yeux.

*

Piet émergea du sommeil juste avant le crépuscule, s'habilla et monta sur le pont. Percy avait passé l'après-midi avec Miss Prince et n'avait pas songé à le réveiller. Des groupes de passagers de la classe touriste, titillés par la jalousie, parlaient par-dessus la musique d'un quatuor à cordes envoyé pour les consoler. Frau Stettin avait passé sa plus belle robe, rose et blanc, beaucoup trop délurée pour son âge.

— Ah! Les souvenirs de ma jeunesse!... soupira-t-elle en agrippant le bras de Piet pour ne pas trébucher.

Elle semblait avoir bu plusieurs coupes de champagne.

Une flottille de petits yachts voguaient vers le navire, au large d'un rocher volcanique qui paraissait flotter sur l'océan. Au-dessus de l'île, un ciel drapé d'ambre et de vermillon tournoyait comme un toréador.

— Regardez! dit Miss Prince quand les premiers sloops s'approchèrent.

Jay Gruneberger donnait le bras à sa femme. Il était extrêmement fier d'elle. Le spectacle des yachts ondoyant sur la mer et se découpant sur le couchant resterait dans la mémoire de tous les assistants – ce que montrait autant le silence maussade de la classe touriste que les hourras de l'entrepont et de la troisième classe. Même les passagers de première classe, habitués à de nombreux plaisirs, frissonnaient d'impatience à cette vue prometteuse.

Rose incarnait la *gloire* d'une façon originale, dans toute la splendeur de la mer, source de vie. Sa robe était d'un bleu enchanteur, profond et chatoyant, ornée de perles cousues dans ses plis comme des bulles des grands fonds de l'océan. Ensemble, les Gruneberger tranchaient avantageusement sur la foule des impératrices tape-à-l'œil et des généraux d'Empire.

Jay avait depuis longtemps cessé d'apprécier les privilèges de son existence, mais les risques qu'avait courus Piet pour y goûter réveillèrent leur saveur.

C'était après tout agréable d'être invité à une fête dont le monde entier parlerait pendant des semaines. C'était toujours un plaisir de laisser son nom dans les mémoires, de voir les gens s'écarter sur son passage, d'être accueilli et flatté. Ce serait magnifique de danser avec Rose ce soir sous les étoiles et de lui faire honneur. Il se sentait heureux et profondément calme.

Il se tournait vers Mme Schermerhorn quand il aperçut le steward qu'il avait toujours vu en compagnie de Piet. Le jeune homme tenait la barre d'une vedette au pied du navire, contenant son émotion derrière ses traits crispés. Jay reconnut aussitôt la douleur de l'amour repoussé. Il avait l'expérience de la passion et, manifestement, Piet pouvait en inspirer. La question était : avait-elle été ici payée de retour ? Il songea à la familiarité entre les deux jeunes gens, à l'aisance avec laquelle il avait convaincu Piet de passer la nuit dans sa suite...

Jay avait un sens très sûr des motivations des hommes et il était évident, d'après les histoires que Piet lui avait racontées, que ce dernier partageait cette lucidité.

Lequel avait joué le jeu le plus persuasif ?

Il s'était promis de ne pas le chercher des yeux, mais les feux d'artifice au-dessus du navire lui donnèrent un prétexte pour se retourner et il ne put résister. Piet était à l'avant de la foule sur le pont-promenade de la classe touriste, entre une jeune femme quelconque et une vieille dame vêtue d'une robe saugrenue. Le jeune homme agita la main.

Comme tous les passagers des yachts ignoraient copieusement les deux mille regards braqués sur eux, Jay ne put lui retourner son salut. L'espace d'un instant, leurs regards se croisèrent. Puis Jay passa légèrement la langue entre ses lèvres et se détourna.

*

Piet fut réveillé au point du jour par les rires des fêtards qui regagnaient le navire. Il songea aussitôt à Didier. Il s'habilla en hâte et courut à la barrière de treillis où ils s'étaient revus pour la première fois. Son ami prenait souvent son service tôt dans le café sous la véranda, qui s'ouvrait sur le pont-promenade de la première classe. Piet allait le retrouver et se conduire comme si de rien n'était.

Personne n'apparut. La fête de Verignan s'était merveilleusement passée et aucun des invités ne s'était couché avant l'aube. Piet attendit une heure, sans succès. Il allait prendre son petit déjeuner quand arriva une femme à la robe gonflée par le vent. Elle s'étendit gracieusement sur un lit de plage derrière la barrière.

C'était Stacey Meadows.

Piet sentit gronder en lui sa sensualité fraîchement exacerbée. La jeune femme regardait la mer avec le plus grand calme. Il n'avait aucun moyen de l'atteindre. À contempler son menton pointé vers l'océan d'un air de défi, il songea à l'erreur fatale de Don José : se lier à une femme qui ne le comprenait pas et ne le comprendrait jamais. C'était la même faute qu'avait commise sa mère. Il réfléchit aux liaisons qu'il avait eues jusqu'ici, dont aucune ne valait l'attachement d'une vie. Puis il pensa au billet que lui avait fait porter la cantatrice, où il avait senti une intelligence aussi inventive et volontaire que la sienne.

Il alla déjeuner en proie à un désir que rien – ni la conversation de Frau Stettin, ni le flirt de Percy Shabrill et de Miss Prince – ne put dissiper.

*

Les derniers jours de la traversée passèrent avec une lenteur atroce, les besoins quotidiens du corps de Piet rivalisant avec un désir brûlant qu'il ne pouvait satisfaire. Il avait le sommeil agité et mangeait à peine. Que diable allait-il faire à Cape Town ? Il ne pouvait penser qu'à sa rencontre avec Stacey Meadows, la seule incertitude en laquelle il avait une confiance totale.

Au matin du dernier jour, Table Mountain apparut à travers un tourbillon de brume. Malgré l'heure matinale, les ponts étaient noirs de monde. La veille au soir, Percy avait demandé la main de Miss Prince, qui la lui avait accordée. Il avait tenu Piet éveillé toute la nuit, en lui parlant de bagues, de maisons et du train de vie qu'il comptait offrir à sa femme.

Piet, qui les avait félicités au petit déjeuner, les évita du mieux possible. Il se sentait tout petit devant la montagne qui lui faisait face. On aurait dit l'autel d'un dieu ou la divinité elle-même, que les pâles humains n'étaient pas dignes de contempler. En retournant dans sa cabine, il trouva sa note qui l'attendait. Depuis son expulsion de la première classe, il avait eu du mal à rompre avec ses habitudes et résisté de moins en moins à la pression insidieuse portant à la dépense. Là, il vit qu'il s'était laissé aller à boire quatre cognacs et huit cocktails. Il avait fait nettoyer son habit pour mieux pouvoir le vendre, mais la somme qui lui était maintenant réclamée dépassait de loin celle qu'il espérait en tirer. Il sortit du coffre la boîte en fer rapportée d'Amsterdam et trouva sa liasse de billets bien plus fine que dans son souvenir. D'abord, il crut avoir été volé, mais quelques minutes de calcul lui prouvèrent qu'il n'en était rien.

Il se rappela les paroles de Didier, disant qu'un coup de chance n'avait rien à voir avec la richesse. Le prix délirant du voyage, le wagon-lit pour Paris, sa nuit d'hôtel en France, les taxis pour transporter sa fichue malle, puis ses dépenses inutiles sur le bateau avaient réduit les cadeaux de Maarten Vermeulen-Sickerts comme une peau de chagrin. Un instant, il crut avec effroi qu'il n'arriverait même pas à régler sa note. Quelle honte s'il devait emprunter à Percy ! Il compta les billets en tremblant, et quand il eut ôté la somme due, il n'en resta que trois.

Il remonta sur le pont. Une chaleur torride avait chassé la brume. Devant lui se trouvait un port agité : inconnu, grouillant d'activité – et qui se souciait de lui comme d'une guigne... Il pourrait à peine vivre quinze jours sur ses maigres réserves. Et après ? Il l'ignorait et n'osait y penser.

Trouvant une chaise longue, il s'assit lourdement, pour échapper à cette vue pénible. Il entendit l'ancre fendre l'eau et une cloche sonner. Avec une secousse qui fit vaciller les dames, les machines battirent en arrière et le bateau s'arrêta. Son angoisse redoubla. Il savait que seule la confiance pourrait le sauver, mais son aptitude à la ranimer l'avait déserté. L'orchestre entama *La Marseillaise*.

— Terre ! Ça n'est pas trop tôt ! s'écria Percy en surgissant à ses côtés, ridiculement vêtu d'une veste en tweed et d'un pantalon de golf – comme s'il allait jouer sur les parcours du nord de l'Angleterre. (Ayant vendu dix-huit systèmes de réfrigération et séduit une femme juste sous son nez, il se sentait d'humeur généreuse envers Piet.) Dès que Dotty et moi serons installés, vous devrez absolument nous rendre visite.

C'était peut-être le seul refuge de Piet avant l'asile de nuit et la prise de conscience fut cruelle. Mais il le remercia et nota l'adresse de son frère à Johannesburg.

— Regardez tous ces nègres... De quoi vous donner des cauchemars.

Percy le quitta sur ces mots.

Les ponts commençaient à se vider. Piet était étourdi par la peur et par la chaleur. Quand il finit par descendre, un steward apparut.

— Une lettre pour vous, monsieur. Tenez-vous prêt à débarquer.

Piet n'attendit pas. Il sentait qu'une nouvelle rencontre avec Percy le briserait. Il poussa les portes du vestibule, heureux que Didier lui ait écrit. Il avait terriblement besoin d'un ami. Quand il mit le pied sur la passerelle, il le vit debout sur le quai, guidant les passagers de première classe vers le hangar des douanes.

— Loubat! s'écria-t-il, sa voix portant par-dessus le vacarme.

Didier la reconnut et se tourna lentement vers lui. Des années d'entraînement l'aidèrent à rester complètement impassible quand il regarda Piet pour la dernière fois. Il secoua la tête et gagna le hangar.

La pression de la foule était irrépressible. Elle porta Piet au bout de la passerelle, sur la terre qui tanguait étonnamment après trois semaines en mer. Seule l'alchimie de l'amitié aurait pu transformer en aventure ce désastre. Le rejet brutal de Didier l'accabla. Il suivit la cohue au guichet des passeports et sortit la lettre de sa poche. Peut-être son ami s'était-il expliqué. Mais le mot dans l'enveloppe en vélin n'était pas de Didier !

> — *Trouvez des locaux élégants*
> *dans le meilleur quartier. Prenez une chambre*
> *à l'hôtel Mount Nelson et faites-vous connaître.*
> *Tirez parti de votre prestige européen.*
> *Bonne chance. J. G.*

Un chèque de mille livres accompagnait ces lignes.

*

— J'espère que vous ne lisez pas une lettre d'amour, glissa Stacey Meadows, qui s'approchait de lui dans une robe en soie turquoise. J'en serais très jalouse, mais je vous pardonnerais si vous me laissiez faire la queue avec vous. Je viens de débarquer et j'ai perdu mon ombrelle. Je ne peux supporter de rester au soleil dans cette foule.

— Ce serait un honneur, mademoiselle Meadows.

Il lui offrit son bras.

— Vous avez l'air très content de vous...

— Juste enchanté de vous rencontrer.

— On ne dédaigne pas souvent mes invitations.

— J'ai essayé de venir, mais quelque chose m'en a empêché. Puis-je m'expliquer pendant le déjeuner ?

Ils allèrent chercher leurs bagages ensemble. Stacey en avait beaucoup plus que lui. Un porteur des Lignes de la Loire s'en chargea jusqu'à la douane, où un employé leur demanda leurs papiers, les prenant pour mari et femme. Piet tendit le passeport que sa mère lui avait donné bien des années plus tôt, et Stacey présenta le sien. Quand ils furent tamponnés, elle dit :

— Oh ! Il m'est absolument impossible de déjeuner avec vous. Je ne connais même pas votre nom...

— Ce n'est pas un problème, dit-il en lui baisant la main. Je m'appelle Pierre Barol.

*

Les consuls de France, de Grande-Bretagne et des États-Unis attendaient sur le quai pour accueillir les passagers de première classe – le retard du train de Johannesburg ayant différé l'arrivée de leur homologue polonais. Verignan avait loué toutes les automobiles libres de la ville, qu'il avait fait repcindre et revêtir de l'emblème de sa compagnie. La dernière voiture quittait le port lorsque Piet et Stacey débouchèrent dans la cohue en sortant du hangar des douanes. Des porteurs noirs hissaient des malles sur leur dos, de jeunes Indiens en fez demandaient des pourboires et volaient à la première occasion, quelques messieurs à la peau noire inspectaient le contenu de la cale de l'*Eugénie* dans des costumes aussi chic que celui de Piet – une vision qui l'éberlua plus que tout : il s'était attendu à voir les natifs dans des tenues exotiques.

Le même instinct qui l'avait porté à se méfier des ascenseurs et autres nouveautés le porta à préférer de loin un cocher qui ressemblait aux chauffeurs de taxi européens. Stacey attendit à l'ombre pendant qu'il obtenait la dernière voiture conduite par un Blanc, un barouche[1] garni de velours bordeaux un peu élimé, tiré par deux chevaux gris à la foulée altière. Son conducteur était un Cockney obligeant et soigné, qui les prit pour des personnes de qualité. Une fois confortablement installée, la jeune femme dit :

— J'apprécie que vous nous ayez trouvé la meilleure voiture, monsieur Barol.

Stacey Meadows n'avait pas l'intention de moisir toute sa vie dans le chœur de l'Opéra-Comique, et elle n'ignorait pas le sort des filles de sa condition qui ne songeaient pas à l'avenir avant de perdre leur beauté. Elle avait absolument refusé de conclure le pacte faustien de la courtisane et, depuis quelque temps, elle était à la recherche d'une assurance contre les outrages des ans. Elle avait rarement rencontré un partenaire aussi parfait que l'apollon à ses côtés, dont le regard était si brûlant qu'elle remarquait à peine les couleurs gaies de cette ville du bout du monde. Elle décida d'aborder sur-le-champ le revers probable de cette médaille.

— Je vois à votre passeport que vous êtes français. Dois-je en conclure que vous êtes aussi volage qu'amusant ?

Le barouche déboucha dans Adderley Street, une artère bordée de maisons aussi belles qu'à Amsterdam. Piet s'était imaginé des rues en terre battue, mais l'avenue était pavée et partagée par des voies de tramway. Dans la foule grouillant sur les trottoirs se

---

1. Sorte de calèche. (*N.d.T.*)

trouvaient des gens aussi élégamment vêtus que les promeneurs du Vondelpark. Ces choses le rassurèrent par leur air familier, mais la luminosité, l'odeur des épices et de l'eau salée, la vaste montagne gardée par un rocher en forme de lion, annonçaient la nouveauté de ce monde et de ses horizons. Son courage lui revint, piqué par sa conscience.

— Ce n'est pas mon vrai passeport, mademoiselle Meadows.

— Ah oui?

— Vous pouvez être tranquille. Je suis né en Hollande, un pays où les gens sont des plus sérieux. Ma mère était française. J'ai voyagé avec des papiers qu'elle m'a fait faire jadis.

— Vous voulez échapper à la police?

— Seulement à moi-même. (L'exaltation de se trouver avec un gros chèque en poche auprès d'une femme intelligente ne lui fit pas oublier son dégoût pour les subterfuges de sa vie passée. Il décida de ne pas commencer par un mensonge.) Je n'étais pas en première classe sur ce bateau. J'ai un ami steward qui m'a aidé à assister à l'opéra parce qu'il me sait mélomane.

Le visage de Stacey s'allongea.

— Vous voulez dire que vous n'avez pas d'argent?

— Ce matin, il me restait à peine soixante florins. À présent, je jouis de mille livres.

— Donc, vous êtes un voleur?

— Loin de là.

Piet lui montra la lettre de Jay et lui raconta comment il avait été démasqué et s'était dérobé aux stewards, sauvé par un passager fortuné qui lui avait confié le capital pour qu'il se lance dans les affaires.

— Vous avez dû être très persuasif avec ce monsieur... (Stacey le regarda d'un air sceptique. Les certitudes morales de son éducation avaient été complètement balayées lors de ses deux saisons à l'Opéra-Comique, où elle avait beaucoup appris sur la diversité des goûts humains. Elle connaissait de nombreux hommes qui ne cachaient pas leur préférence pour leur sexe et rien ne la choquait plus depuis longtemps. Mais son instinct animal fut déçu et un peu surpris d'apprendre que son compagnon pût en faire partie. Le savoir sans fortune lui permit d'être directe.) Cela ne me dérange pas le moins du monde, mais dites-moi... comment avez-vous fait pour gagner une telle somme ? Je sais bien pourquoi les riches s'intéressent à des gens comme nous.

Pour la première fois de sa vie, Piet devint cramoisi.

— C'est bien ce que je pensais. Cela vous a plu ?

Il hésita.

— D'une façon toute nouvelle pour moi... C'était ça ou me faire débarquer à Sainte-Hélène et y croupir pour le restant de mes jours. J'ai commencé par vous chercher, vous pouvez en être sûre.

Sur ce, il lui conta sa quête éperdue pour la retrouver. Quand il eut terminé, elle souriait malgré elle et il saisit sa main pour l'embrasser.

L'ardeur de ce baiser rassura Stacey, qui décida de fermer les yeux sur cet acte désespéré. Elle retira sa main, mais au fond elle était ravie.

Lentement, leur voiture passa sous une arche ornementale et pénétra dans le jardin botanique qui longeait un palais de stuc et de brique rose. Devant eux s'étendait une avenue ombragée, d'où serpentaient, au cœur d'une végétation luxuriante, des sentiers enchanteurs. En face de la montagne, un temple grec d'un blanc immaculé se découpait sur l'azur.

Partout où ils portaient leur regard foisonnaient des fleurs qu'ils n'avaient jamais vues : des explosions de pourpre oscillant sur leurs tiges, des arbres auxquels s'accrochaient des trompettes d'un rouge éclatant. Tous deux restèrent muets devant ces merveilles – et pendant ce silence, Stacey réfléchit très vite.

Elle avait été surprise de découvrir que les revenus de son compagnon n'étaient pas aussi reluisants que sa beauté. Néanmoins, sa franchise, même sur les sujets les plus délicats, le distinguait des beaux parleurs qui la courtisaient d'ordinaire. En pensant à la manière dont Germaine Lorette avait saboté ses applaudissements, elle eut soudain envie de se soustraire à la concurrence acharnée de la vie artistique. La quitter avec un partenaire digne d'elle serait peut-être plus amusant que d'épouser un nanti dont la mère ne verrait sans doute pas le mariage d'un bon œil.

Son esprit subtil envisagea de manière stratégique la situation qui s'offrait à elle.

— Il serait bon de passer pour un Français si vous voulez fabriquer des meubles et acquérir une riche clientèle. Vous devriez tirer parti, comme le suggère votre ami, de votre prestige européen. Pourquoi pas M. de Barol, *monsieur le baron* ? Un titre qui vous irait admirablement, et comme vous recommencez à zéro...

— Dans ce cas, vicomte serait tout aussi bien.

— Excellente suggestion.

Stacey tira de son sac le petit anneau d'or que son premier séducteur lui avait donné à New York et le passa à son annulaire gauche. Elle trouvait qu'elle avait différé assez longtemps son étreinte avec cet homme charmant et qu'une fois la chose faite, elle aurait les idées plus claires. Piet comprit parfaitement cette invitation et ils remontèrent Government Avenue dans un silence grisant. Ils passèrent devant la maison du Premier ministre et un musée d'histoire naturelle inspiré des châteaux français, traversèrent Orange Street et entrèrent dans le parc odorant d'un grand hôtel bâti sur les contreforts de la montagne.

L'allée était envahie par les taxis des riches passagers de l'*Eugénie*, et le soleil les éblouit de manière si brutale qu'ils sortirent du barouche en clignant des yeux. Un portier, muni d'une ombrelle, accourut aussitôt. Dans un hall qui respirait le doux parfum du luxe, Stacey écrivit *Vicomte et Vicomtesse Pierre de Barol* sur le registre. Cela, et la malle Vuitton traînée par le chasseur, portèrent le directeur à leur faire préparer une suite au premier étage, au lieu de la simple chambre que Piet venait de prendre. Il les invita à boire une coupe de champagne sur la terrasse en attendant que leurs appartements soient prêts.

*

Le jardin du Mount-Nelson arborait les drapeaux britannique, américain, français, russe et polonais. Il y avait une heure que Jay s'était posté à la fontaine, se demandant si son amant viendrait dans cet hôtel. Il espérait à moitié qu'il n'en ferait rien, mais il n'avait pu s'empêcher de l'y inciter et de lui en donner les moyens. Il vit Piet dès qu'il apparut sur la terrasse avec une jeune femme en robe turquoise et comprit aussitôt que les voluptés qu'ils avaient partagées sur le bateau seraient sans lendemain. Loin de le regretter, il en fut plutôt soulagé. Sa main cessa de trembler et il se tourna vers Verignan, qui avait tenté toute la matinée de le pousser à faire une déclaration mémorable sur la situation internationale.

— Il n'y aura pas de guerre en Europe, dit Jay, à moitié pour le plaisir de contrarier son hôte. Tout le monde sait que ce serait la fin du monde.

*

Piet et Stacey furent conduits à l'étage dans un salon privé, qui donnait sur la plus grande chambre qu'ils aient jamais vue. Elle était merveilleusement belle et lumineuse, dotée d'un papier peint orné de fleurs des champs et d'une baignoire immense. Sous leurs fenêtres, la ville, tentatrice, leur faisait signe.

— Nous verrons comment conquérir cette colonie après le déjeuner, dit Stacey en ôtant son chapeau. Mais commençons par les priorités.

*

Trois jours d'ébats frénétiques s'ensuivirent, durant lesquels le vicomte et la vicomtesse de Barol entamèrent le capital de Jay et burent des flots de champagne. Stacey usa pleinement, de manière toute nouvelle, de la taille et de l'endurance du sexe de Piet. Il la vit ainsi l'enfourcher et pousser un cri de plaisir quand elle eut trouvé la bonne position. Alors il jugea cela infiniment préférable à la froideur avec laquelle l'avait traité Jacobina.

Lui-même tira parti du savoir-faire qu'il avait acquis auprès de la dame, et les compliments de Stacey redoublèrent son ardeur à la satisfaire. C'était la première fois qu'ils avaient tous les deux l'occasion de s'adonner au plaisir sans relâche et, tandis que les jours succédaient aux nuits, la tendresse se mêla à l'extase. Piet apprit, entre deux élans, l'histoire du séducteur de Stacey, la manière dont elle avait fui son milieu et sa haine pour Germaine Lorette ; à sa demande, il lui raconta son enfance et les circonstances de son expulsion du 605, Herengracht. Cette franchise forma un lien que leurs ébats – au lit, dans la baignoire, sur le divan du salon, sur le bureau en faisant vibrer l'encrier en cristal – scellèrent et renforcèrent.

Au matin du quatrième jour, le membre de Piet était rouge et gonflé, irrité par tant d'exercice.

— Je dois certainement être enceinte, observa Stacey, en humant la brise parfumée du balcon sur lequel ils prenaient leur petit déjeuner.

— Alors, nous devons nous marier.

— J'espérais que tu dirais ça. (Elle prit une chocolatière en argent et se tourna vers lui avec une mine sérieuse.) Soyons un peu réalistes. Tu dois renoncer à toutes les autres femmes. Tu peux flirter autant que tu veux. En fait, ça te sera peut-être utile. Mais tu devras te limiter au baisemain.

— D'accord.

— Et oublier aussi les hommes, Sainte-Hélène ou pas Sainte-Hélène...

— Je te le promets.

— Certaines gens ne t'aimeront pas par principe. C'est l'inconvénient d'être beau et charmant. Les hommes te haïront beaucoup plus que les femmes. Je me chargerai d'eux. Loin de te freiner, ils joueront un rôle décisif dans ta réussite. Je ne vois pas comment nous pourrions échouer.

— Nous nous en sortirons sûrement mieux ensemble que séparés.

— Ça..., murmura-t-elle en lui prenant la main pour l'embrasser, je n'en doute absolument pas.

À suivre

Remerciements

Je remercie infiniment tous ceux qui m'ont aidé à écrire et à concevoir ce roman. J'ai d'abord raconté cette histoire à Pieter Swinkels et Jolanda Van Dijk, des éditions De Bezige Bij, et plus tard à mon formidable éditeur néerlandais, Peter Van Der Zwaag. Le Fonds Voor de Letterren et la Fondation pour la création et la traduction littéraire (NLPVF) m'ont permis de séjourner longuement à Amsterdam, où Bert Vreeken et le personnel du musée Willet-Holthuysen m'ont généreusement prodigué leur temps et leurs connaissances. Ma documentaliste néerlandaise, Irene Lannoye, a fourni un travail inlassable en traduisant des documents et en me donnant des idées de noms et d'autres conseils ; sans elle, j'aurais mis dix ans de plus à écrire ce livre. Je remercie aussi Brian Fernandes, Marianne Schonbach, Fleur Van Koppen, le musée Van Loon, l'Institut Goethe d'Amsterdam, la librairie Athenæum, Daniel Viehoff, Pieter Rouwendal, Harriet Sergeant, Ewan Morrison, Emily Ballou, Anne-Catherine Gillet, Will Hartman, Nancy Herralda, Andrea Wulf, Michael Bawtree, Dominic Treadwell-Collins, Lyle Saunders, Annika Ebrahim,

Le séducteur

Anne-Marie Bodal, Fanny Adler, Peter Adler, Ian Ross, George Shilling, Victoria Wilson, Kirsty Dunseath, Kathleen Anderson, Patrick Walsh, Jane et Tony Mason, Benjamin Morse, le personnel de la Bibliothèque nationale d'Afrique du Sud et l'hôtel Mount Nelson à Cape Town – et bien sûr, Frédéric Chopin, Jean-Sébastien Bach, Georges Bizet et Coco Chanel.

Cet ouvrage a été imprimé en France par

BUSSIÈRE

à Saint-Amand-Montrond (Cher)
en avril 2013

La photocomposition de cet ouvrage
a été réalisée par
GRAPHIC HAINAUT
59163 Condé-sur-l'Escaut

N° d'édition : 53176/01 – N° d'impression : 2002555
Dépôt légal : mai 2013